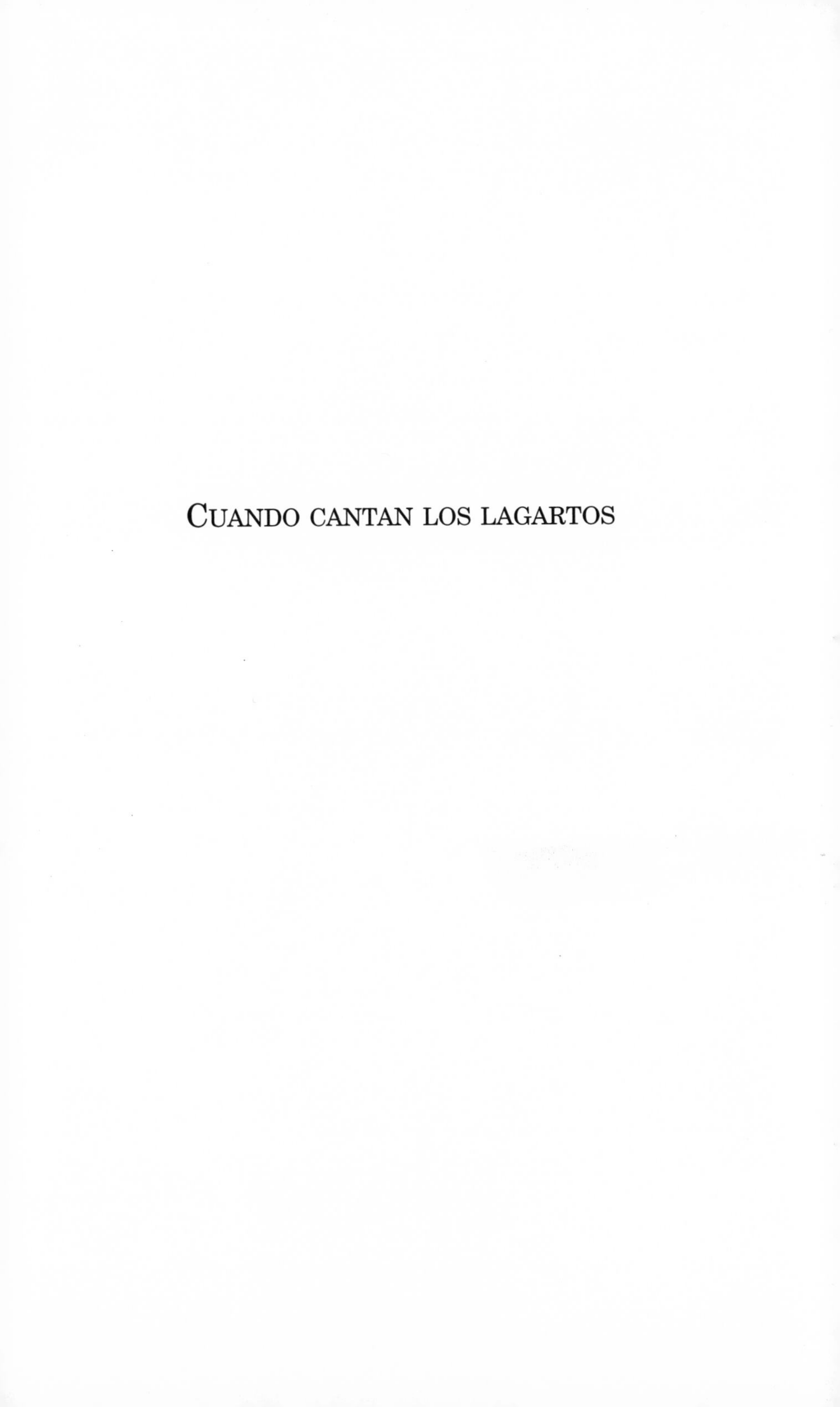

Cuando cantan los lagartos

CUANDO CANTAN LOS LAGARTOS

MIGUEL SANTANA

ALLIGATOR PRESS, INC.
Austin, Texas
1999

www.alligatorpress.com

Publicada por Alligator Press, Inc.
Austin, Texas

Library of Congress Card Number: 99-067474

Santana, Miguel, 1966-
Cuando cantan los lagartos / Miguel Santana

ISBN 0-9675658-0-4

Impreso en los Estados Unidos de América

Diseño gráfico por Steven Busti

Detalle de la portada © *La muerte* por Carlos Gutiérrez

Edición limitada para coleccionistas
Diciembre 1999

Para
Francisca, Hortensia, Isabel,
Blanca, Lorena, Lucía,
Rose, Clarita, Laura,
Helen, Fátima y Jackie

Para Ken

Aída

1

Se llamaba Aída y aclaró que había bajado de las montañas a causa del pecado de su madre. Ellas vivían en una de esas comunidades que luchaban por conservar la tradición intacta, frente a un cristianismo mezcla de brujería y asunto de blancos. Allá arriba sólo contaba la ley de los viejos, ni siquiera existía un gobernador como en las otras rancherías. Los últimos misioneros católicos habían abandonado la capilla hacía muchos años y las nuevas sectas protestantes no se atrevían a llegar hasta allí por lo empinado de los acantilados. La iglesia era un edificio en ruinas que servía para albergar a los animales que serían sacrificados en la tesgüinada.

El sol descendió lentamente esa tarde. El horizonte encendido sólo era rasgado por las siluetas de los dos corredores que quedaban vivos. La algarabía iba creciendo conforme se acercaban a la aldea. Aída casi podía sentir las vibraciones del suelo en sus plantas descalzas. Aunque apretaba la mano de Eyerame, de pronto imaginó que la tierra se abría para tragarse a todos. Hacía un año que su padre había muerto en la misma competición, lo había visto desbarrancarse en el último descenso. Había dado quién sabe cuántas vueltas antes de que le explotara la cabeza. Allí lo dejaron, para que se lo comieran los zopilotes y la montaña no reclamara más sacrificios. Aída metió la cabeza en las enaguas protectoras de su madre y la mantuvo oculta hasta que escuchó los gritos del mayora del pueblo. Habían triunfado sobre las otras comunidades y la celebración no tendría límites.

Aída se escurrió del regazo materno para acercarse al tumulto que rodeaba al ganador. Se coló entre las piernas y los vítores para llegar hasta él. El hombre tenía los pies sangrantes; apenas tuvo tiempo de sonreír a la niña antes de caer desmayado. Aída recordó a su padre y al Cristo de quien Eyerame le hablaba a escondidas, ese Dios omnipotente y blanco que la visitaba en sueños.

Las fogatas se encendieron y los tambores dieron inicio a las danzas. Eyerame tomó a Aída del brazo, le dijo que era hora de irse a dormir y que se asegurara de soltar los perros en el corral antes de acostarse.

Cuando vio que su madre se alejaba, Aída se acuclilló, dio unos golpes en el suelo y trató de perforar la tierra con el dedo. No pasó nada, la montaña era demasiado dura para abrirse y ella ya llevaba un año tratando de encontrar la maldita puerta que encerraba a su padre. "Si tocas con fuerza, un día va a acabar por oírte", le habían explicado.

Estaba acostada cuando empezaron los chillidos de los puercos. Hacía rato que dormitaba pero los ajetreos del pueblo habían acabado por espantarle el sueño. Miró hacia el petate de su madre. Todavía estaba vacío. Se levantó despacio y caminó hasta el umbral de su vivienda. El suelo frío le caló en las plantas. Había gente extraña por todos lados y todos corrían hacia la iglesia. Aída se vistió la faldilla, se enredó en un sarape y se apresuró a seguir a la muchedumbre.

El berrinche del marrano cesó cuando le desclavaron la tabla que había caído sobre él. Eyerame y el hombre desnudo que estaba detrás de ella permanecían en un canto, bajo el Cristo descabezado que todavía colgaba del antiguo altar. Aída vio que las enaguas de su madre ondeaban de las astillas en una viga rota del techo. Recordó todas las veces que la misma Eyerame le había advertido que no jugara en el piso superior. Los demás guardaron silencio mientras asimilaban lo que acontecía. Los reclamos comenzaron cuando identificaron el rostro del sujeto. Eyerame se sacudió las piernas embarradas de suciedad y se separó del cuerpo de su amante. El hombre se cubrió rápidamente el sexo con las manos.

Ante los insultos y animada por la bebida, Eyerame confesó que no era la primera vez, que hacía muchos años que jugaban a escondidas. Caminó hacia su hija, la tomó por los hombros y la encaró con el individuo. "Éste es tu padre", le dijo sin darse cuenta de que la desilusión se incrustó en el corazón de Aída.

La niña se tapó los oídos y sollozó. El hombre desnucado en el fondo del precipicio, aquél por quien tantas veces había orado a Onorúame, el que la llamaba su escuincla gritona y luego le daba las empanadas de calabaza que traía de sus viajes, ése era su padre, no el indio encuerado y enjuto que tenía enfrente. Pero todos sus reclamos se desbarrancaron en un instante; una mujer la tomó por la mano y la obligó a seguirla lejos de allí.

Entre aventones y escupitajos los guardianes llevaron a Eyerame a casa del Tata. Ante él, Eyerame dijo que no le importaban las leyes, que las cosas no cambiarían aunque la castigaran, ya estaba cansada de fingimientos. Permanecía tirada en la tierra, rasguñada y con el atuendo hecho jirones. El Tata la agarró por el cabello y la obligó a mirarlo a los ojos. Buscó detenidamente una señal de arrepentimiento, pero sólo encontró la mirada diabólica de reré-betéame. Las llamas de las antorchas que iluminaban la vivienda danzaban en las pupilas de Eyerame. La soltó, la llamó servidora del demonio y mandó que los sontárushi que la habían traído, la sacaran de la casa.

Eyerame fue arrastrada hasta un poste que clavaron en el patio, la amarraron por las muñecas y la olvidaron por el resto de la noche. Aunque cerró los ojos para dormirse, no pudo. El canto de un tecolote la acompañó hasta el amanecer. Había llegado allí hacía muchos años, traída de una aldea vecina por aquel marido suyo, casada por obligación. Al principio la respetaron por compromiso, después vinieron las dificultades. Jamás logró encajar en esa sociedad conservadora, ella pertenecía a los bautizados, a los otros tarahumaras. Las alturas de la Sierra Madre estaban reservadas para los seres que podían vivir cerca de Onó y Eyerame no era uno de ellos.

2

El día amaneció lluvioso. La continuidad serena con la que se estrellaba el agua en los charcos contrastaba con los preparativos del juicio. Parecía que el cielo se descolgaba y una tormenta explotaría en cualquier instante. La lluvia se había encargado de lavar el rostro de Eyerame. Aun con la ropa enlodada, se veía tan altiva como la noche anterior. Aunque la apuraban, ascendía la montaña cuidadosamente; era fácil perder el equilibrio con las manos atadas a la espalda.

La comunidad se había congregado en la cueva donde tenían lugar ese tipo de reuniones, al final de la vereda rocosa que llevaba a la cima. Algunos sontárushis se aposentaron a resguardar el camino. Era normal que los desfiladeros reclamaran víctimas durante los días de tesgüinada. Los que mostraban los efectos de la embriaguez eran urgidos a permanecer en la mesetilla que albergaba el risco. Para suerte de todos, era el primer día ceremonial y aparte de los muertos en la carrera de bola, el tesgüino todavía no había causado estragos.

Uno a uno, conforme entraron en la cueva, los de autoridad se fueron sentando en semicírculo alrededor de la fogata. Las mujeres se acomodaron detrás de ellos, hicieron a un lado los escombros de otras hogueras y apoyaron la espalda contra la pared tiznada de la caverna. En el centro se acomodó la esposa deshonrada, tenía una mueca en el rostro y los ojos inyectados. La oscuridad imperturbable del recinto se invadió de atuendos rojos y blancos hasta que el color ocre del piso arcilloso quedó disfrazado de tarahumara. Eyerame llegó serena y su amante, allí sentado, le obsequió una mirada de lástima. Los presentes enmudecieron ante el redoble de los tambores.

Eyerame fue acusada de hechicera y de malusar sus poderes para embrujar a su querido. Ella explicó que él había iniciado el adulterio, que una vez le había mandado tela para una falda y que de ahí en adelante las cosas progresaron. Ahora lo quería y no iba a dejarlo.

El mayora, con un tono de sobriedad, le contestó que la

esposa tenía derechos que no podían ignorarse, que había hijos de por medio. Eyerame levantó los hombros y en su cara se redibujó la expresión irreverente de la noche anterior. "Yo también tengo una hija", dijo.

La concurrencia estalló en un desorden silenciado inmediatamente por los tambores. El mayora movió la cabeza con resignación y dijo que cedería el veredicto al consejo de mujeres. Apenas habló, los hombres se pusieron de pie y abandonaron la cueva; entre ellos iba el adúltero. Eyerame volteó para mirarle la espalda. La figura del hombre se recortó en la boca de la cueva antes de desaparecer. Sólo quedaron las nubes que se engarfiaron en el firmamento para atestiguar el castigo. Después vino el relámpago.

Una de las ancianas, la de más alto rango en la comunidad, se acercó a la transgresora y acabó de desnudarla. Otra tomó a Aída por los hombros y la obligó a permanecer a distancia para que observara el espectáculo. La anciana arrodilló a Eyerame frente al fuego, le dio una bofetada, sacó una piedra de entre las enaguas e inició la lapidación.

La primera piedra le dio en la cara y le reventó los labios. Eyerame escupió sangre e hizo un gran esfuerzo para no gritar. Aída trató de acercarse para protegerla pero no la dejaron. La mujer que la mantenía prisionera la obligaba a ver el castigo repitiéndole constantemente que así acababan las que rompían la ley de Onorúame.

Aída dio patadas, manoteó y gritó hasta que su garganta extendió su agonía al risco, al abismo, a los pinos y al suelo de esa sierra abrupta. Pero nadie la tomó en cuenta y las mujeres continuaron el castigo. No hubo nadie que acudiera a rescatar a la sukurúame. Sólo existían las sombras sudorosas que se alzaban en la pared de la cueva para atestar cada pedrada, vociferar maldiciones y exorcisar pecados. Los golpes eran certeros y secos, capaces de aniquilar cualquier demonio que se mantuviera encarnado en la hechicera. Tenían que matarlo bien porque corrían el riesgo de que quedara libre y se le metiera a cualquiera de ellas en el cuerpo. No descansaron hasta que Eyerame quedó desgarrada, abierta de brazos y piernas, con la desnudez a la intemperie.

La anciana y las otras mujeres salieron del recinto agotadas y sumidas en el más completo de los silencios. Ningún espíritu diabólico podría haber quedado vivo. Los hombres las esperaban afuera. La anciana se detuvo frente al Tata y le dijo que la bruja estaba muerta, que no había más de que preocuparse. Entonces vino el trueno y el cielo se descuajó inmenso, inundando la montaña con una tempestad horrísona. Todos se apuraron a la aldea.

En la cueva, Eyerame permanecía inmóvil, de bruces sobre el suelo y escoriada por todos lados. A lo largo de la golpiza no se le había escuchado un quejido, pero ahora el aire le gargajeaba produciendo una respiración flemosa, apenas perceptible. Apurada, Aída retiró las piedras que todavía magullaban la carne de su madre, la tomó en sus brazos y dejó que sus lágrimas se mezclaran con la sangre. Lloró por un buen rato, al ritmo del aguacero que se filtraba por las paredes de la cueva.

De pronto, Eyerame abrió los ojos y los volvió a cerrar, respiró una bocanada enorme, se incorporó y escupió dos dientes. Aída se hizo a un lado y Eyerame se levantó, primero tambaleante, después vigorizada por una energía súbita. Se sacudió el cuerpo, lanzó lo que quedaba de sus ropas al fuego y le dijo a Aída que la siguiera. Eyerame tenía el pelo suelto y su boca había parado de sangrar. Afuera el diluvio cesó, los nubarrones se desintegraron y las laderas quedaron cubiertas de rocío. El sol emergió como el ojo desorbitado del firmamento.

Eyerame inició el descenso de las peñas sin vestirse. Dejó que sus cabellos azabaches y largos ondearan al viento; que su cuerpo recibiera las caricias de ese aire suave, mojado y frío; que su sexo afelpado y negro se purificara con la mansa penetración que le hacía la montaña. Todo seguía su curso natural, la tierra recién llovida olía a tranquilidad e indiferencia, el silencio de los precipicios aguardaba algún grito borracho y mientras el verde plata de los pinos escurría lento sobre la tarahumara, abajo se escuchaban las risas de la tesgüinada.

Eyerame abandonó la cumbre glorificada, convertida en la mujer fantasma que fue a partir de entonces, con la facultad de sobrevivir a muchas muertes y aparecer en el momento idóneo para rescatar a los que quiso. Cruzó la aldea despacio, ataviada en su desnudez aborigen, resistiendo el peso de las miradas que aparecieron. Su esplendor hizo que varias mujeres cayeran cegadas al suelo, que los hombres engolosinados comprendieran los motivos del adulterio. Nadie se atrevió a interrumpir su paso, ni siquiera las mujeres verdugo que la habían ejecutado. Era una resucitada y caminaba con los brazos en cruz, mostrando las heridas de su carne, incitando las ganas de amar. El aire se impregnó de ella y no existió otro perfume; ni la lluvia, ni los pinos, ni los mezquites húmedos despedían olor alguno. Así caminaron, la sukurúame y su hija, una tras la otra, con la cabeza en alto y los ojos fijos en el silencio.

En su vivienda, Eyerame se lavó antes de desinfectarse las heridas con tesgüino. Mientras se aseaba le dijo a Aída que se acercara, que lo dicho era cierto, que su padre no era el hombre muerto hacía unos meses, que ya se las arreglarían para enmendar la situación y que se bebiera el tesgüino que quedaba porque era mala suerte desperdiciarlo.

Aída presumió que algo andaba mal dentro de la cabeza de su madre, bien sabían ambas que ella no tenía edad para beber tesgüino; no obstante, la obedeció. Tomó el cántaro, observó a Eyerame secarse las llagas vivas por el alcohol y se retiró a un rincón del cuarto. Se acostó sobre el petate y se concentró en el crucifijo colgado en la cabecera. El sukristo, con los brazos extendidos, parecía querer abrazarla. Aída le sonrió. Todo giraba. Sintió que daba volteretas y que caía en uno de esos barrancos donde tenía prohibido jugar. Rodaba cuesta abajo pero a pesar de las magulladuras, la caída le producía risa. En lugar de ayudarla, todos la miraban con vergüenza porque iba en cueros como su madre. Antes de alcanzar el fondo del barranco, escuchó la voz del hombre que había entrado en la habitación. Entre sueños creyó distinguir la imagen del que ahora era su padre. Algo extraño sucedía en la aldea, pero no llegó a enterarse porque se quedó dormida, soñando que pronto se convertiría en mujer y tendría las mismas pasiones de su madre.

3

Cuando Eyerame despertó a Aída, era otro día. La mañana aún estaba oscura y los gallos empezaban a cantar. Eyerame le advirtió que las cosas habían empeorado y que tenían que irse. Los ruidos y las conversaciones de la tesgüinada habían llegado claros hasta la vivienda. Ahora la culpaban de la muerte de su esposo. Querían quemarla.

Aída recordó los chismes que habían circulado tras la muerte de su padre, que Eyerame lo había envenenado con sangre de lechuza, que lo había desenguazado para que los otros ganaran la carrera y quién sabe cuántos inventos más. Aunque le dolía no estar segura de la inocencia de su madre, obedeció sus órdenes mientras acababa de despabilarse. Se puso de pie y enredó unas cuantas cosas en el petate, entre ellas la muñeca deshilachada que dormía con ella desde su nacimiento. En la puerta, los últimos rayos plenilunios penetraban haciendo innecesarias las velas.

Eyerame dijo que no les daría el gusto. Desenterró dinero de un rincón del cuarto y lo metió en un morralito que se guardó en el pecho. "Para algo nos ha de servir", exclamó haciendo un gesto de conformidad con la cabeza. Tenía la cara hinchada y los labios inflamados. Amarró un fardo a la espalda de su hija y colocó otro sobre la suya. "Vamos a donde tu padre", dijo mientras abandonaban la casucha.

La aldea amanecía inánime. Los pinos no se movían con el golpe del viento; los búhos no cantaban; ante la inminente claridad, los murciélagos no revoloteaban en busca de una última presa. Aída sospechó que algo raro se gestaba pero la modorra le impidió preguntar. No era habitual que en plena tesgüinada reinara tal calma. Parecía que la sierra se había enlutado y ni la aurora lograba iluminarla. Había un aroma extraño y agrio que le producía un malestar debilitador.

Horas antes, mientras Aída dormía aletargada por el tesgüino, la celebración se había convertido en orgía. Los padres violaron a las hijas y después las ofrecieron al mejor postor. Las madres caminaron de puerta en puerta enseñando su sexo y reclamando la satisfacción de sus instintos, pero como los hombres prefirieron a las vírgenes o a las recién desvirgadas, ellas acabaron estimulando a perros, caballos o a cualquier animal que deambulara perdido en ese caos. Los ancianos desdentados vieron renacer sus ímpetus sexuales y se masturbaban incesantemente en los umbrales de las viviendas, en los corrales o en los sembradíos. Los niños experimentaban los toques sexuales unos con otros y hacían esfuerzos por provocarse los derrames. Por todos lados se escuchaban las risas, los resuellos, las manifestaciones de placer. La aldea olía a semen, a sexo recién usado y a tesgüino. Nadie había quedado impune al gozo.

Clareaba cuando llegaron al jacal. Eyerame sonrió al comprobar que su amante había seguido sus indicaciones, la puerta de la casucha mostraba la cruz ensangrentada que servía para desviar la peste de deseo carnal. Allí no había entrado la maldición. Se acercaron despacio, cuidándose de no despertar a las pocas gallinas que permanecían dormidas en la jaula de la entrada. La precaución era inútil porque todo había cesado de hacer ruido, todo parecía haber muerto.

La turbia aurora no permitió reconocer el rostro de la mujer que abrió. Eyerame no tuvo tiempo de hablar, la mujer cerró la puerta y desde adentro le gritó que desapareciera, que no se volviera a parar por allí. Eyerame respondió que no se movería. Dejó el bulto en el umbral y ayudó a Aída a descargar el que llevaba. Se sobaba la espalda cuando la puerta se volvió a abrir. Esta vez era su amante.

El hombre se aseguró de que la peste hubiera pasado y ordenó a su mujer que preparara atole para las visitas. Acomodó a las recién llegadas en un rincón, se calzó los huaraches y abandonó el jacal con su violín bajo la axila. Portaba uno de esos calzones abultados que le permitían libertad de movimiento. Tenía las piernas largas y musculosas a pesar de que ya no era un muchacho. Antes de que cerraran la puerta, Aída lo vio internarse en el bosque y perderse en la espesura de las coníferas. Era sigiloso como un ciervo viejo. A su paso, los pinos recobraron el movimiento y, ayudados por la brisa, se sacudieron el rocío. El musgo verde oscuro despidió el olor cargado de vegetación matinal que acabó sobreponiéndose a los olores de la maldición. Sin embargo, la aldea continuó dormida, inmersa en las penumbras de un sueño mórbido.

Aguardaron varias horas pero Eyerame no desesperó, estuvo sentada frente a la leña que calentaba la estancia mientras la otra mujer, rodeada de niños, la observaba en silencio desde el otro lado. Tras el reflejo de las llamas, los ojos de la esposa parecían dos látigos. Eyerame no se dio por enterada. Le preocupaba más el viento que de pronto arreciaba sobre el paraje y que sin ninguna consideración se colaba entre los troncos que formaban las paredes de la vivienda. Era una queja que desmenuzaba las chispas de la fogata por todo el cuarto y traía los primeros clamores que se escuchaban en la comunidad.

A su regreso, el hombre explicó que había danzado a Onorúame y que en el desplome recibió la orden de ponerse en marcha. Avisó a su mujer que tomaba a Eyerame por concubina y ordenó que prepararan lo indispensable para la huída, que tenían que irse cuanto antes.

La esposa no reprochó la injusticia del destierro. Juntó las ollas oxidadas que tenía, las amarró con un mecate que introdujo por las agarraderas y las confió a uno de sus hijos. Mató dos gallinas y las embolsó sin desplumarlas. Mandó a uno de los escuincles mayores que fuera por los chivos. Encamisó doblemente a las mujercitas que presenciaban los preparativos sin atreverse a articular protestas; finalmente, se acercó al pedazo de espejo encasquetado en la pared, se peinó los cabellos lentamente y en un arranque, arrojó el peine de madera contra la cara que la observaba desde el otro lado. El vidrio estalló en pedazos y los fragmentos se sembraron por el suelo.

Cuando todos estuvieron fuera de la vivienda y listos para partir, Aída alzó los ojos al cielo. Era media tarde pero la cantidad de nubes lo tenía encapotado y empezaba a relampaguear. La aldea se había convertido en un grito espeluznante que los truenos aumentaban a decibeles ensordecedores. Aída imaginó cosas terribles y aunque quería ver si alguien los perseguía, no se atrevió a mirar hacia la aldea. El vapor y los ruidos que venían de allá debían de ser la muerte. Eyerame la empujó, le dijo que caminara y que no tuviera miedo, que reré-betéame había caído sobre la comunidad y tenían que escapar antes de que los alcanzara a ellos.

4

Aída inició el descenso al final de la prole, entre cabras, guajolotes y algún que otro marrano. Abandonaba la montaña con el corazón en la mano y en su seno, la muñeca que dormía con ella. Cargaba los petates y algunas mantas. Iba malhumorada y aunque era su costumbre andar descalza, le dolían los pies. Jamás hubiera pensado que habría de contarse entre quienes abandonaban las alturas. Por más que Eyerame tratara de explicarle que no era cierto, Aída había oído que cuesta abajo el mundo se tornaba espectral, lleno de fantasmas y ánimas en pena. Le aterrorizaba la idea de toparse con uno de esos aparecidos que sólo volvían para espantar, o uno de esos gigantes que se escondían entre los pinos para devorar a las towekas como ella. Eyerame la consolaba diciéndole que el verdadero infierno era la aldea, que en cuanto llegaran a algún pueblo la iba a bautizar para que se dejara de andar con miedos. Mientras tanto tenía que aferrarse al collar que traía puesto porque los wisárowa la protegerían.

Aparte de lo ojos de su padre, lo que más molestaba a Aída era que la huída hubiera sucedido en temporada de lluvias. El camino se hacía tortuoso y a cada paso luchaba contra el barro para conservar en equilibrio las espaldas vencidas por la carga. A veces era una lluvia tenue pero persistente, a veces un aguacero, el caso era que la ropa nunca se acababa de secar. Ni siquiera en los bosques más tupidos el agua dejaba de castigarla. Parecía que la sierra había morigerado su afecto por ella y todos sus elementos se confabulaban para hacerla ver lo ilícito del descenso. Además, la esposa de su padre la miraba con desprecio y, al igual que a Eyerame, la mantenía relegada del grupo.

La primera noche los alcanzó en un cañón. Llovía y tuvieron que improvisar dos tiendas, una para cada mujer. El hombre se acomodó debajo de un pino, limpió su violín y tocó hasta que creyó que todos se habían dormido. Agachó la cabeza, tentó la tierra húmeda y cerró los ojos.

El derrumbe se inició con un trepidar de rocas y un temblor que se incrementó paulatinamente. Todavía no acababan de despertar cuando la tienda de Eyerame sucumbió al paso de un arroyo recién formado. Aída se apresuró a buscar protección en el regazo de su madre; se abrazó a ella con tal fuerza que le clavó las uñas en la espalda. La otra mujer, desesperada por dar cobijo a los pequeños que no cabían bajo sus brazos, miró a Eyerame suplicante. La sukurúame conjuró el sitio y se aferró al tronco que la protegía con la mano que Aída le dejaba libre. Cerró los ojos y descansó la mejilla en la cabeza de su hija.

Cuando llegó la avalancha, el crujir de la montaña era portentoso y el lodo gimió arrastrando roca y follaje en su caída. Después vinieron los alaridos de los niños que fueron secuestrados por la corriente y el llanto espeluznante de la madre que manoteaba tratando de salvarlos. Eyerame inició un canto mortuorio, apretó con fuerza a su hija y encogió las piernas sin dejar de abrazarla.

Aída luchó por ignorar los gritos de ayuda que se perdían en la barranca y las maldiciones del hombre que no acababa de decidirse entre el violín y uno de sus hijos. Permaneció replegada en el seno de Eyerame, presionando las cuentas de madera que formaban su collar y la muñequita que resguardaba en el pecho. Tenía que controlar sus lágrimas porque su llanto podría despertar a la serpiente que vivía en los arroyos, entonces sí no quedaría un towí vivo. El derrumbe cesó tan rápido como había llegado. Aída trató de escuchar lo que se decía pero los oídos le habían dejado de funcionar. El aliento de Eyerame le llegaba calentito. Tenía frío.

Durante el día, Aída avanzaba con la certeza de que a cada paso su espíritu se desprendía en trocitos dejando un rastro que algún día tendría que recuperar. Cada huella marcada en el barro, cada rasguño de oso en los pinos, cada madriguera, quedaban forjados en su memoria con la fidelidad de los dibujos que sus antepasados habían grabado en los peñascos y en las cuevas de allá arriba. Aún así, cada vez que podía, rasgaba un pedazo de su muñeca y lo enterraba al pie de un mezquite, lo sumergía en la boca de una cascada o lo depositaba cuidadosamente bajo alguna roca de apariencia reconocible. Entonces se tranquilizaba un poco porque imaginaba que algún día, siguiendo el camino trazado por la muñeca, podría regresar a las alturas.

Fue en los primeros días de ese viaje cuando Aída aprendió a controlar sus emociones con aquella frialdad que conservó hasta su muerte, aunque en ese tiempo lo hizo porque adivinaba que su madre tenía demasiadas penas y no deseaba atiborrarla con más. Además, Eyerame le había prometido que pararían a bautizarla porque eso le controlaría los miedos. No había un solo día en que no se preguntara cuándo. Tal vez hubiera sido mejor cargar con el sukristo de su cabecera y no con la muñeca, llegó a pensar.

A pesar de la promesa de Eyerame, el hombre había decidido olvidarse del bautizo y esquivar las comunidades de la sierra para no meterse en problemas. La sukurúame había soñado con la aldea y una tarde, mientras comían el último pollo, informó que no existía más, que todos estaban muertos, que se habían apedreado unos a otros hasta que no quedó ninguno vivo.

La esposa escupió el pedazo de carne que se llevaba a la boca, se puso de pie y se llevó una mano al estómago. "Eres el diablo, vas a acabar matándonos a todos", alcanzó a decir antes de que la doblara un retorcijón. Eyerame guardó silencio y buscó los ojos de su hija. Estaba anocheciendo y prefirió pensar que no los encontró porque se le cerraban de sueño. Le preparó el petate cercano al de ella, le puso la cobija que había lavado esa mañana y se acomodó a esperarla. Adivinó que la carita gris y fría que vislumbraba entre las llamas de la fotaga la necesitaba más que nunca.

Durante varios días la marcha continuó en silencio. Cada uno se envolvió en la rutina del sentar y levantar las mantas, recolectar la leña, hacer el fuego, asar lo que hubiera que asar. Aída empezó a darse cuenta de que su madre no era la misma que había subido a la cueva de los juicios. No supo por qué, pero una mañana se levantó tranquila, sin el sofoco que le ahogaba las palabras. "Te quiero, te voy a cuidar siempre", le dijo apoyando la voz en el sentimiento que le apretaba dentro.

La sierra se había llenado de rancherías. El marido de Eyerame les contó que todo eso era nuevo, que no sabía de dónde había salido tanto humano. La última vez había caminado muchos días en solitario. Cada vez que divisaban un poblado, tomaban los caminos circundantes y no acampaban hasta que estaban a una distancia respetable. Evitaron, sobre todo, los pueblos de la gente blanca que tenía las fábricas de quesos. Esa gente había llegado de un país extraño y en poco tiempo se había adueñado de las montañas. Hasta las alturas llegaban los rumores de los abusos y los atropellos contra los indios. De sus casas escapaba un aroma nauseabundo que se extendía sobre la tarahumara como bascosidad de Dios y alcanzaba las cumbres en los días de viento. Las mujeres vestían colores oscuros que hacían que sus caras chabochis se decoloraran aún más. "Parecen fantasmas con olor a rancio", dijo Aída cuando las vio.

En ocasiones, para facilitar la marcha, seguían las vías que atravesaban las montañas. Nunca habían visto el tren, pero habían oído hablar del gusano enorme y negro, de piel dura como el caparazón de las tortugas. El tren había abierto las entrañas de la tarahumara a la maldición chabochi. Cuando escuchaban ruidos que no podían identificar y sentían las vibraciones en las plantas de los pies, el padre mandaba a los más rápidos para que investigaran. Si divisaban una formación extraña o si el vibrar se intensificaba hasta convertirse en temblor, corrían despavoridos a ocultarse entre la maleza y los cactos cada vez más frecuentes.

El tren apareció una tarde, largo y maléfico, arrastrándose por su sendero metálico. Para Aída, más que un gusano, era una serpiente coronada de humo con chabochis en sus adentros; una serpiente que los pasó de largo, indiferente y ruidosa. De ahí en adelante no volvieron a esconderse.

Para entonces las lluvias habían cesado y el paisaje se escuetaba cada vez más. Hacía tiempo no se veía un pino y Aída estaba contenta porque las ropas se le habían secado. Comenzaba a respirar un aire de sabor áspero. Los barrancos cada vez eran menos profundos. Las plantas espinosas iban apareciendo por todos lados. Habían cruzado el último río, habían comido el único guajolote que sobrevivió a los derrumbes y desde donde se asentaron esa tarde distinguieron una planicie extensa, un terregal que los ojos no alcanzaban a abarcar pero que el atardecer fundía con el cielo púrpura en algún lugar de la distancia. Era el desierto y Aída se enamoró de él.

5

Cuando sentaron pie en terreno plano, Aída estaba tan harta del descenso que no reparó en la austeridad que le quedaba enfrente. Se tendió en el suelo y frotó su cuerpo contra la tibia suavidad del desierto. Tomó un puñado de arena y dejó que escurriera lentamente entre sus dedos. El polvo cristalino descompuso la luz y un arco iris le apareció en las manos. Tembló. Siempre le habían dicho que el arco iris se manifestaba para robar escuincles cuando Onorúame tenía deseo de niños.

Los siete colores circundaron a los recién llegados, se dividieron y crearon laberintos de luz multicolor que ascendían, bajaban y volvían a resurgir entre la arena. Aída sintió que sus ojos se aturdían con el estruendo de colores que brotaba de sus manos. Su padre se inclinó y le pasó los dedos por la cabeza. Le dijo que no se preocupara, que allí estaba él. Tenía las manos tan frías que, más que consolarla, la asustó. Aída pensó que era uno de esos espectros de los que se había venido cuidando. El arco iris desapareció tan rápidamente como había llegado y todo volvió a quedar en calma.

Fue la única vez que el hombre fue gentil con ella. Junto a él, el resto de la familia se tendió a dar gracias por el milagro. Ningún niño había desaparecido. La única que permaneció de pie fue Eyerame. Tomó el violín de su marido y comenzó a tocarlo para iniciar la danza; esa era la mejor manera de agradecer a Onorúame. Mientras lo hacía, el arenal pareció despertarse y una ventisca los envolvió. La arena se movía en círculos concéntricos abrasándolos con la frotación de sus partículas. Aída sintió que unas manos de lija le tallaban todos los rincones, que el polvo se le metía entre la ropa y se le quedaba encarnado, marcándola con la maldición de los que abandonaban la montaña. Sin embargo, prefería ese recibimiento a volverse a topar con el arco iris. Decidió ofrendar lo que quedaba de su muñeca a ese ser inmenso y granular que parecía tener vida propia. Allí la enterró. No sabía cuándo, pero prometió que algún día iba a rezurcir los miembros dispersos de su juguete. Antes del descenso habría llorado al dejarla allí, ahora no; aunque su cuerpo seguía siendo el de una toweka, sus emociones habían madurado, más aún, las tenía coaguladas en algún rincón del pecho.

El desierto fue la tumba de los hermanos varones que quedaban. Aunque bebían la savia de las plantas para apaciguar la sed, los malestares estomacales que ésta producía los había menguado. A pesar de que Eyerame era curandera, aún no sabía que las frutas espinosas del desierto tenían la facultad de sanar el intestino. Al menos eso afirmó cuando Aída la confrontó años después. "Fue el arco iris quien se los llevó", se excusó.

Cuando los animales, la carne seca y los otros víveres se agotaron, comenzaron a alimentarse de serpientes, de raíces y de alguna que otra liebre que aparecía entre los matorrales. Sin embargo, a medida que avanzaban, la arena se iba tragando los últimos vestigios de vida. Poco a poco, aquel paisaje aguijonesco desapareció para dar paso a la nada, al verdadero arenal. Entonces ni liebres ni ratas aparecieron y las únicas víboras que se veían eran las que el viento dibujaba en la arena. Todos vislumbraron la muerte.

A nadie le sorprendió el fallecimiento de la primera esposa. Días atrás, la mujer se había levantado diciendo que la concubina le había puesto un puñal en el estómago y que los dolores la iban a matar, que Eyerame quería hacerla regresar a los montes para que se enfrentara con la fiera, que le había mandado un sukiki para que le comiera el corazón. La muerte llegaba a ella de la misma forma en que había alcanzado a sus hijos. "Te maldigo, Eyerame, te maldigo a ti y a tu sangre", vomitó cada palabra.

El marido la regañó y le dijo que se fuera tranquila para que no acabara de ánima en pena. Ella lo miraba con los ojos descompuestos y mordiéndose los labios para no gritar. Retorcía la boca, los ojos y el esqueleto. Engarruñaba los dedos en la arena en busca de la cura para sus males, pero no encontraba nada. Así amaneció, sin vida y con las manos cubiertas por el desierto.

Ya no había nada que hacer, el tétrico rictus de sus labios puso en evidencia su horror. El hombre limpió la arena que se le había acumulado en las comisuras y le desengarrafó los dedos. Entre todos cavaron una fosa, la envolvieron en un sarape y la enterraron orientada hacia el Este, como mandaba su dios. Eyerame colocó una de sus colleras como ofrenda y, Primor y Concepción, las hijas que quedaban vivas, parte de sus cabellos. No hubo lugar para llantos porque el agua del cuerpo era escasa y tenían que racionarla.

Mientras los demás proseguían la marcha, Aída se detuvo a colocar una cruz improvisada con dos ramas de yuca seca. Sabía del poder de los sukristos por palabras de Eyerame. Allí, arrodillada sobre la tumba y viendo las espaldas de su madre que continuaba erguida como si la lapidación y la caminata no hubieran ocurrido, aquilató la fortaleza que llevaba en la sangre. El violín volvió a sonar y todos iniciaron la danza.

6

Aída sentía un ardor en la cara que le aseguraba que había adquirido el mismo color negruzco de los brazos. Se había convertido en una tizona y era tanto el calor que traía adentro que pensó que iba a estallar en llamas repentinamente. Se preguntó si sería capaz de vencer el fuego como Onorúame había hecho. O tal vez, como era doncella, acabaría siendo otra luna, la segunda esposa de Onó. Entonces se apagaría su ardor porque en la luna sólo existía el frío, un frío saciante para las pasiones del dios sol.

A veces el calor era tanto que su pensamiento perdía los aires optimistas y se ocupaba con otros de repudio, de reclamo a ese hombre que la hizo bajar de la montaña. Se olvidaba de lo bello que le había parecido el desierto cuando lo vio por primera vez y confabulaba con sus medias hermanas para emprender el regreso. Eyerame no les decía nada, las veía secretear y les sonreía maliciosamente. Aída y las otras dos escuinclas continuaban la marcha con los propósitos destrozados. Las imágenes que Eyerame ponía en sus mentes tenían el poder de inmovilizar. Sin embargo, de no haber sido porque una tarde, a punto de oscurecer, distinguió una fogata, Aída se habría atrevido a recriminar que las hubieran llevado hasta el fondo de las barrancas, hasta donde habitaba el diablo.

Las llamas resplandecían tras las dunas. Para entonces el hombre hacía grandes esfuerzos por conservarse en pie, había encorvado la espalda, tenía llagas en los labios y los ojos se le escapaban de las cuencas. Por el contrario, Eyerame caminaba lenta y firme, orgullosa del hombre a quien seguía; sus moretones se habían difuminado y los cortes exhibían una costra sucia, pero sana. La voluntad de rehacer su vida la sostenía, para ella todo apenas comenzaba.

Fue Concepción la que advirtió el olor a carne. Impulsada por el instinto olfateó el camino y los demás se apresuraron tras ella. A lo lejos, entre varios ensombrerados, se distinguía la forma de un becerro abierto en canal. El cielo desértico mostraba la misma tintura ensangrentada de los espesos jugos que escurrían del animal. Conforme se acercaban, oían las crepitaciones que la grasa producía al caer sobre el fuego; casi podían masticar la carne. Entonces sus estómagos cobraron vida, se agitaron, rugieron y segregaron ácidos tan poderosos que parecían disolverles las entrañas. Soltaron la carga y sus piernas se apresuraron abastecidas de una energía súbita. Al llegar a la última duna, el hombre las detuvo, les dijo que esperaran, y se tiró de bruces sobre la arena para acercarse sin ser visto. Las mujeres permanecieron agazapadas tras la duna. Aunque los reunidos se veían contentos, los rifles y las pistolas lo habían hecho recelar. No confiaba en chabochis.

Aída, cansada de obedecer, desafió a su progenitor y se adelantó sin titubeos. En ese momento se olvidó de las historias que le habían contado acerca de los gigantes que ensartaban a los niños por las orejas para asarlos en el fuego. El aire estaba infestado de un olor que la guiaba como lazarillo sin permitirle pensar en otra cosa. Antes de que los hombres repararan en ella, Aída se apoderó de un trozo de asado y lo mordisqueó con prisa animalesca. Los tipos se codearon hasta que uno se acercó a ella sigilosamente, la tomó por la barbilla y la obligó a levantar la cabeza. Era un hombre de bigotes largos que despedía un tufo alcoholizado. Le preguntó quién era y qué hacía sola por esos lares. Aída no respondió, retrocedió algunos pasos y continuó atragantándose con la carne. Los ensombrerados se rieron, trataron de arrebatarle el bocado y le pellizcaron las nalgas. En eso estaban cuando descubrieron los ojos empapujados del indio que los miraba gruñendo, con los puños apretados. Detrás de él aparecieron la mujer y las dos escuinclas.

El aspecto del hombre, avejentado por el desierto, lo hacía parecer inofensivo, como un adefesio de valentía hipócrita y rostro curtido. Después de unos instantes en los que midieron fuerzas, los desérticos estallaron en carcajadas. Les dijeron que había comida para todos y los invitaron a acercarse a la fogata. El tarahumara receló hasta que uno de los tipos lo agarró por el hombro, le ofreció un pedazo de carne envuelto en una tortilla y le dijo que se sirviera un café, que era bueno para calentar los huesos.

Los desérticos contaron que viajaban hacia el sur, hacia la capital, que tenían que alistarse porque alguien acababa de formar un frente izquierdista y todo Chihuahua se encontraba revuelto. El padre de Aída, con los ojos clavados en el suelo, se disculpó por no poder acompañarlos; les advirtió que no peleaba en guerras ajenas, les deseó suerte y con el dinero que Eyerame llevaba guardado, trató de negociar que los guiaran al poblado más cercano.

El que le había dado el taco se acercó, contó el dinero y le dijo que era muy poco, que él se ofrecía si le pagaba en especie. El tarahumara inclinó la cabeza, guardó silencio por un rato y le indicó que tomara a Primor, que era la más chiquilla y a lo mejor con el tiempo se le olvidaba. El tipo sonrió revelando su dentadura molacha, se limpió el bigote y dijo que así los llevaría hasta China, si querían. Enterró el rifle con el cañón apuntando al firmamento, tomó un sarape y se llevó a Primor tras las dunas. Los otros ensombrerados se sonrieron, echaron leña al fuego y se enredaron en las cobijas.

Esa noche, la familia durmió alrededor de la fogata, soñando con apetitosos becerros pastando en las cumbres que habían quedado atrás. Sólo Primor pasó toda la noche despierta; sus ojillos se apagaron de tal manera que pareció que la noche se había instalado en ellos. A la mañana siguiente, el ensombrerado cumplió su parte del trato y los llevó al caserío donde habitaban los desérticos.

7

Cuando Aída vio la casona de Doña Aurora, una cuarentona entrada en carnes y famosa por su bondad, pensó que habían llegado a ese cielo que tantas veces le habían pintado las abuelas de su tribu. Las paredes eran altísimas y blancas, hechas del mismo polvo cristalino que todavía traía en las orejas. Pero al acercarse, el gran portón metálico la alarmó. Los ruidosos toques del hombre que los había llevado hasta allí, la hicieron imaginar que las aldabas en forma de cuervos despertaban y se avalanzaban sobre ella para sacarle los ojos. Se resguardó tras las piernas de Eyerame y no asomó la cara hasta que la obligaron.

Doña Aurora abrió la puerta, saludó al ensombrerado y observó a los indios detenidamente mientras escuchaba la explicación. Regateó por unos minutos, se quejó del precio acordado y sacó un billete del seno. El tipejo disimuló el pago, se despidió de la mujerona, hizo una reverencia ante el padre de Aída, acarició a Primor y desapareció. El desierto se lo tragó rápidamente.

Doña Aurora se limpió el sudor del cuello con un paliacate, renegó del calor que ya empezaba a quemar y haciéndose a un lado los apuró para que entraran. Cruzaron el portón tímidamente, caminando en fila y con los ojos puestos en la nuca de Doña Aurora. La mujer les proporcionó un cuartucho en el traspatio y les dijo que no agradecieran el favor, que había mucho trabajo por delante. Ordenó que se limpiaran un poco y que la alcanzaran en la sala para asignarles labores. Tenía en los ojos el poder del mando y se notaba que todos la respetaban.

Más por el cansancio que por las ganas, el tarahumara decidió quedarse. Aunque no era mucha la distancia, el desierto le había apagado los deseos de llegar hasta la ciudad de la que le habían hablado. De pronto, los días en que cruzaba la serranía al galope de sus pies descalzos quedaron demasiado lejos. Había sido uno de los mejores mensajeros de la comunidad y en las carreras de bola varias veces había resultado triunfador. Ahora quedaba al servicio de una mujer que en los ojos claros y la piel blanca denotaba los estragos de la raza mixta. Eso acabó de enmudecerlo.

La vivienda no era más que una habitación de adobe con una ventana sin vidrio. Había un catre, una mesa de tres patas y dos sillas. Eyerame fabricó tres hamacas con las mantas que quedaban. No era mucho, pero cualquier cosa resultaba mejor que seguir atravesando ese infierno arenoso que los rodeaba. Ella también comenzaba a extrañar la serranía y empezaba a preguntarse qué habría pasado si no hubiera mandado la peste. Pero era muy tarde para echarse atrás; vio el perfil aguileño de su hombre asómandose por la ventana y sonrió. Todos los años y todas las incertidumbres quedaron muy lejos.

Detrás del edificio principal se encontraba la pila donde los sirvientes se bañaban. El sol de mediodía pintaba el agua de verde; la superficie parecía tener una costra de espuma endurecida. Aída imaginó que en el fondo había una alfombra de sapos; con cuidado para no despanzurrar ninguno introdujo en la pileta los pies ampollados por la caminata. Los demás hicieron lo mismo. Fue la segunda vez que vio a su padre en cueros. Tenía las colgaduras prietas, greñudas y ahora las exhibía sin vergüenza. Aída prefirió sumergirse en busca de los sapos pues, por lo resbaladizo del cemento, ahora estaba segura de que se encontraban allí.

A los pocos minutos apareció Doña Aurora. Traía una charola con menjunjes, estropajos y jabón en polvo. Observó los chapuzones y los juegos de las tres hermanas por un instante y se acercó a Eyerame por el lado opuesto para no ser salpicada. Le dijo que se tallara bien la carne porque le daba asco ver sus costras, que se despiojara con el líquido de la botellita oscura y que hiciera lo mismo con su familia. Antes de irse, recorrió con la mirada el cuerpo del indio desnudo. "Después de todo no estás tan acabado", le dijo poniéndose las manos en las caderas.

El tarahumara se quedó inmóvil, observó el sandungueo de Doña Aurora al retirarse y lentamente se sumergió en la pileta. Allí abajo el sol no quemaba tanto, lo veía borroso, acristalado y parecía bailar al ritmo del agua. Contuvo la respiración hasta que distinguió la mano de Eyerame acercándose en busca de su cabellera.

Cuando estuvieron listos regresaron a la casona. El calor insoportable había secado las vestimentas puestas al sol. Doña Aurora esbozó una sonrisilla al verlos, salió de detrás del escritorio y se acercó para examinarlos. Les olió los cabellos y la carne, les revisó los dientes y se aseguró de que tuvieran las uñas cortas. "Así me gusta, que a pesar de ser indios sepan de limpieza", dijo.

El hombre fue encomendado a los establos y Eyerame a la

cocina. Doña Aurora les advirtió que tenían que usar zapatos, que buscaran algún par en los armarios y que se acostumbraran pronto porque tenían unos pies horribles. Cuando la mujer se quedó con las tres niñas suavizó la expresión del rostro. Elogió la blancura de las vestimentas tarahumaras, se acercó a las tres y, pasándoles la mano por los cabellos, les dijo que todas las mañanas las quería allí, así de limpiecitas como estaban y listas para aprender, que tenía muchas cosas que enseñarles.

Esa noche, después de los trajines de la cena, la familia se juntó en la cocina. Doña Aurora se había ido y el único sirviente que vivía en la casa, aparte de ellos, no se veía por ningún lado. Aunque en el desierto todavía no había refrescado, la sukurúame llevaba el frío dentro de ella y suponía que su familia sentía igual. Sirvió un atole humeante en cinco jarritas de peltre y se sentó a la mesa con los demás.

El nuevo caballerango tenía la cara crispada, los ojos clavados en el atole y las manos sobre los muslos. Todos permanecían en silencio. Primor fue la primera que se atrevió a beber y cuando soltó el jarro, los bigotes que le habían quedado provocaron la risa de todos. Eyerame le quitó la banda de algodón que le ornamentaba la frente, le acarició el cabello y se levantó a traer unas empanadas. La cena fue una ceremonia silenciosa donde la conformidad se acomodó entre ellos y participó de las viandas.

8

Aída simpatizó de inmediato con Doña Aurora porque algo en su cara, sobre todo si era de día, le recordaba la de Eyerame; sin embargo, al caer la tarde y tras las dos horas que la señorona pasaba frente al espejo, todo era diferente. Aída quedó fascinada con los polvos de colores que Doña Aurora se untaba en el rostro. La mujer comenzaba a apreciarla, así que le permitía observar su rutina de todas las tardes.

Doña Aurora se sentaba frente a un tocador de gran luna y abría un cofre repleto de pomos y cepillos. Aída se detenía en el limen del cuarto y con los ojos muy abiertos seguía paso a paso la transformación. "¿Qué haces allí?... acércate", acabó por decirle Doña Aurora. "Algún día tienes que aprender".

Aída no respondió pero se aproximó al tocador. Entretenía las manos en la manta de su falda porque tendían a moverse por sí solas imitando las de Doña Aurora. Aprendió sobre el rojo de los labios, el delineador de ojos y las pestañas postizas, olió todos los perfumes y se untó un poco de crema. Doña Aurora le dijo que el mejor remedio para combatir las arrugas y asegurar la tersura del rostro era la concha nácar remojada en jugo de limón. "Aunque el mar queda muy lejos, a veces puedes conseguir una en el mercado de Ciudad Desierto, allá, siguiendo la carretera... Es una inversión para toda la vida". Aída atesoró muy bien esas palabras, pues cuando sus pertenencias fueron recogidas de su cuarto en Tierra Negra muchos años después, la concha descansaba sobre el ropero con el jugo cítrico convertido en crema en su interior.

Doña Aurora era la mujer más acomodada en muchos kilómetros a la redonda. Aparte de su profesión, lo demás era misterio. La gente se preguntaba qué la había motivado a dejar la ciudad y establecerse en aquel pueblo olvidado. Decían que había ido a esconderse allí porque andaba huyendo de la esposa de un político muy importante que la visitaba de vez en cuando, pero no estaban seguros. Como su llegada había coincidido con la pavimentación del camino que llevaba a Ciudad Desierto, se rumoreaba, porque nadie se atrevía a afirmarlo abiertamente, que había conseguido la carretera gracias a las influencias de su amante. "Hasta una línea de camiones va a pasar por aquí", prometió una vez.

Doña Aurora era dueña de la única cantina y desde su arribo había establecido muy bien las distancias. Sin embargo, a pesar de su oficio, no había una sola persona que se atreviera a dudar del fervor religioso de la cuarentona. Ella misma había convencido a un cura exiliado desde la época cristera para que oficiara en el caserío una misa por semana. Aunque el sacerdote seguía con la zozobra y las angustias de la guerra, accedió al ruego a condición de que Doña Aurora lo dejara pasar los fines de semana en la cantina. "Así nadie sospechará de mí", había dicho.

Los domingos, como no había iglesia, los habitantes del pueblo se juntaban en el solar de Doña Aurora a tomar los sagrados sacramentos. Ese era el único día que se abría para todos el portón con las aldabas en forma de cuervo. Se colocaban varias sillas en el centro del patio y el cura improvisaba un altar. Aunque en un principio fueron pocos los que se atrevieron a asistir, a fuerza de constancia, el patio de la casona llegó a llenarse a cupo.

A Aída le gustaba hacerla de monaguillo, se encargaba de que el vino estuviera listo, planchaba los manteles y ayudaba a Eyerame a barrer los pisos. Todos los domingos se levantaba muy temprano para ayudar al cura a hornear las hostias. Aunque todavía no era católica, se había aprendido la consagración de memoria. Le gustaba repetirla y lo hacía constantemente. Un día, Eyerame le dijo que dejara de jugar con los rezos, que esas palabras no debían salir de la boca de una mujer. Aída se quedó callada. "Se le olvidó que prometió bautizarme", le dijo después de un momento.

Poco a poco, Doña Aurora se encariñó con Aída. La niña resultó ser su mejor alumna. Aprendió a leer en pocas semanas y, aunque no era rápida, disfrutaba las novelitas rosas que Doña Aurora coleccionaba. La mujer le permitía que las leyera con la condición de que no se olvidara de la Biblia de pasta roja y letras doradas que reposaba en la cabecera de su cama. Le exigía que cada tres noches se acostara junto a ella y le recitara un versículo al azar. No la obligaba a más porque corría el riesgo de quedarse dormida esperando a que Aída acabara de deletrear las escrituras.

Aída gozaba los momentos que pasaba sobre las colchas afelpadas de Doña Aurora. Se retorcía despacito para sentirlas en todo su cuerpo y muchas veces pretendió no poder leer para alargar las caricias de la cama. Doña Aurora la abrazaba fuerte y le impregnaba el perfume de gardenias que la caracterizaba. Le pedía que se estuviera quietecita y que no se fuera hasta que ella se quedara dormida. Aída cerraba los ojos y continuaba balbuceando letras como si todavía estuviera en el intento de leer. En realidad, cada vez que Doña Aurora exhalaba sobre ella su esencia floral, de sus labios tarahumaras salían leves suspiros en forma de vocal. Al regresar a su cuarto, Aída se dormía tranquila, intoxicada por el aroma de gardenias. Entonces ni los ronquidos de su padre, ni los reré-betéames, interrumpían su sueño.

9

Aída se levantaba muy temprano para ayudar a Eyerame en la cocina. Disfrutaba preparando la charola con los alimentos que Doña Aurora almorzaba. Sabía que a la señora le gustaban las comidas picantes, así que apuraba a Eyerame con la preparación de las salsas. "Póngale más chile al pico de gallo, mamá, que quede bien picosito. ¿Le desmenuzo el cilantro? ¿que quede bien fino?"

Doña Aurora respondía a las atenciones con abundantes consejos de belleza. "No exageres con la base, tienes el cutis muy joven, hay que saber mantenerlo así. Pásate un limón por la cara antes de dormirte, verás cómo te blanqueas. El limón es maravilloso, ponte un poquito de jugo en el pelo para que brille. ¡Ay, Aída! Te dije que poquito, mira nomás, te quedó el copete de pájaro carpintero".

Doña Aurora también aprovechó para pulirle la fe cristiana tan contaminada por sus creencias tarahumaras. "Sí, son tres dioses en uno solo, uno en propósito. No tienes por qué entenderlo, yo tampoco lo entiendo, pero así es, son los misterios de nuestra Santa Iglesia. Todos nacemos con pecado, dicen que Eva fue la culpable. No dejará Dios de ser hombre. Tú todavía estás marcada, por eso tienes malos sueños".

Hacía un año que habían llegado cuando Doña Aurora la bautizó. Aunque el padre de Aída se opuso, Doña Aurora mandó traer de El Paso, Texas, la vestimenta de encajes. "No se le hace que ya está muy vieja para bautismos, patrona", había dicho el hombre. "A quién le importa... la niña lo necesita, está llena de miedos", Doña Aurora le respondió.

Aunque no se acostumbraba a los zapatos nuevos, el día de la ceremonia Aída se los puso desde muy temprano. Eran blancos y brillaban. El cura le inclinó la cabeza, pronunció varios rezos y le echó encima un chorro de agua. Aída iba a protestar cuando su padre la obligó a acostarse sobre un petate. Todos se arrodillaron. El hombre la envolvió y la rodó sobre el suelo hasta los brazos de Doña Aurora. Ella decía que sí, que la recibía como hija y luego la rodaba de regreso. Aída pensó que se había convertido en un pedazo de masa para hacer tortillas y que la estaban adelgazando. A pesar de las magulladuras, Eyerame había tenido razón al decirle que el bautismo era el mejor remedio para los miedos, pues de ahí en adelante, Aída dejó de soñar con la aldea, con los derrumbes de la montaña y con la esposa muerta de su padre.

El caballerango murió dos semanas después. La madrugada de su muerte las despertó con un gemido igual a los que acostumbraba hacer cuando se frotaba con Eyerame. Pero esa vez no fue lo que todas creían. Un alacrán le había picado en la pierna. Para cuando Aída se quitó las legañas de los ojos, el matcila no era más que una masa triturada cerca de una de las patas del catre. El hombre no hizo caso de la picadura; presumió que su sangre de tarahumara puro era más fuerte que el veneno y se volvió a acostar. Se abandonó al lado de Eyerame sin percibir el líquido sanguinolento que le goteaba del chamorro.

Amanecía cuando los lamentos las volvieron a despertar. El caballerango echaba espuma por la boca, escurría sangre por la nariz y transpiraba un sudor verduzco que manchaba las cobijas. Balbuceaba entre ahogos y escupidas que se lo llevaba la chingada y que le trajeran un cuchillo para sacarse la ponzoña. Aunque permanecía tumbado en el catre, descargaba puñetazos en todas direcciones.

Con reverencia, Primor le acercó las tijeras oxidadas que utilizaba para la clase de costura que Doña Aurora le impartía. El hombre le arrebató el instrumento y lo descargó brutal y repetidamente contra la pierna infectada. La sangre salpicó todo el cuarto. Aída se desplomó con los ojos abiertos, Concepción estalló en una gritería aturullante y, por primera vez en un largo año de silencio, Primor rio. Rio tanto que su risa se multiplicó en las paredes de la casona, escapó por las ventanas e hizo eco en todo el caserío. Fue una risa macabra que flotó en el espacio incrustando dolores sangrientos en el adobe de las bardas, en las vigas de los techos, en cada partícula de arena. Una risa que penetró en los oídos brujos de Eyerame y la contagió de una locura para la que no tenía defensa. Aunque Aída corrió a la cantina en busca de ayuda, nada se pudo hacer. "Las tres horas que mi padre padeció los delirios fue como tener al diablo en casa, vivito y coleante", contó Aída.

Antes de morir, el caballerango trató de asir la mano de su hija menor, pero ésta la retiró rápidamente y continuó con las carcajadas. La locura también se apoderó de él, se le despupilaron los ojos, enseñó los dientes y se petrificó. Eyerame, fuerte y hermética ante las tragedias, se puso de pie y derrumbó todos los objetos del cuarto; se puso pálida, huesuda, cadavérica, como si la muerte que había sufrido en la montaña la alcanzara de nuevo. Atestó dos bofetadas a Primor y huyó corriendo ante los ojos de los que se habían reunido. Aída estuvo a punto de correr tras ella pero Doña Aurora la detuvo, le dijo que Eyerame necesitaba estar sola y que trajera las píldoras amarillas que descansaban sobre su tocador, que les harían bien a todas.

No hubo tiempo de velarlo. Para el mediodía, la hediondez del cuerpo emponzoñado era insoportable. Doña Aurora mandó que lo envolvieran en una manta y se lo llevaran lejos, donde los humores no pudrieran el aire. Ante los ojos de todos, Eyerame se dejó caer sobre el cadáver. Pidió que no se lo llevaran, que había que danzar mucho, que las nutékimas... pero nadie le hizo caso. Aída y sus hermanas salieron de la habitación y se quedaron en el patio, atestiguando la lucha de Eyerame por permanecer unida al cuerpo putrefacto. Entonces Aída lloró, lloró porque nunca había imaginado que vería la destrucción de su madre, porque hasta entonces había pensado que Eyerame era todopoderosa. Lloró tan conmovedoramente que Doña Aurora se acercó para abrazarla, le dijo que las cosas iban a estar bien y la besó en la frente.

Finalmente, unas mujeres lograron sujetar a la sukurúame y los hombres pudieron cargar con el embultado. Apenas salieron, Doña Aurora aseguró las aldabas con candado y ordenó que soltaran a Eyerame. La mujer corrió hasta el portón, lo estrujó, sacó las manos por las rejas y pronunció el nombre de su amante por primera vez.

10

Tras la muerte del marido, Eyerame entró en un período de inutilidad; explicó que el peyote había mandado al matcila para vengarse, que lo habían deshonrado con el bautismo, que la casa estaba maldita y que las desgracias caerían sobre cada uno de ellos, que era cuestión de esperar. Efectuaba sus labores y luego pasaba el tiempo en largas caminatas por el desierto, buscando al peyote para pedirle perdón.

La vida en el caserío siguió su curso. Doña Aurora acrecentó su autoridad. En toda la región se supo que ofrecía su casa para la liturgia religiosa y eso le trajo fama de buena cristiana. La cantina empezó a ser conocida como La casa del Señor y con tal nombre, hasta los hombres de mayor respeto llegaban de los pueblos vecinos, en especial de Ciudad Desierto, para visitarla. Claro que todos sabían que Doña Aurora sólo se entregaba al desconocido del Chrysler negro que llegaba cada dos o tres semanas. Entonces, La casa del Señor era un ajetreo constante donde las botellas pasaban de boca en boca y las mujeres cambiaban de hombre como cambiar de medias. Los festejos duraban tres o cuatro días y en algunas ocasiones se extendían hasta una semana. Todo dependía de la voluntad de Doña Aurora, quien permanecía encerrada en la alcoba y sólo bajaba a supervisar los cobros. Cuando eso ocurría, Aída pasaba las horas esperando que el portón de los cuervos se abriera; se había acostumbrado a la madrina y la extrañaba cuando no aparecía por la casa.

Una tarde, después de la rutina de belleza, Doña Aurora le reveló el mejor de sus secretos, la preparación de una bebida fermentada que tenía la facultad de enloquecer a los hombres. Doña Aurora se abrió la blusa y mostró los pechos. Aída miró los bultos redondos y por instinto se tocó los suyos. Se sintió decepcionada y agachó la cabeza. Fue la primera vez que reparó en las diferencias. Las cuarteaduras imborrables de sus pies la avergonzaron. Estuvo a punto de darse la vuelta y salir de la habitación, pero Doña Aurora alcanzó una de sus manos y se la llevó hasta el seno. “Mira, tienes que apretar fuerte y hacer movimientos circulares... hace tiempo que la leche casi se me viene sola".

Aída palpó aquellos bultos carnosos y pesados. Recordó la montaña, las ubres de las reses amamantado a sus crías; jamás había aprendido a ordeñar. Asustada, soltó la teta cuando aparecieron las primeras gotas. "No te detengas", la madrina le atrapó la mano. "Sigue apretando y estate lista con la cazuela para cuando brote el chorro". Aída obedeció con repugnancia; a los pocos minutos apareció un borbollón blanco que le salpicó la cara. "Te dije que estuvieras lista..."

Doña Aurora rio al ver a Aída limpiándose el rostro con una mano mientras con la otra seguía presionando. La leche se sentía tibia y fluía en un chorro delgado y continuo. Aída hizo los movimientos más lentos. Observó que su madrina cerraba los ojos y entreabría los labios. De pronto la vio como una enorme fuente que manaba para ella. Cuando llenó el recipiente, lo puso sobre el buró de la cama, se sentó en el regazo de Doña Aurora y comenzó a mamar de su seno. La madrina le dijo que la quería mucho, que ahora más que nunca eran madre e hija y que no le contara a nadie lo ocurrido. Le confesó que la leche era para el hombre que la visitaría esa noche y le pidió que no la mordiera porque las marcas podrían ponerlo celoso. También le dijo que todos los hombres eran malos, que si su niña hubiera nacido, ya tendría tres años. Aída succionó el pezón con calma, resbalando su lengua por el perímetro de la coronilla y lamiendo las gotitas que escurrían cada vez que despegaba los labios.

Más tarde, en la cocina, aprendió que la leche se hervía mezclada con ramas de canela y al final, se agregaban dos cucharadas de sotol. Doña Aurora le advirtió que sólo preparara el trago cuando hubiera encontrado al hombre de su vida, porque de no ser así, cualquiera que bebiera la mixtura no la dejaría vivir en paz. Aída recordó la lapidación y el tesgüino. Doña Aurora le dijo que más tarde le enseñaría el conjuro que acompañaba a los hervores, que todavía estaba muy chica para eso. Estaban solas y sin saber por qué, Aída sintió la presencia de su madre. Eyerame refulgía en cada mosaico de la pared y en cada sartén desengrasada que colgaba del techo.

Esa noche, al regresar al cuarto, Aída sintió que se convertía en una vaca y que entre las piernas le crecía la ubre. Se miró las piernas y pronto descubrió que el líquido que le escurría no era leche. Se limpió rápidamente con un pedazo de tela y asustada regresó en busca de la madrina. Doña Aurora, al ver la faldilla maculada, le dijo que se metiera en la regadera de su habitación, que iba por unos ungüentos y unas toallas, que enseguida le explicaba.

"No tengas miedo, Aída. A todas nos pasa. Este a de ser el castigo que nos ha impuesto Nuestro Señor. Te va a llegar cada mes, sin falta. A mí me dan unos cólicos horribles cada vez que hay luna llena. Eyerame debió habértelo dicho, ¿qué no hablas con ella de estas cosas?... ¿No les ha bajado a tus hermanas?"

11

Por su parte, Concepción y Primor crecieron dedicadas a los tejidos. Confeccionaban todo tipo de diseños con las fibras de una planta espinosa que una vez macerada se tornaba un material muy dúctil. Aunque tenían un estilo muy similar, los brocados, costuras y encajes de Primor reflejaban la oscuridad que habitaba sus ojos. Sus manos tenían obsesión por los puntos de cruz y con ellos podía crear los paisajes más hermosos. Pero su obsesión iba más allá, cruces en las montañas, cruces en los desiertos, cruces en los arroyos, en la frente de las personas, en los cuellos, en sus vientres, cruces ardiendo en una fogata, corderos sacrificados en una cruz ardiente, cruces, cruces y más cruces. El sacerdote de las misas llegó a pensar que Primor estaba poseída por el espíritu de un mártir de la guerra cristera que estaba tratando de decirle algo, pero como Primor no hablaba desde la noche de la fogata, nunca se enteró del mensaje.

Un domingo muy temprano, el sacerdote llegó a la casona acompañado de un hombrecillo de bigotes rojos, robusto y con aires de saberlo todo. El hombre no dijo mucho, sólo que estaría unos días en el pueblo y que le pagaría bien el hospedaje. Doña Aurora le dijo que ella no hospedaba a nadie en casa, pero que en la cantina tenía cuartos disponibles. En eso estaban cuando Primor apareció en el desayunador, en una charola llevaba tres tazas de café humeante y pan dulce. El hombrecillo la miró de arriba abajo, le buscó los ojos, le admiró los senos y las piernas, y la saludó. "Es muda", le advirtió el sacerdote. "Y todavía es una niña", regañó la mujer.

Doña Aurora estaba equivocada, Primor había dejado de ser niña cinco años atrás. Colocó la charola sobre la mesa, endulzó los cafés y antes de enderezarse, dejó que el crucifijo que le colgaba entre los tiernos senos se columpiara discreto. El hombrecillo abrió los ojos, se mordió los bigotes y tartamudeó: "¿Cuántos años tiene?"

"Con los indios nunca se sabe, debe andar por los quince, es hija de la cocinera. Dicen que no habla porque se le apareció el demonio, es buena para la costura. ¿Le interesa?" Doña Aurora respingó la nariz y con un ademán le indicó a Primor que se diera una vuelta.

El hombrecillo apretó los puños, las palabras se le habían atorado en la punta de la lengua. Repasó a Primor, se puso de pie y se acercó hasta ella. Sudaba. "Me gustas mucho. Soy comerciante, tengo un negocio en Santa Fe, no te faltaría nada". Primor no respondió, movió los músculos de la cara de manera que pareció sonreír y salió del cuarto.

"A ver, explíqueme más claramente eso del negocio. ¿Qué vende?" preguntó Doña Aurora.

"Textiles, artesanías, todo tipo de curiosidades mexicanas. Ahora mismo voy hacia el sur en busca de mercancía, tengo el encargo de una virgen de San Juan de los Lagos", sorbió el café.

"¿Es usted solvente?

"Vivo bien, señora, mi familia es de respeto", explicó. "Yo también iba a ser sacerdote, no pude, me gustaron mucho las mujeres".

"No se hable más del asunto", interrumpió Doña Aurora. "Usted se hospeda aquí, cuánto tiempo dijo que se iba a quedar, ¿una semana? ...que sean dos". Nadie sospechó que el hombre desaparecería del pueblo dos noches después, y que con él, Primor, Concepción y el baúl donde habían coleccionado los tejidos de toda una vida desaparecerían también. Ni el mismo sacerdote que lo había traído supo dar razón. "Eso es una chingadera, no se quedó conforme con llevarse a una, tuvo que llevarse a las dos", se quejó Doña Aurora.

Entonces Aída se dio cuenta de que se había quedado sola, que Eyerame continuaría ensimismada, que la búsqueda del peyote se había convertido en un pretexto viejo y estúpido para su locura. Le bastó una noche para decidir su fortuna. A la mañana siguiente habló con Doña Aurora. La madrina dejó pasar una semana antes de llevarla a la cantina. "Por cuestiones de luto... después de todo eran tus hermanas", le dijo. "Eso me saco por querer casarlas bien".

Aída tenía dieciséis años cuando tomó las riendas de su vida. Doña Aurora le regaló un veliz de cuero donde había guardado los vestidos de su juventud. Aunque las ropas habían adquirido un ligero olor a neftalina, la tarahumara se encargó de lavarlas y orearlas para erradicarlo.

Qué cantidad de cosas, madrina. Va usted a ver cómo no la defraudo. Ahora sí voy a poner en práctica todo lo que usted me ha enseñado. Mire que blanca tengo la dentadura, me enjuago la boca con bicarbonato todas las noches, no he vuelto a ponerme limón en el pelo, me gusta así, negro y liso, eso sí, la mayonesa una vez al mes.

Ya no tengo los pies curtidos ni las manos ásperas. El otro día vi a una de las muchachas de la cantina limándose las uñas, no me costó trabajo aprender, me suavizo la cutícula en agua tibia y después me unto un poco de aceite de almendra. He empezado a dejarlas crecer. Ya planté más sábila en el patio de atrás, para eso de las mascarillas. Yo no me voy a ir madrina, me gusta estar aquí.

12

Los clientes favoritos de La casa del Señor eran los militares americanos que llegaban hasta el pueblo. Aída llevaba un mes en la cantina cuando los vio entrar. Sabía que más allá de Ciudad Desierto, al otro lado del río, existía un fuerte militar. Los desérticos le habían contado que el ejército estaba instalado allí para evitar las invasiones. "Pobres gringos... cuándo van a reconocer que el día menos pensado nos dejamos ir en bola a reclamar lo nuestro y entonces quién nos detiene", aseguraba Doña Aurora.

Pero como en esas épocas las invasiones sólo acontecían del otro lado del mundo, los soldados se aventuraban los fines de semana a cruzar la frontera en busca de diversión y a veces, por la fama, extendían las parrandas hasta La casa del Señor. Fue así como Aída conoció a Tom, un teniente ojiazul que le pagó toda una tanda. Tom era muy alto, de espaldas anchas y manos venosas. Tenía mirada de niño extraviado, los labios rosados y la piel aparentaba una tersura que ni siquiera la concha nácar había logrado en Doña Aurora. Las cejas rubias eran gruesas y tupidas. "Se parecía a los arcángeles en los dibujos de la Biblia... pero con el cabello muy corto", aseguró Aída.

Aída no entendía ni una pizca del español que Tom le susurraba al oído; sin embargo, cuando la apretaba, sentía una protuberancia bajo el estómago que parecía tener corazón propio y palpitaba al ritmo de la música. Se mantenía sobrecogida, miraba a Tom mirándola y se perdía en sus ojos, en su aliento de cerveza y en las grietecillas de sus labios. Volvió a sentir, esta vez dentro de su pecho, los calores sedientos de la travesía.

"Hazlo que se gaste los dólares", le había dicho la madrina. Pero en esos momentos, Aída no tenía ganas de ejercitar su profesión. "¿Es que no te das cuenta, madrina, qué blanco es, qué transparente? Así ha de ser diosito, el de los sukristos".

Aída le pidió a Tom que la llevara a sentarse y le trajera un poco de agua. El teniente caminó hasta la barra y pidió dos tequilas almendrados. Cuando Aída se quedó sola, la madrina se acercó para decirle que tuviera cuidado, que no se sobrepasara con las atenciones porque ya sabía para quién estaba reservada. Aída no le hizo caso, abrió la cartera que ya había aprendido a usar, sacó el lápiz de labios, la polvera y se untó un poco de perfume en las muñecas. Estaba decidida a quedarse con Tom toda la noche. Bailó los charlestones pasados de moda que seguían escuchándose en La casa del Señor, las cumbias, los corridos y las rancheras sentimentales. Tom la guiaba y le daba volteretas a lo largo y ancho de la cantina. Por primera vez, los labios de Aída produjeron las risitas coquetas que tanto le molestaban en las otras muchachas. Ignoró todo lo que acontecía a su alrededor, las carcajadas, los otros soldados, las botellas empinadas, el mezcal volador, las explosiones de sidra; sólo los ojos de piedra de Doña Aurora seguían atosigándola.

Casi era hora de cerrar cuando en un descuido de la matrona, el teniente acarreó a Aída a la trastienda. La sentó sobre un barril de ron, le levantó la falda y le bajó la pantaleta. Los besos escudriñantes, la lengua intrusa y la humedad que Tom regó, bebió y extendió por sus muslos la hicieron temblar, afiebrarse. Finalmente comprendía las agitaciones y los gemidos de Eyerame cuando se le encaramaba el marido. Lo vio desabrocharse el cinto y soltar las amarras del pantalón que resbaló hacia el suelo y se le atoró en las botas. Ella misma se desabotonó la blusa y guió los labios de Tom hasta sus senos. Saboreaba su propio interior en la saliva de Tom; el apetito surgió espontáneo. Descubrió que en ella la pasión se daba de forma natural, robusta y armoniosa.

El teniente la mordisqueó, se deslizó y le patinó su aliento sobre el sexo. Los recordatorios de Doña Aurora quedaron olvidados. ¿Qué aceites ni qué jabones espumosos cuando la razón ha escapado por la entrepierna? Las manos de Tom le apretaron las nalgas y la levantaron despacio. Aída enlazó sus dedos tras la nuca del teniente y dejó que la guiara. Hubo dolor, un desgarramiento y apenas un gemido ahogado por los besos. El jadeo vino después. Tom fluyó dentro de ella, la apretó y se le enredó como rebozo. ¡Qué rico sentir así, qué frutillas de la montaña, qué mangos podridos de Veracruz! Que vinieran mil lapidaciones... Se escuchó un golpe, rieron y un chorro de ron cayó sobre ellos. El teniente se frotó la cabeza, abrió los labios y atrapó el borbollón en su boca. Aída besó el líquido dulzón. ¡Ay Doña Aurora y los brebajes! ¡Ay Doña Aurora y las ganancias! Tom llévame contigo y no te desclaves nunca. Dos almas se escaparon por las rendijas de las paredes, entrelazadas, dos serpientes en cópula. Los dos supieron que vendrían muchas noches así. Se besaron, anudaron las lenguas y gozaron el sabor del ron. Afuera se bailaba el *Juan Charrasqueado* y las risas anónimas revoloteaban hasta la trastienda. Aída rio también, se abrazó al teniente y rodó sobre él. Cuando volvieron al salón, la madrina bajaba por la escalera que llevaba al segundo piso. Cruzó a grandes pasos hasta la barra y sentenció a Aída con la mirada.

Tom le dio a entender que la visitaría a menudo, el trayecto era largo pero no perderían el contacto. Le contó, ayudado por un amigo, que pertenecía a la Primera División de Caballería, que uno de esos fines de semana vendría por ella para llevarla a El Paso y que subirían hasta la cumbre de la montaña Franklin. Le habló de las hamburguesas, de los tranvías, de los grandes almacenes y de la música de orquesta. La volvió a besar antes de irse y le regaló una foto donde aparecía con uniforme. Aída la guardó en su seno y lo despidió. Doña Aurora la esperaba detrás de la barra con las manos cruzadas y el rostro contraído. Un viejo tuerto limpiaba el salón; las muchachas ya se habían retirado a los cuartos. El silencio sólo era roto por el ruido metálico de los resortes de las camas del piso superior.

La madrina le reprochó que le hubiera echado a perder un buen trato, le advirtió que después harían cuentas por el ron desparramado y que trajera el vinagre para el lavado, que en casa le prepararía un té de gobernadora y que se lo tendría que tomar hirviendo. "Allá podrás ser mi hija, pero aquí los negocios son los negocios, te he guardado por un mes y mira nada más lo que haces. Te revuelcas con el primer americano que entra. ¡Eres una malagradecida!"

Aída no dio explicaciones. Desconectó las lámparas y la luna entró por las grietas de la puerta. El olor de una llovizna escueta se coló también. Aída salió, apagó la lamparilla que iluminaba el zaguán y enfocó los ojos en la carretera que llevaba a Ciudad Desierto. Distinguió un mar de luces que nunca le había llamado la atención, imaginó los edificios altos, las calles pavimentadas, el río Bravo, o Grande como lo llamaba Tom. Y él del otro lado, con sus orejas de leche y su nuca rasurada. Dejó que la lluvia mojara sus pensamientos y se encaminó lentamente a la casona del portón de cuervos. En el trayecto se dio cuenta de que un hoyo le crecía en el cuerpo; se palpó para localizarlo, pero todo permanecía en su lugar. Qué necesidad impetuosa, repentina y árida la invadió entonces, qué abandono y qué ausencia. Corrió.

A partir de esa noche Aída ascendió de rango en la cantina. Su juventud, galanura y buena disposición la convirtieron en la fichera más codiciada. Tenía las caderas acentuadas, redondas, con agarraderas, los senos flacos y encrestados, pezonudos. Pero lo bello era el color radiante de su piel retostada por el desierto. ¡Qué india más chula, qué mamacita hermosa y qué ganas de cogerte Aída! Pero ella disfrutó a solas el saberse mujer y no se acostó con nadie más. Aunque todas las muchachas le decían que el americano no volvería, ella estaba tranquila porque había construído un puente entre ella y Tom, un puente capaz de estirarse, retorcerse, sostenerse en el aire, sobre el desierto y la frontera. Tom regresaría en dos viernes, con su piel de queso y sus ojos de cielo. Todos los días oía sus pasos.

Por las noches, disfrutaba mirarse en el espejo mientras se arreglaba para asistir a La casa del Señor. Le gustaban el rojo de sus labios, sus pómulos cincelados, la angularidad de su cara. Aunque era lampiña, por imitación había aprendido a rasurarse las piernas. Se sentía independiente y desde hacía algún tiempo, ya no necesitaba las noches con Doña Aurora, ni la madrina se las pedía. "No volveré a reprocharte la ingratitud, eres libre y tonta, hija. Ese gringo me llena los zapatos de piedritas".

13

Tom reapareció. Cuando había dicho, llegó con dos amigos en un coche prestado, gritando el nombre de Aída por las calles del pueblo y levantando polvaredas a su paso. Los hombres del caserío se asomaron con las escopetas prestas, las mujeres curiosas abrieron las ventanas y los niños que jugaban a las canicas en las callejuelas terregosas huyeron despavoridos. Tom conducía con una mano y sacaba la otra por la ventanilla saludando a los desérticos, hacía sonar el claxon y más de una gallina estuvo a punto de morir atropellada.

Aída no oía los ajetreos del pueblo pues, con las horas, el latido violento de su corazón ensordecía cada vez más los ruidos exteriores. Se había maquillado sin extravagancia y llevaba uno de los mejores vestidos del veliz, un chemís de satén violeta que se le ajustaba en las caderas. Era un manojo de nervios. Eyerame sonreía mientras estudiaba a su hija en silencio, sentada tras las cruces bordadas en la cortinilla de gasa que Primor había hecho para su cama y que todavía colgaba del techo.

"Mamá, ayúdeme con el chongo, que me quede bien apretadito. ¡Ay, no tanto, mamá, casi me descránea! Mire, esto sirve para rizar pestañas de tejaban, no como las suyas, usted sí que tiene pestañas bonitas, por qué no las saqué así... Me gusta mucho el tal Tom, me brinca todo por dentro nomás de verlo. ¿Así sentía usted?"

A Tom no le costó trabajo encontrar la casona. Dejó a sus amigos en el coche y llamó al portón de los cuervos. Llevaba un traje oscuro, unos zapatos negros que parecían haber sido lustrados mil veces y una camisa acorbatada. Durante varios días había planeado el reencuetro, practicado las palabras en español, ensayado el saludo. Ahora los momentos parecían alargarse y cada instante significaba una palabra olvidada, un enunciado menos. Volvió a sonar el timbre.

Eyerame dejó a Aída en el cuarto, cruzó el patio, entró en la casona y se apresuró hasta el portón. Abrió con cuidado y observó las señas que el teniente hacía. No entendió sus palabras, pero como distinguió la imagen de Aída en sus pupilas, se inmiscuyó en sus ojos azules y viajó a su corazón. La satisfizo encontrarlo abierto, puro y rebozante de olor a gardenias, el perfume que Aída había empezado a usar. Le tomó las manos y le dijo que la esperara allí, que la iba a llamar.

Tom movió la cabeza afirmativamente, colocó los brazos tras la espalda y trató de disimular el temblorcillo de sus piernas. Tuvo que esforzarse para controlar la emoción que le henchía el pecho. Sus amigos le hacían burla, pero cuando Aída apareció, callaron y dejaron que los jóvenes amantes disfrutaran del reencuentro. Aída se veía hermosa con su cabello negro recogido sobre los hombros.

"Te extrañé todos estos días", dijo el teniente con un ligero acento.

"¿Verdad?"

"¿Dudas mis palabras?" La besó.

"No dudo". Fueron a la cantina pero esa noche no se quedaron. Tom dejó a sus amigos con Doña Aurora, le dio un billete de veinte dólares y le dijo que se llevaba a Aída. La mujer examinó el dinero, lo aseguró en la gaveta y le dijo que eso no era suficiente, que tenía que pagar por los deterioros de la última vez. "More money, gringo".

Madrina, no me humille, yo le pagaré por todo como habíamos quedado. Yo sé que no es el dinero lo que usted busca, madrina. Todavía la quiero, todavía soy su hija. Lo otro ya no se lo puedo dar.

Dejaron el coche en La casa del Señor y caminaron hacia el desierto. Buscaron la penumbra de las dunas. Los dos iban descalzos, tomados de la mano. La arena fría trataba de comerles los pies. Tom llevaba un diccionario bilingüe; se empeñaba en hablar español. Aída estallaba en carcajadas con las palabras mordidas del teniente, le apretaba la nariz y le decía que no se preocupara, que ella tampoco hablaba español correctamente. No pierdas el tiempo Tom; me quito el vestido y te acuesto sobre él. Estate quietecito. Mírame bailar, soy sukurúame y el violín toca.

Bailó para él. Bailó orgullosa e hipnotizadora, bailó hasta que el sudor la hizo refulgir y entonces se tumbó en la arena y pidió a Tom que la amara; no hubo tiempo de palabrería, ni disimulo; la urgencia de fundirse llegó sin remilgos. El teniente se desnudó, se alargó hasta ella y la penetró.

Pasaron toda la noche en el desierto. Tom le habló de las constelaciones, de los planetas y de la gravedad, le dijo que había un hombre en la luna y Aída le respondió que no, que era un conejo. La noche era fría y se mantenían muy juntos, sus cuerpos desnudos eran una isla en el mar de arena. Tom le confesó que al momento de tocarla su cuerpo había sido atravesado por una corriente eléctrica, que se había enamorado de ella, que de ahí en adelante para él no existiría ninguna otra mujer. "Estoy intoxicado, de la cabeza hasta los pies", le aseguró.

Tom, me gusta tu saliva, el olor de tu carne blanca, la forma en que el sudor te escurre por el pecho y se mezcla con el mío. Te respiro, te bebo y hasta te comería. Yo también te quiero, desde que vi tus ojos azules y me descubrí en ellos. Hazme el amor una y mil veces.

14

Aunque la madrina la obligaba a fichar cuando Tom no estaba allí, Aída era muy selectiva con sus clientes. Bailaba dos o tres canciones con cada uno y luego se sentaba en la barra. "Que me lleguen al precio, madrina; ¿cuándo voy a terminar de pagarle el barril de ron?" Doña Aurora la miraba con el rabillo del ojo, hacía apuntes en una libreta y le recordaba que no era sólo el barril de ron lo que se estaba cobrando.

Al paso de los meses, para suplir las pérdidas que la doña aseguraba sufrir por la falta de prostitutas, Aída fue la primera en desnudarse en el estrado de La casa del Señor, abrirse de piernas y fumar un cigarrillo por su sexo. Supo que tendría que hacerlo porque de algo tenía que vivir, la madrina seguía despreciando a Tom y comenzaba a ser austera con ella. Entre los qué-rico-te-lo-metes y los este-está-mas-grueso, los pesos llovían del cielo. Pero Aída como si nada, a bailar y a recoger lo ganado. Al final de la actuación ofrecía el cigarrillo utilizado y las trifulcas que se armaban eran para recordarse. Cuando Tom estaba allí, él era quien terminaba con el cigarro entre los labios. El güerito es el mero mero y se chingan todos. La tomaba en brazos y subía con ella a los cuartos. "Un día de estos todo esto se acaba, no me gusta, Aída, no quiero que nadie más te toque, te huela, ni siquiera con la imaginación".

Cuando la clientela se disponía a dejar el burdel, la madrina hacía los últimos cobros y extendía las comisiones a las demás muchachas. La parte que correspondía a su ahijada la guardaba en la caja fuerte y no se la entregaba hasta que Tom se hubiera ido, claro que después de hacer las deducciones necesarias.

El teniente se compró un coche y las visitas terminaron por hacerse habituales. "Me traía unos vestidos bordados en lentejuela que eran la envidia de las otras muchachas. Hasta me acostumbré a usar tacones porque a Tom le gustaba verme con ellos. Un día me trajo un fonógrafo, me dijo que ya no quería que bailara en la cantina, que si me gustaban mucho las cumbias, las practicara en casa. Yo me reí mucho y le dije que necesitaba el dinero de la fichada, que tenía mis planes secretos..."

Desde ese momento el teniente exageró las propinas, pero aunque ayudaba a Aída y la trataba bien, jamás prometió que se quedaría para siempre. Era un amor de fin de semana y de fantasma de guerra, por eso Aída siguió trabajando. Sin embargo, cuando después de hacer el amor Tom caía en un sueño pesado e intranquilo, la tarahumara pasaba las horas acariciándole el pelo corto. Le gustaba dormirlo entre sus piernas, en la cama de cruces que había pasado a ser suya, con la espalda recostada en la pared y la de Tom sobre sus muslos abiertos. Muchas veces pensó en prepararle la bebida de Doña Aurora. Llegó al extremo de presionarse los pezones, pero la leche nunca acudió a su llamada. Seguramente porque lo hacía con miedo. Tenía miedo de acabar como su madre.

Eyerame se había mudado a la casona, ahora era la sirvienta principal. En los últimos meses se le había incrementado la obsesión por la limpieza. Empezaba a barrer muy temprano el interior, arrancaba el polvo de las hendiduras de los muebles, sacudía el de las paredes y disolvía el de los cristales. Después se pasaba al patio de las misas y cerca del mediodía acababa con las banquetas. Cuando regresaba al interior, pulía la madera del piso, enjabonaba los azulejos de los baños y preparaba la comida. Sus extraños guisos habían conquistado a los otros sirvientes y hasta la misma Doña Aurora dejó las comidas en cama y jamás faltó a la mesa. Por las noches, Eyerame conjuraba en voz baja las habitaciones de la casa. Hacía aspavientos con las manos como si expulsara espíritus. Aída corría a abrazarla, le quitaba el plumero, la escoba o el trapo que trajera en mano y le acariciaba el cabello. Pero Eyerame no decía nada, levantaba las cejas y tomándola de la mano la invitaba a limpiar con ella.

Deje eso, mamá. Aquí no hay nadie, deje que su hombre descanse en paz, póngale una veladora para que encuentre el camino y récele mucho. Ahora la entiendo, ahora comprendo su locura. Me moriría si no tuviera a Tom conmigo. Mire, lo llevo aquí en el seno, cerquita del corazón, dice que nos vamos a ir un día, con él me iría hasta el infierno, con el perdón de Dios... Mamá, si viera, cuando él está dentro de mí se me va el respiro, todo se oscurece, sólo hay una luz pequeñita y yo vuelo hacia ella, subo y doy vueltas como si bailara en el aire, mamá. Y luego lloro, lloro mucho porque el gozo es tan grande que me explota adentro y se me ha de convertir en río, o en mar, que sé yo, pero me inunda y se me sale convertido en lágrimas, lo quiero, mamá, lo quiero todo.

Para Aída, la vida seguía el ritmo que marcaban las visitas

de Tom. Fueron muchas las noches en que las mujeres del burdel le aconsejaron que aprovechara la oportunidad y se fuera de allí, que las cosas estaban cambiando y que se sabía que del otro lado del río la vida era mejor. Aída les pedía que no le llenaran la cabeza de ideas, que ella estaba bien allí y que la sangre impura estaba condenada al infierno, que ya había sido bastante con lo de Primor y Concepción. No obstante, apenas acababa de pronunciar esas palabras, sentía que la lengua se le enrollaba hacia atrás poniéndole una tapadera en la garganta; la respiración se le atoraba. Ni ella misma sabía cuántas noches había soñado con esa ciudad de la que Tom le hablaba. Entonces salía a caminar por el desierto en busca de algún sukristo lloroso que desenterrar, un crucifijo con más penas que las que ella tenía. "Si tan sólo él hubiera hecho una promesa, si hubiera dicho una palabra... con cada despedida me llenaba de miedo de no volver a verlo", explicó.

15

Un viernes Tom llegó más temprano que de costumbre, se paró en el umbral del cuarto y no se atrevió a entrar. Traía la barba de dos días, olía a sudor y tenía mal aliento. "Me voy a la guerra", dijo con el español que hablaba. Tom le había avisado del estado de alerta. "El día menos pensado me llevan al otro lado del mundo y adiós Fort Bliss y adiós vida". Pero como esas pláticas se perdían entre los besos y las caricias, Aída no las tomó en serio.

La tarahumara no respondió, lo agarró del codo y lo introdujo en la vivienda. El cuarto empequeñeció. Tenía ganas de salir corriendo, de olvidarse de Tom y al mismo tiempo de acabar con él, de matarlo allí mismo para que no tuviera que ir a morir a otro lado. La muerte era lo único que ella entendía sobre las guerras. Un veneno y muertos los dos, historia de novelita cursi entre colchas de Doña Aurora. Pero sólo acertó a acomodarlo en la cama. Fue a preparar el baño; puso agua en la estufa y encendió la leña. Qué bonito y calentito el fuego, Tom lo prendía todo dentro de ella. Mis piernas duelen y huelen a quemado al día siguiente. Míralo qué pronto se ha dormido, cómele el corazón, corre a buscar a Eyerame para que te diga cómo; mejor a Doña Aurora y el sotol. Tom no la sintió salir.

Aída entró en la habitación de su madrina. La mujer se había marchado, pero el cuarto guardaba el perfume de gardenias. En el cubrecama había quedado un vestido rosa que todavía tenía el gancho. Aída lo hizo a un lado y se tiró de bruces sobre el colchón. Entonces reparó en los ruidos que hacía al respirar: resuellos de animal moribundo, estertores secos de haber succionado un pedazo de desierto, arena lijando su garganta. No lloró, las lágrimas acudieron a aliviarle los adentros y se olvidaron de fluir por los ojos.

Se puso de pie, caminó hasta el tocador y parada frente a él se abrió la blusa. Sus senos no eran voluptuosos como los de su madrina, al contrario, parecían dos pizcas de carne endurecida adornadas por una coronilla oscura y arrugada. Así le gustaban a Tom; ella disfrutaba viéndolo prendido, lengüeteando su perímetro. Preparó la cazuela que su madrina utilizaba para contener las extracciones; se apretó con tal fuerza que creyó que iba a desmayarse. La leche no brotó y Aída volvió a apretar hasta hacerse daño. Los pechos magullados se habían enrojecido y tenían rasguños. Se sintió acribillada por la sequedad, pero aún así insistió en su propósito hasta que la sequía le invadió el alma.

Llena de frustración, observó el espejo y arrojó la cazuela contra él. Los pedazos de luna cayeron sobre los frascos de perfume y los cosméticos de Doña Aurora. El aceite de coco que la madrina utilizaba para retirarse el maquillaje escurrió por uno de los costados del tocador. El tiempo se inmovilizó. De pronto era niña y estaba en la montaña, en la casucha de su padre y era la esposa de él la que había roto el espejo, no ella.

Cuando reparó en lo que había hecho, sacó el bacín del armario y lo colocó bajo el goteo. La idea surgió espontánea, como si Onorúame la hubiera iluminado. Recogió el recipiente y limpió el poco aceite que había caído dentro de él, lo acomodó entre sus muslos y orinó. Expulsó un orín vigoroso, largo y amarillo. No supo por qué, pero introdujo un dedo para revisar la temperatura. Tras cerciorarse de la tibieza emprendió el retorno. El corto trecho entre la casona y su vivienda estaba iluminado por el sol poniente. El fresco de la noche desértica comenzaba a caer y algunos grillos iniciaban su canto.

Cuando volvió, el agua para el baño ya estaba lista, la vació en la tina y despojó a Tom de las botas. El teniente despertó, acabó de desnudarse y se acomodó en la bañera metálica. Juntó las manos en forma de plato y acarreó agua hasta su cara. Recargó la nuca en el filo de la tina y cerró los ojos. Sus rodillas rompieron la superficie del agua. Suspiró. Todavía conservaba la expresión de muchacho asustado con la que había llegado.

Aída secó el agua desparramada y preparó los jabones y los estropajos. El teniente le contó que llevaba dos días sin dormir y que en veinticuatro horas tendría que estar en la escalinata de la aeronave que se lo llevaría. Que los japoneses habían bombardeado quién sabe qué puerto y que ahora todo el mundo estaba de pleito. Aída se santiguó y continuó pasándole el mecate por el cuerpo. Sólo se levantó una vez para vigilar el cocimiento en la hornilla.

El olor a canela hervida apaciguó el temblor de sus manos. Aunque no lo dijo, quería hacer que cada caricia se alargara y se tragara el tiempo. Pero eso era imposible, en enero cumpliría diecisiete años, sus hermanas jamás regresarían, Eyerame continuaba barriendo el caserío y Doña Aurora comenzaba a sufrir achaques.

Sintió la decepción, el agobio y el endurecimiento de sus músculos. Quiso ser débil y entregarse al llanto, pero no pudo. Sólo la entraña se resistió a ser controlada e hizo patente el vómito.

Tom la tomó de la barbilla y le examinó lo ojos... "No tienes miedo, yo regreso", le dijo. Entonces, tan rápido como habían llegado, los temores se desmoronaron y las angustias salieron corriendo del cuarto. La soledad no rechinó más, las dudas se aquietaron y las esperanzas se tornaron besos. Juguetearon un buen rato con el agua jabonosa y Aída derrochó los mimos y duplicó las atenciones a las que Tom estaba acostumbrado. Le afeitó cuidadosamente la barba, lo humedeció con aceite de niños y lo secó despacio para memorizarlo así como estaba, desnudo y listo para el amor. Lo esperaría siempre y pediría a Onorúame que lo protegiera. Esa noche Tom la poseyó varias veces y por primera vez, Aída decidió no hacerse el lavado.

16

Aída esperó hasta que el coche se perdió de vista en la carretera. Dejó que el sol del mediodía la calentara, era sábado y hacía frío. Pensó que debería estar con Tom, acurrucados entre cobijas, ella aprendiendo inglés, él, español. La despedida no podía haber ocurrido. Había visto el coche empequeñecer en la distancia, casi lo había visto detenerse, darse la vuelta. La carretera era tan recta que había pasado buen rato parada ahí, recargada contra el portón, era muy importante ser fuerte. Aferrarse a los barrotes metálicos para no salir corriendo detrás de Tom, para no tirarse de bruces sobre el suelo y dar de golpes y gritos. Ella no era así. Aída Tarahumara era recia, inquebrantable.

Entró en la casa y caminó directamente a la cocina. Eyerame lavaba la loza. Las dos se miraron a los ojos. El entendimiento compartido estaba allí. Aída quiso decirle que ahora sabía por qué habían dejado la aldea y cruzado el desierto, por qué habían seguido a ese hombre que debería llamar padre, pero no podía. No fue necesario, Eyerame se secó las manos, hizo lugar en la mesa e indicó a Aída que se sentara. Había horneado pan dulce y puso una tableta de chocolate en la leche a punto de hervir. Llora, mija, llora, nada ganas con tragarte las lágrimas, es malo quedarse con la pena, te va envenenando poco a poquito. Hay cosas, mijita, que hay que sacar si no la pudren a una, mírame a mí, a veces loca, a veces cuerda.

Pero Aída no lloró, ni esa tarde ni en las semanas que siguieron. Tom había dicho que volvería y ella le había creído. No fue a la cantina por mucho tiempo, comió a solas, se escondió de todos, hizo cuentas y marcó un calendario. El futuro la sustentaba. Las palpitaciones de Tom todavía la quemaban por dentro. Se tocaba el vientre y lo sentía cada vez más duro. El pueblo cada día le quedaba más chico. A veces leía los periódicos que compartían el sacerdote y Doña Aurora, pero trataba de mantenerse lejos de ellos porque le provocaban una ansiedad constante. Leía las noticias, veía las fotografías y preguntaba a los soldados que esporádicamente seguían apareciendo por La casa del Señor. Nadie tenía idea de cuándo se iba a acabar la guerra. "Va para largo, por eso hay que emborracharse y disfrutar mucho, mamacita. ¿Por qué no bebes conmigo? No te preocupes, te aseguro que regresa, está muy blanco para que lo pongan en el frente, somos nosotros y los negros los que vamos a quedarnos allá. ¡Maldita la hora en que mis padres cruzaron el río!" Le aseguró un soldado de Socorro, Texas, cuando Aída regresó a la cantina.

Aída no le contestó, sintió vergüenza del sentimiento de tranquilidad que el comentario le había causado, le pasó la mano por la cabeza y recordó la nuca de Tom. El hombre cerró los ojos y Aída creyó que iba a llorar. No fue así, el soldado la tomó del brazo, le pidió un poco de afecto y se acercó a besarla. Aída se levantó de un salto, le dijo que ella estaba allí sólo para bailar, que si quería otras cosas fuera con las muchachas de la barra. El soldado la miró con asombro, le dijo que estaba bien, que prefería bailar con ella.

Me voy madrina, ya se me nota el embarazo y no hay más deudas. ¿Le gustan mis zapatos? Son el último regalo de Tom, los guardé con caja y todo en el armario desde que se fue y usted me dijo que me mudara a la casa grande; no acepté. Hice mi lugar en ese cuarto donde todavía huelo los sudores de mi teniente. Cómo lo extraño y cómo me ha crecido el estómago. Mire, copié este trajecito de una de esas revistas que Tom dejó, es elegante, ¿verdad?, sólo me falta el sombrero. Ya barrí los cabellos del suelo y abrí las ventanas para que el olor de la permanente no la moleste, después le mando el repuesto; disculpe que haya usado su baño pero no tenía ganas de llenar la tina. No sé qué me da usarla, allí nos bañamos juntos la última mañana. Lo hubiera visto, qué triste se veía mi güero, me abrazaba tan fuerte y lloraba madrina, ha visto alguna vez llorar a un hombre, yo no, por eso me quedé muda, apendejada y con un dolor de mil agujas. Perdone que la deje sin cocinera, mamá también necesita aires nuevos, pobrecita, ahora sé lo que le pincha dentro, es una molestia que la chinga a una todo el día, no importa lo que se esté haciendo. Tom me dejó sus ahorros y yo he juntado poquito. Me voy a esperar el final de la mentada guerra donde él me dijo. No se preocupe, dicen que Ciudad Desierto es hermosa, llena de luces y gritería. Bueno, qué le cuento a usted que vivió allí mucho tiempo. Gracias por el regalo y le prometo guardarlo como usted me dijo, hasta que tengas tu casa propia, tuya Aída, ah qué madrina, pues a ver cuánto tiempo se me empolva el paquete. Mamá no ha dicho nada desde que la avisé de la partida, a veces sonríe y creo que está contenta. Sabe, el otro día la oí hablar mientras molía el nixtamal de las tortillas, creo que era un rezo o algo así, con la revoltura que Tom me causó en el cerebro con sus clases de inglés, el tarahumara se me va quedando atrás, la falta de costumbre, madrinita. ¿Usted qué cree, que me voy a ir al infierno porque cargo un niño blanco dentro? ¿Qué va a ser? Mejor no pensar en eso.

17

Aída sintió un escalofrío al bajarse del autobús. Acababa de lloviznar y soplaba un viento leve. Por todos lados se comentaba que México había declarado la guerra a las potencias nazi-fascistas, que los alemanes habían hundido quién sabe cuántos barcos. Aída no entendía claramente y el desasosiego la acometió. Oía los pasos acelerados de la gente, las conversaciones, los ruidos. Caminó ciega entre la aglomeración, se sobó el vientre vulnerable y tomó a Eyerame de la mano. Ni en el pueblo, ni en las rancherías que habían atravesado en las montañas había visto tanta amotinación. De pronto, descubrió que no era vista con simpatía, que las personas se hacían a un lado y que sus miradas lanzaban pensamientos repulsivos. Buscó quien las auxiliara con las bolsas, quien les señalara el camino o las favoreciera con un poco de información, pero sólo encontró la indiferencia general. Eyerame iba muy limpia, con sus sandalias de cuero curtido y su atuendo tarahumara. Mamá, no la suelto aunque nos apedreen a las dos.

Salieron de la terminal en silencio, caminaron hasta un parque cercano y antes de sentarse en una de las bancas de hierro forjado, Aída puso las bolsas en el suelo y secó los restos de la lluvia con un pañuelo. Decidió que tendría que hacerse dueña de su confusión y embestir con golpes seguros y rabiosos. Aída, tú no vienes a consumir la caridad pública, ni a vender chicles en las esquinas, hay que echarle ganas, chingarse. Aída hablaba español con propiedad y aunque despacio, en esos años había leído todos los libros del estante de Doña Aurora.

Siguiendo las indicaciones que le había dado su madrina se las arregló para llegar hasta una estación de taxis y conseguir uno que las llevara hasta la dirección que traía apuntada en un papel. El taxista se aseguró de cobrarles por adelantado. Chofer hijo de puta, mexicano de mierda y no pongo las bolsas en el maletero porque a lo mejor el ratero eres tú. El hombre se burló de ellas y puso el taxi en marcha.

Ciudad Desierto era el caos del que todos hablaban en el caserío. Llena de edificios enormes con anuncios multicolores en el techo, calles pavimentadas y focos alumbrando cada esquina. Oscurecía pero la ciudad tenía un brillo de estrella caída incrustrada en medio del desierto. "Cuántos faroles y cuántas mujeres aterciopeladas, las de La casa del Señor son damas decentes al lado de éstas, fíjese mamá, qué pescuezos tan emplumados". Los hombres llevaban sombrero y vestían unos sacos con hombreras que les daban una apariencia musculosa. Aída se acordó de las revistas americanas que Tom le llevaba cada fin de semana. Ciudad Desierto estaba habitada por la gente de las fotografías. ¿Dónde estaba la guerra que se había llevado a Tom, dónde la caballería y los mosquetes? Allí no había menoscabo ni deterioro, además olía a tierra mojada y aunque ya hacía mucho que no añoraba la montaña, en ese momento la recordó.

Eyerame iba tiesa, taciturna, con la mirada absorta en las luces. Por un momento, Aída pensó que estaba sola, que su madre se había transformado en piedra, en silencio contemplativo, que se había desprendido del taxi y viajaba en su propio espacio, ensimismada en la noche. Quiso abrazarla y decirle que todo estaría bien, que eso no era nada comparado con los demonios que ya había vencido, pero no pudo. Eyerame se había hecho a un lado y su magia había muerto con su segundo marido.

Hubo un instante, un cruce de miradas que transmitió las emociones de su madre en los últimos años y abismó a Aída apagándole la insensatez de sus razonamientos. Ay mamá, no me mire así, con esa sonrisa de mueca chueca. Aída se avergonzó y agachó la cabeza, sólo Eyerame tenía el poder de humillarla. Cerró los ojos y se concentró en las palpitaciones de su estómago abultado. Recordó a Tom dentro de ella y el feto se convulsionó en busca de espacio. Quizás ya estás muerto, Tom, quizás ya se te voltearon los ojos y las lombrices te están comiendo. Perdió la conciencia hasta que la voz del conductor la despertó.

"Órale, Marías, ya llegamos", las invitó a bajar con un ademán y les puso las bolsas en la banqueta. El barrio sucio y gastado hizo que Aída recelara. Había oscurecido y la poca gente que permanecía afuera no le daba buena espina. Caminó por la acera despacio, pronunciando la numeración de las viviendas para no dar la apariencia de ser india. Eyerame la seguía con el equipaje bajo las axilas, sus ojos mirando el pavimento, sumisos, fantasmagóricos. Nadie las molestó, apenas unas risillas y un mira a la india pendeja, apenas puede con las bolsas.

La mujer emperifollada que las recibió en el sitio convenido las admitió de mala gana. "Qué forma de cobrarse favores, qué chingaderas de mandarme dos indias, pasen y apúrense a encontrar otro lugar, no soy la beneficiencia pública". Aída pensó en marcharse esa misma noche pero el cansancio comenzaba a hacer presa en ella. Aparte, asimiló que a donde fueran serían recibidas de la misma manera. La mujer las acomodó en la pieza donde guardaba desperdicios de mueblería, entre sillones malolientes y cucarachas.

En la sierra aprendes a recibir bien a los viajeros porque las distancias son largas. Pero qué saben los blancos de hospitalidad y qué tienen de blanco esos mexicanos, si están igual de prietos que yo, pensó antes de recostarse sobre los resortes oxidados de uno de los sofás. Esa noche, Aída soñó que la serpiente que vivía en los ojos de agua venía a llevársela, que la arrastraba al mundo submarino de donde ninguno había regresado. Ella luchaba por salir a flote, por escapar del abrazo constrictor, pero no lograba escabullirse. Lo raro era que la serpiente la hubiera escogido a ella, pues sabía que sólo gustaba de los pequeños, sobre todo si eran llorones. Apenas soñó eso, la serpiente se esfumó en la oscuridad y Aída despertó.

Mamá despierte y hágame una curación. Llévese este sueño maldito que si yo lo vuelvo a soñar de seguro me muero. La serpiente sabe de mi criatura. No me diga eso, no me diga que me abrirá el vientre para sacarla. Abráceme como hacía en los barrancos, usted es sukurúame, cómase el sueño y mátela, mamá. Cuando Eyerame se durmió, Aída vio cómo sudaba y se retorcía. Necesitaba mucha magia para luchar con el maligno.

18

La dueña dormía cuando Aída y Eyerame salieron de casa, habían efectuado la limpieza en silencio y dejado un desayuno abundante en la cocina. El día amanecía lleno de movimiento y de algún lugar llegaban los quiquiriquíes de un gallo. Caminaron sin dirección algunas cuadras hasta que se toparon con un hombre que pasaba con un carretón lleno de frutas, le preguntaron cómo llegar al centro y él les dijo que lo siguieran. Aída le compró dos naranjas y dos plátanos, dio su parte a Eyerame y comió su ración. Eyerame apuró el plátano y se guardó la naranja entre el rebozo y el seno.

De día, Ciudad Desierto no tenía la apariencia que había deslumbrado a Aída al llegar. La lluvia de la noche anterior había formado charcos de lodo que todavía ensuciaban las calles. La basura se había amontonado en la boca de las alcantarillas y seguía allí, secándose al sol de la mañana. Había gente por todos lados, automóviles y anuncios. Sin embargo, se respiraba un aire que se resbalaba fresco de los cerros áridos que la colindaban.

De pronto, Aída se topó con la montaña de la que Tom le había hablado. Era una enorme acumulación de roca que se erguía desnuda enmedio de los edificios; no tenía el follaje verde de las cumbres de su infancia. Tom, qué cerro pelón, por allí cabalgaste todos los días. Se acercó a su madre y le tomó la mano, invitándola a levantar la mirada y a clavar los ojos en la montaña que le quedaba enfrente. Tom, mi vida, cárgate muchos enemigos para que se acabe la maldita guerra.

Una vez que las tiendas abrieron, lo primero fue comprar varios vestidos para Eyerame. Aída comprendió que las cosas serían más fáciles si la disfrazaba. La dejó en un parque y se encaminó al almacén más cercano. Entró despacito, alzando la vista hacia los vestidos que colgaban del techo. Qué cantidad de artículos, qué belleza de telas, cuántos enseres, esos trajes de falda y blusa muy de la Doña Aurora de las misas domingueras. Mamá es delgadita, se le verán bien. Deme la pañoleta negra, sí, la de encajes. ¿Cuánto le debo? ¿Me muestra el perfumito de las flores blancas? ¡Ay, son gardenias! Vaya sumando. Compró también unos zapatos sin tacón muy suaves al tacto y le pidió a la encargada que le empaquetara una malla para detener los chongos. "Es para mamá, le va a quedar bien". La empleada sonrió.

Iba de salida cuando vio un bordado para bebé que descansaba dentro del mostrador, estaba hecho de un estambre amarillo suave, adornado con hilazas de articela y olanes de seda. En el pecho, con incrustaciones doradas, había un crucifijo. Tenía las mismas puntadas que recordaba de los tejidos de Primor. Le dijo a la empleada que se lo enseñara y aunque el precio le pareció elevado, lo compró. Cuando lo tuvo en las manos supo que Primor se encontraba bien y que era feliz. Mi hermanita de los ojos muertos.

Cuando volvió al parque encontró a varios curiosos de apariencia chabochi reunidos alrededor de Eyerame. La tarahumara se había quitado las sandalias y encogía sus pies bajo la falda. Los aglomerados le preguntaban algo en la lengua de Tom, le enseñaban una cámara fotográfica y le hacían señas pidiéndole que sonriera. Eyerame continuó en silencio, se llevó una mano al cuello, hizo movimientos extraños con la otra y puso los ojos en blanco. Los chabochis, alegres por la pose, dejaron la cámara sobre un tripié, se colocaron tras Eyerame y esperaron a que el aparato se disparara. No se dieron cuenta de que los árboles comenzaron a temblar, que varios remolinos de hojarasca iniciaron una avanzada estratégica por las cuatro esquinas y que el silencio de Eyerame se retorcía entre ellos buscando gargantas. Sólo Aída atestiguó el conjuro y corrió hasta ellos sin soltar la paquetería, deshizo la formación y les gritó en inglés, Go!, mientras tomaba a Eyerame del hombro y la obligaba a seguirla. Todo quedó en calma y la sonrisa de Eyerame se dibujó siniestra mientras volteaba para despedirse de los turistas. Ante los ruegos, Eyerame accedió a cambiarse el atuendo en los excusados del parque. "Por favor mamá, ayúdeme, no sea terca. ¿O quiere acabar de vendedora ambulante? Hágalo por la criaturita que llevo dentro".

Caminaron por la Avenida Juárez de norte a sur, dieron vuelta a las dos aceras de la Mariscal, el sector que Doña Aurora les había recomendado. En todos lados era lo mismo. Los arrendadores que visitaban les negaban el contrato. "No señorita, está usted muy joven para echarse una responsabilidad así, déjenos discutirlo con su mamá. ¿Que qué? ¿Cómo que no habla español? ¿Pues de dónde son? ¡Tarahumaras, válgame Dios, habrase visto! ¡A la calle! Aunque la mona se vista de seda..." Las miraban con perplejidad, algunos con burla. Aída no perdía la fe. Vamos a conseguirlo y cuando Tom vuelva, se va a encargar de todo y me paseará del brazo delante de ustedes, cabrones, se repetía tras los rechazos.

Después de un largo peregrinar, decidió volver al primer local. El dueño les repitió que no hacía negocio con tarahumaras. Aída le ofreció seis meses de renta por adelantado. El hombre remilgó un poco, dio una media vuelta, caminó tres pasos, volvió sobre su camino, se puso un puño en la cintura y extendió la otra mano. Aída le dijo que primero le enseñara los papeles y le diera las llaves, que no era fácil hacerla tonta.

El arrendador se sacó dos habanos de la camisa, puso uno en la boca de Aída, encendió el otro y le ofreció fuego. "¿Cuántos años dices que tienes? Qué mujercita tan hecha y derecha".

"Sí, pero tengo dueño y cuando se acabe la guerra vendrá conmigo".

"¿Un gringo? ...ah qué india tan inocente". Rio, rio tanto que Aída se contagió de la risa y olvidó los trabajos del día, los ires y venires y las brujerías de Eyerame. Recordó a Tom y se rascó la comezón de su vientre. Esa misma tarde se despidieron de la mujer que les había dado hospedaje. "La kórima mal dada es mejor no recibirla", le dijo.

Como la electricidad no estaba conectada pasaron la primera noche a la luz de una veladora. A través de la llama, Aída percibió que detrás del silencio, Eyerame albergaba un sentimiento de orgullo. "Imagínese mamá que las viejas que la apedrearon nos vieran ahora; aprovechadas, hijas de... perdóneme por hablar así delante de usted, pero me hierve la sangre cuando me acuerdo. Mamá, ¿es cierto que todos murieron? No me responda, lo merecían, carne de zopilotes, mierda de aura pelona que come caballo y arranca a correr". Cerró los ojos y creyó escuchar la risa solitaria de Eyerame hasta altas horas de la madrugada.

19

En las semanas siguientes las dos mujeres se dedicaron a la limpieza y organización de la cantina. Estaban acostumbradas al trabajo, así que en pocos días lograron erradicar la mugre endurecida y los roedores irrespetuosos. Mamá, qué jodedera, no sé qué haría sin sus manos callosas y su afán por la escoba. Tráigase el amoniaco, empape las paredes, cómo hiede el excusado, pinches cucarachas nunca van a largarse, ahora verán malditas cómo no queda ni una, voy a pagarle al carpintero que arregló la barra, una tequilita para aguantar no le hace daño a nadie, hay que conseguir un anuncio; sí mamá, no me niegue el gusto, La casa de Tom, para acordarnos de Doña Aurora y mi güero sepa encontrarme.

A pesar de todos los esfuerzos, obtener el maldito permiso para vender licor fue lo que demoró la apertura. Aída aprovechó las semanas que llevaron los trámites para enseñarle a unas cuantas muchachas los trucos de sus tiempos de fichera. Les decía que a los hombres hay que envenenarlos poco a poco y que para eso estaba el alcohol, que siempre pretendieran una alegría desbordante y que nunca se emborracharan, que ella las ayudaría diluyéndoles los tragos. "Cuanto más los hagan gastar, más comisión llevarán a casa", les prometió. El truco del cigarrillo fue lo único que ninguna pudo aprender.

Aída quería comprar una rocola porque Tom le había hablado de ellas, ponerla en uno de los rincones y esperar al teniente para bailar muchas tandas. Pero después del adelanto y la redecoración, no le había quedado mucho dinero. Pensó que sería mejor asociarse con algún músico de esquina, "nomás para empezar", comentó. Se había acostumbrado a Ciudad Desierto y ahora le parecía hermosa de día y de noche. "En un año sacamos pasaporte y Tom nos llevará a El Paso, dicen que todo es más bonito allá, a mí me da tentación la montaña", confesó un día.

Algunas veces, cuando se quedaban solas, Eyerame sacaba el violín que guardaba de su segundo marido y se ponía a tocar. A Aída le gustaban esos momentos de comunión y recordando los movimientos de su padre y la vez que había bailado para Tom, efectuaba la danza. Bailaban y tocaban durante varias horas y en ocasiones, cuando el regocijo era intenso, Eyerame iniciaba las preparaciones del tesgüino.

Una vez abierto el negocio, el éxito no se hizo esperar. Los clientes se enternecían con el vientre de Aída y sobaban la gordura para atraer la buena suerte. Aída les advertía a todos que si alguien se sacaba la lotería, le debería pagar un porcentaje, que las sobadas no eran gratis. Su buen humor conquistaba a todos los que aparecían por allí. Para cuando nació Dolores, la cantina ya contaba hasta con un mariachi de planta y una barrita aledaña donde Eyerame vendía bocadillos.

La noche en que la sorprendió el parto ni siquiera tuvo tiempo de cerrar. Todo el día había ignorado las punzadillas y las palpitaciones de su vientre porque las atribuyó al mole que había almorzado. "Eso me saco por andar comiendo en la calle", bromeó.

"Sí, pero el desfile estuvo muy bonito", contestó una de sus empleadas. No fue sino hasta que la niña estuvo lista para abandonar las entrañas que los dolores irrumpieron con toda su intensidad. "Los huesos se me descoyuntaron sin avisar, como si trajera un cuchillo adentro", contó Aída.

"Quédate de pie, apóyate en la pared y no grites tanto. Ya corrieron a avisar a la Cruz Roja, dale un trago al tequila para que te relajes". Aída oía las voces pero no sabía quién hablaba. Eyerame la abrazaba por la espalda y le apretó fuertemente el estómago. Los clientes formaron un círculo alrededor de las mujeres.

"Ya va a nacer, desinfecten una navaja para cortar el cordón, háganse a un lado que le están robando el aire". Aída apenas podía respirar cuando una de las muchachas se le introdujo entre las piernas para recibir al niño. Fueron unos instantes de retorcijones y la towekita nació, con la mano por delante y su dedito apuntando hacia arriba, hacia el techo.

Los reunidos aplaudieron, Eyerame la soltó y Aída se sentó en el piso. La prostituta que había atrapado a la niña puso el bulto llorón en brazos de su madre, se limpió las manos en la falda y se enjugó una lágrima antes de empinar la botella de tequila. "Parece un gusanito flaco y descolorido", dijo.

"¡Qué blanca, mírale las venitas, se ven por todos lados!" dijo otra. Cabellos ralos, dorados, apenas visibles.

"Se va a llamar Dolores", dijo Aída porque adivinó que los verdaderos dolores se los daría más tarde. Se parecía mucho a Tom.

Los socorristas de la ambulancia encontraron a Eyerame

fregando el piso. Los mariachis tocaban la Diana y todos los clientes brindaban alzando los caballitos de tequila. Aída, con la niña en el regazo, despidió a los enfermeros y les dijo que de no ser porque estaban de servicio los convidaría a la celebración. Uno de ellos se ofreció a examinarla pero Aída no aceptó.

"Estoy lista para el siguiente", dijo antes de desaparecer tras la cortinilla de la trastienda. Los mariachis volvieron a tocar, Eyerame convidó y sirvió tragos toda la noche y las muchachas organizaron una colecta para comprarle un regalo a la recién nacida.

Aída descansó dos días del negocio y al tercero volvió como si nada hubiera ocurrido. La pequeña Dolores dormía en un moisés afelpado con sarapes de lana que colocaron tras la barra. Aída la enredó de tal forma que parecía un gusano inmóvil dentro del capullo.

Tras el nacimiento de su nieta, Eyerame hizo a un lado su testarudez y volvió a ser la mujer erguida de la travesía. Para su buena suerte, el local vecino quedó desocupado y Aída lo alquiló sin ningún problema. El puestecito de comida se convirtió en un pequeño restaurante que se comunicaba con la cantina por una puerta interior. "Muy pronto me vas a comprar el edificio", advirtió el arrendador que seguía regalándole puros. "No lo dude, don Sal, no lo dude".

20

Eyerame se levantaba de madrugada para recibir a la clientela que acudía a los desayunos y al mediodía ayudaba con los almuerzos. Quienes recuerdan esos tiempos aseguran que el negocio de las tarahumaras tenía varios atractivos. El exquisito toque de Eyerame había convertido la cantina en refugio de comerciantes y burócratas por la mañana; por las noches, los mariachis abarrotaban la madriguera de bohemios y libertinos.

Entre los clientes, también acudían al establecimiento varios funcionarios del gobierno municipal. Aída afirmó que la asediaban constantemente, pero que ella esperaba a Tom, que no tenía ganas de ningún otro hombre, mucho menos esos políticos llenos de bonitas palabras. Les coqueteaba un poco, pero los mantenía a raya. Doña Aurora le había enseñado las tácticas de las buenas cantineras. Si alguno se pasaba de listo, Aída lo ponía en su lugar con una bofetada. "Calmado venado y ahí están mis muchachas, libres y listas para hacerte feliz", les decía.

¡Qué rápidos se pasan los días cuando se está atareada! Hay que conseguir un repartidor de hielo nuevo porque el otro se fue de bracero. Los americanos te ofrecen la ciudadanía con tal de que le entres a la guerra. Ah qué idiota, lo van a poner en la merita línea de fuego para que sea el primero en morir. La cervecería ya nos dio crédito y nos regaló el anuncio de afuera. Muchos preguntan por el famoso tesgüino, mamá nada más promete. "Prepáralo tú que no tengo tiempo". En casa, ya llenó de jaulas la pared que da al patio. "Mete los pajaritos para que no les caiga el sereno. Un kilo de alpiste y a Dolores le gustan los periquitos del amor, mírala como los imita. Échate un tequilita para que duermas bien y otro en la mañana para los ajetreos del día".

Para ti, el tiempo se va haciendo largo pero la espera no apolilla los sentimientos, guardas el retrato de tu teniente entre el sostén y lo crecido de tus senos y todas las mañanas lo besas, lo acaricias y hasta quisieras tener tiempo para hacerle el amor más de una vez por semana. Ahora sí competirías con Doña Aurora, ahora sí le prepararías a tu Tom esa bebida milagrosa mezcla de lactancia, canela y alcohol, y de seguro él ya estaría a tu lado. Hace un año que nació Dolores y los doctores te han dicho que ya estaba bien de amamantarla. "Mentira, mi madrina lo prolongó más", te defendiste. Sigues con la pompa de cristal a dale y dale, aunque la misma Dolores te comience a hacer el feo. "Qué robustita la niña, ¿qué le das, Aída? ¡Pero cómo si ya está muy grande! Es que eres de buena sangre, fuerte como las de tu raza".

Celebraste en grande su primer cumpleaños, con una piñatota de picos y barbas y todos los niños del vecindario. Un pastel de tres capas, pues mira que sí ha de haber sido grande el festejo. No te rías, acaba de platicar cómo se embadurnó la cara con el merengue. Tuviste que terminar la fiesta temprano por el simulacro. Las sirenas te tienen loca. ¿Cuándo dejarán de recordarte la guerra? Las vecinas salieron corriendo con sus escuincles. No tiraste el óbolo que tenías pensado. Eyerame te arrebató a la niña y se protegió bajo el techo del zaguán. Tú, enmedio del patio, hipnotizada con los aviones que surcan el cielo y lo dejan lleno de ranuras. Ojalá que Tom se descolgara por una. Te has quedado inmóvil y sudorosa. Tom, mi vida, escóndete y no dejes que te descuarticen. "¡Aída, quítese de ahí que dicen que los gringos la pueden ver a uno desde el avión y la van a ametrallar!" ¡Paren las sirenas! Es la llorona que anda en pos de sus hijos. Nada ocurrió. Los periódicos hablaron de las quejas del gobierno mexicano por la invasión del espacio aéreo. "Somos aliados y punto, aguántense cabrones". ¿Cuántos murieron ya? Todos, menos Tom.

De los trajines con el negocio no te quejas. Así está mejor, ya hasta abriste una cuenta de ahorros en un banco de El Paso. Cuando te dieron el pasaporte te gustó la ciudad. La montaña nada más la ves de lejos, no la subirás hasta que él te lleve en las ancas de su caballo. ¿Oíste los rumores? Ya no habrá regimientos de caballería en Fort Bliss, son sólo rumores. Los americanos se están volviendo locos de tanto pelear. El otro día viste un documental en el cine Alcázar, te costó la película y cuatro días de insomnio, qué carnicería. Los tenían atrincherados y la cámara los recorría uno a uno, con sus caritas de lodo, más prietos que tú. Sonreían y saludaban, inocentes de dientes muy blancos. Dicen que así los reconocen, que cuando los mandan de regreso, calcinados o despedazados, lo único que los identifica es la placa de metal con números incrustrada en sus encías. ¿No lloras? ¿Qué tiene de malo llorar? Tienes razón, que se le llore a los muertos, Tom está vivo. Tú lo sabes. Mientras tanto, tu Dolores crece. Aprendió a caminar justo después del cumpleaños. Los nuevos clientes del negocio dicen que la robaste, qué cansancio de bromas estúpidas. ¿Ya habla? Eyerame la tiene muy consentida, tantos atoles, de chocolate, de fresa, de vainilla, y no se digan todos esos productos gringos que ya aprendió a usar, la avena Tres minutos, la yema de trigo y los hot cakes de la negrita, sí, la del pañuelo con bolitas negras. El otro día la descubriste dándole un tamal de dulce, pues si no le va a hacer daño, deja que la abuelita se dé sus gustos.

21

Los rumores habían sido ciertos, la Primera División de Caballería había sido disuelta. No habría más tenientes a caballo, con sus botas altas y sus uniformes. Tom ya no podría pasearla en uno, llevarla hasta el mirador de la montaña Franklin y ver desde allá arriba las dos ciudades. Tom, cada día más presente, cabalgando con Aída. Tom que me das la vuelta, me sientas sobre tus piernas y me haces el amor al ritmo del galope. Y yo hundo el rostro en tu hombro y me entrego a la lujuria de ser tuya, de sentirte dentro y sentir la crín dura del caballo a mis espaldas. Tom mi jinete y mi cabalgadura, mi equilibrio y mi caída, te arranco el uniforme para lamer el sudor que crece sobre el vello rubio de tu pecho y quiero gritar, decirle a todos que eres mío, que me vean clavada a ti. Tom que me mordías los senos y me bebías hasta dejarme seca, no sabes cómo me cuesta no tenerte aquí, cómo mis manos se han cansado de tratar de ser tus manos.

El día que Anselmo Pérez entró en la cantina por primera vez, Aída acababa de leer la noticia. Abrió los ojos, arrugó el periódico y lo lanzó al bote de basura. Anselmo caminó hasta ella, se sentó en la barra y la saludó.

"Eres la primera mujer que veo que lee el periódico con los ojos cerrados", dijo. Puso el sombrero sobre el mostrador y encendió un cigarrillo. "Sírveme un aguardiente".

"Hay noticias que sólo pueden leerse así". Aída se limpió el sudor de la frente, puso dos vasos sobre la barra y se dio media vuelta para alcanzar la botella.

"No, si tú lo dices..." Soltó una carcajada, se estiró sobre el mostrador y le dio un pellizco en el trasero.

Aída estuvo a punto de soltar la botella que abría, se dio la vuelta y apretó los dientes. "¡No te azoto la cachetada porque tengo las manos llenas, imbécil!"

La pequeña Dolores jugaba y al observar el incidente caminó hasta el desconocido para darle un manotazo en la pierna. Anselmo la tomó en brazos, le apretó la nariz y dándole un beso preguntó quién era la güerita.

"¿A usted qué le importa?" dijo Aída mientras servía dos tragos.

"¡Hombre! No sea tan arisca, si el pellizco fue sólo una prueba para ver si eran reales", soltó a Dolores.

"Pues ya vio que sí, y tienen dueño", apuró el trago.

"A su salud..." Anselmo bebió. "¿Cómo se llama?

"Aída".

"Anselmo, mucho gusto", extendió la mano pero no hubo respuesta. "Qué coincidencia."

"¿Cuál?

"Que nuestros nombres comiencen con A... de amor".

"O con A... de antipático". Anselmo hizo una mueca con el rostro y Aída se rio. Le contó que era ingeniero y que trabajaba en Tierra Negra, que formaba parte del ambicioso proyecto de tornar esos polvosos sembradíos en un paraíso tropical.

"¿Para qué? Qué afán de cambiar las cosas", advirtió Aída mientras servía dos tragos más.

"Así son los ricos... la niña, ¿es tu hija?"Aída no respondió, se soltó la cola de caballo, se desabrochó el delantal y por primera vez reparó en los ojos avellana de Anselmo. Se sintió atraída por la musculatura que se le dibujaba al hombre bajo la camiseta blanca, pero cuando inició el juego, jamás pensó que llegaría a ocurrir algo serio entre los dos.

"Tengo que irme ahora, pero nos veremos pronto", le dijo antes de irse.

"No se preocupe, no corre prisa", contestó sin interés mientras recogía el billete de un dólar que Anselmo había dejado sobre el mostrador. En ninguna parte de su cuerpo había lugar para otro hombre, pensó.

Anselmo volvió por la noche para invitarla a salir. Aída había trabajado los dos turnos y se sentía cansada. Para colmo, ese día los aviones militares habían cruzado el cielo desértico con más insistencia que nunca. Todos comentaban que los alemanes jamás se iban a rendir. La zozobra comenzaba a enredarse con las esperanzas de Aída.

"Mañana me voy a California, si no es esta noche, no sé cuándo, ¿sí? ¿acepta?"

"No sé, Anselmo, lo acabo de conocer y la verdad..."

"La verdad es que usted está tan impresionada conmigo como yo con usted. Vamos, Aída, no tiene nada que perder", dijo con aplomo.

Anselmo la subió al tranvía y la llevó al cine. El Edén exhibía la última película de Tito Guízar y el Alcázar, una americana de vaqueros. Aída pretextó que no distinguía los subtítulos y optó por la primera; la verdad era que no quería ver el documental que precedía a la otra. La sala estaba vacía; apenas se quedaron a oscuras, Anselmo le deslizó la mano bajo la falda. "Estese quieto ingeniero que le sorrajo una cachetada y entonces sí, hasta a los japoneses va a ver".

"Pero Aídita, si los dos estamos solos, que le cuesta un besito".

Después del Edén entraron en un bar de mala muerte. Bajaron por una escalera a punto de derrumbarse y se acomodaron en la penumbra de un reservado con sillones de media luna. Aída fijó su atención en los oxidados anuncios de lámina que colgaban de la pared. Comparó el establecimiento con su propio negocio y no evitó sentirse complacida. Sonrió y dejó que Anselmo le besara las manos. El cantinero cerró el tragaluz por donde se colaba el escándalo de los transeúntes y subió el volumen del tocadiscos. "Me gustas mucho, pero ya te dije que tengo dueño, el padre de mi hija. La maldita guerra se lo llevó, es un teniente americano, se llama Tom. Lo extraño mucho. Perdóname, ya será otra vez. Estoy muy cansada. Vámonos, por favor".

Cuando llegó a casa, Eyerame ya había acostado a Dolores. No había invitado a Anselmo a entrar. Todavía no estaba lista para eso, quizás nunca lo estaría. Pero no podía negar que se había divertido, que hubieron momentos en que sintió que sucumbiría al apetito que le provocaba la cercanía de Anselmo. Se desvistió frente al espejo, qué joven era todavía, no había rastros del embarazo. Tom, desnudo, jadeante, su dueño...

22

Anselmo Pérez pasó por la cantina la mañana siguiente pero Aída todavía no llegaba. El hombre escribió una leyenda amorosa detrás de una foto suya y se la dejó a una empleada. "Le dices que vine a despedirme, que regreso en unos meses", dijo. La mujer lo vio salir, observó la foto y se la dio a Eyerame que atendía a los clientes en el restaurante.

"¿Qué dice?" preguntó al ver la escritura.

"Te quiero yo, o te quiero ya, no le entiendo a la letra, patrona", se disculpó.

"Ah, guárdasela en la caja de la cantina para que la vea en cuanto llegue... y luego vuelves para que me ayudes con el hielo, hay que picarlo".

Aída llegó tarde. Dijo que Dolores tenía calentura y había tenido que pasar por la botica. Cuando vio la foto de Anselmo, la observó por unos instantes y luego se la pasó a Dolores para que jugara. La niña la hizo rollo y se la metió en la boca.

¡Qué bueno que juegues, mamita! Quisiera que nunca te me enfermaras, ya estás mejor. El boticario me dijo que exagero las precauciones contigo, que estás más sana que yo. Qué bueno, le respondí, así debe ser. Lo que pasa es que Juventina te dejó mucho rato en pleno sol, cuando te trajo al negocio, ya venías molesta. Nadie te va a cuidar como yo. Cuando Tom regrese, él se encargará de la cantina y yo me quedaré en casa, quiero ir a la escuela, aprender más cosas.

Aída se olvidó de Anselmo Pérez tan pronto como Dolores destruyó la foto, la empleada que la había recibido fue la misma en recoger los pedazos regados por el piso. "Barre bien que ya voy a abrir. La niña hizo un tiradero", ordenó antes de levantar la cortina metálica. Era casi el mediodía y la luz del sol la cegó por un momento. Un autobús pasó dejando una estela de humo a su paso y Aída tosió varias veces para limpiarse la garganta. Ay Chihuahua, cuánto apache, pensó al ver la cantidad de gente en las aceras.

Tenía razón. En Ciudad Desierto, los barrios se habían conglomerado, se habían inventado los fraccionamientos, y las vecindades se reproducían a la misma velocidad con la que los nuevos residentes iban llegando. Aída vivía en una de ellas porque se había acostumbrado a las vecinas que sin muchos prejuicios la habían aceptado desde el primer momento. Aunque muy de vez en cuando convivía con ellas, logró establecer una relación cortés y en ocasiones afectuosa con el resto de los inquilinos. Tenía ahorros suficientes para mudarse, pero las nuevas casas le parecían impersonales, además, quedaban lejos del centro.

En los años de guerra, los desérticos se habían acostumbrado a los simulacros y a las operaciones de emergencia que Fort Bliss realizaba regularmente. A cierta hora de la noche, tras un anuncio radiofónico o después de una sirena, todo debía quedar a oscuras. Las dos ciudades apagaban el alumbrado público, la gente hacía lo mismo con las lámparas de casa y los automovilistas que habían sido sorprendidos, dejaban de conducir y se detenían en mitad de la calle. Todo volvía a la normalidad después de la segunda sirena.

Fueron años de alarmas y entrenamiento para un ataque que no llegaba. Los desérticos pasaron de experimentar una responsabilidad temerosa a sentir un desacato indiferente. Se oía hablar de la guerra, se leía en los periódicos y hasta en los cines se veían cortometrajes en blanco y negro, pero en Ciudad Desierto no pasaba nada. Por el contrario, Fort Bliss se convirtió en un centro de preparación para los que iban al frente y los soldados, con más ímpetus que nunca, cruzaban los puentes en busca de los buenos ratos. Los turistas seguían manteniendo los comercios de baratijas y artesanías de la Avenida Juárez; los lugares de diversión nunca vieron mejores tiempos. El negocio de Aída se contagió de la bonanza que invadía la ciudad.

Un día llegaron a la cantina dos hombres que presumían de estar a punto de publicar el primer libro en tarahumara. "Nos contaron que usted era india y que sabía leer. Venimos a mostrarle la obra", pusieron sobre la barra el manuscrito.

"¿Ah sí? ¿Quién les dijo semejante barbaridad?" Aída contestó sin titubeos.

"Los de Acción Nacional que se juntan aquí los lunes", respondió uno.

"Te dije que era una broma", dijo el otro lo suficientemente bajo como para que Aída lo oyera. "¡Idiotas! Una india tarahumara, cantinera e intelectual".

"Y panista, tú". Los dos hombres estallaron en carcajadas. Aída guardó silencio. Como era su costumbre cuando brindaba con clientes, sirvió tres caballitos de tequila añeja.

"La casa paga. ¡Salud!" Levantó el vaso, se empinó la tequila y se pasó la lengua por los labios antes de hablar. "A lo que me refería cuando pregunté quién les había dicho semejante barbaridad, era al hecho de que su libro fuera el primero en tarahumara, por mis manos ya han pasado algunos".

Los dos hombres agacharon la vista, tomaron el manuscrito y salieron del establecimiento sin hablar. En la barra se quedaron los dos caballitos de tequila que Aída les había convidado.

Al siguiente lunes, Aída habló con uno de los dirigentes del PAN, le contó lo sucedido y le pidió que no la trajera en bocas, que ella permitía las reuniones allí, pero que hasta el momento no se había afiliado con ningún partido. "Los partidismos son malos para el negocio", dijo. El hombre le aseguró que no volvería a pasar y que de cualquier modo no tenía nada de qué preocuparse. El Partido Acción Nacional acabaría gobernando al país, agregó.

"El PAN o el PRI, la misma gata..." dijo Aída antes de regresar a su puesto tras la barra.

23

En el tercer año de guerra, la noticia de un avión que había chocado contra la montaña Franklin dejó a Aída paralizada. Esa noche, el mariachi todavía no llegaba y aunque una mesa de jóvenes bien mantenía la rocola tocando, la cantina estaba tranquila. Sólo dos muchachas habían llegado y estaban sentadas en la barra. Al otro lado del negocio, Eyerame preparaba el menudo para el día siguiente en una enorme olla de peltre. Aída bromeaba con una de las muchachas cuando la niñera entró corriendo con Dolores en brazos.

"¿Le pasa algo a la niña?" Se acercó de prisa.

"No, qué va, cada día está más grande y más pesada. Se la traje porque el Pancho nos lleva a pasar la semana en Camargo. ¿Quién sabe de qué se anda escondiendo ahora?"

"Como venía corriendo, pensé..." Tomó a Dolores entre los brazos. Dormía.

"Me vine a todo lo que me daban las piernas para ver si ya se había enterado". Juventina caminó hasta detrás de la barra y se sirvió un vaso de agua.

"¿Enterado de qué?"

"Del avión que se cayó en El Paso. ¿Qué no oye la radio? Creo que se murieron todos los soldados".

"Válgame Dios, no bromee conmigo así, Juventina..." Aída se persignó.

"Sí, que venían de la guerra... pos como yo sé que usted está en espera, me dejé venir en cuanto oí la noticia".

"Hay miles de soldados". Aída trató de tranquilizarse. "Dios tenga a éstos en su Santa Gloria".

"Sí, Aídita, pero dijeron el nombre del piloto, Tom, así mismito y así de claro". Pasaron unos segundos en los que Aída creyó que el avión le había caído a ella encima y no a la montaña. Las palabras de la niñera explotaron en su cara como una mina enterrada en algún campo de batalla. Puso a Dolores en los brazos de la abuela, tomó la cartera que guardaba debajo del mostrador y salió de la cantina sin decir a dónde iba. La noche le pegó en el rostro, era marzo y hacía viento. Se dirigió a pie, contando cada paso, caminando el trayecto de manzana en manzana, de bocanada de aire en bocanada de aire, hasta llegar al puente. Mostró el documento que le permitía cruzar la frontera y tomó un taxi.

"Lléveme a donde cayó el avión, por favor".

"¿Está segura? No creo que..."

"¡Que le dé para allá le digo!" Aída interrumpió al chofer clavándole los ojos a través del espejo retrovisor. El hombre se conformó y puso el coche en marcha. "El cliente manda", dijo.

Cuando llegaron al sitio, una patrulla les interrumpió el paso. Aída salió del coche, se colocó la mano sobre el pecho y trató de continuar a pie.

"Mam, you can't go there!" la detuvo un gendarme.

"Por favor, ayúdeme... necesito verlos".

"No hay nadie allí, sólo el avión", respondió el hombre en español.

"¿A dónde los llevaron?"

"A Fort Bliss, yo vengo de allá, ¿es usted pariente?"

Aída guardó silencio. Probó su saliva y le pareció que le sabía a vómito, tuvo la sensación de que iba a desmayarse. "¿El piloto? ¿Se llamaba Tom? ¿Volvía de la guerra?"

"No", el hombre sonrió y la tomó por los hombros, "este avión no venía de la guerra, era un B-24 en un vuelo de rutina, murieron varios soldados, ningún Tom".

Aída digirió las palabras lentamente, saboreando la noticia como si fuera la golosina más dulce de su vida. Se disculpó con el gendarme y volvió al taxi. "Lléveme al centro por favor, a lo mejor todavía alcanzo el tranvía". Respiró la noche y el olor a tabaco del taxista. Allá abajo veía las dos ciudades y el río que las dividía. Pensó en todas las mujeres que estaban llorando en ese momento por un soldado muerto. Había días así, en que la muerte se paseaba cerquita, coqueteándole, haciéndole sentir que Tom ya no le pertenecía, que se lo había llevado. Pero Aída sabía espantar esos pensamientos, sólo tenía que recordar la voz de Tom que le prometía volver una y mil veces, entonces el amor la carcomía hasta los huesos, la invadía completa y la llenaba de un sentimiento que la dejaba inmóvil, agónica, dispuesta a esperar toda una vida.

"La dejo en la plaza, señorita, el tranvía pasa en quince minutos." La voz del taxista la devolvió a la realidad. Pagó la tarifa y se encaminó hasta la fuente de los lagartos. Se sentó a observar la pasividad de los reptiles, las largas mandíbulas, los colmillos protuberantes, la piel escamosa. Alguien le había contado la historia, habían llegado allí de otro lado, como una broma a una persona muy importante. Se quedaron en el parque porque no supieron qué hacer con ellos. El lugar era conocido como la Plaza de los lagartos desde principios de siglo, ahora sólo había tres.

Si tardas más me vas a encontrar decrépita, áspera como estos animales, encerrada en una jaula. No, perdóname, nunca te reprocharé estos años, yo sé que piensas en mí todos los días, oigo tu voz y escuchó tus palabras, creo que te has adelgazado, así te veo. No he llorado ni una sola vez, estoy hecha de hierro, dura, en una sola pieza. Tal vez soy una lagarta, un reptil de sangre fría. Es mentira, mi sangre y la tuya hierven, se consumen en esta distancia. Tom, ni siquiera sabes que tienes una hija.

Aída llegó a casa cerca de la medianoche. Dolores dormía con su abuela. Aída se acercó y las cubrió con la sábana. Acarició el cabello rubio y ensortijado de su hija y salió del cuarto. Entró en el baño y se untó la crema de limón y concha nácar que seguía utilizando, pensó en Doña Aurora y la extrañó. Tengo que visitarla pronto, madrina, se lo prometo, pensó antes de acostarse.

24

Cuando Aída menos lo pensó, la guerra estaba ganada y los americanos amenazaban con cerrar las fronteras. Atrás habían quedado los tiempos en que el único requisito para cruzar era un baño de creolina. Aún así, enormes oleadas de sureños arribaban a Ciudad Desierto con la esperanza de cruzar al norte. Descendían en la estación de tren, en la terminal de autobuses y unos pocos, los de dinero, llegaban por aire. Era como si la ciudad fuera arrasada por un maremoto que acabaría por destruirla. El día que anunciaron por radio la magnitud de la destrucción alcanzada por la bomba atómica, Anselmo Pérez reapareció en la cantina. La guerra culminaba con el triunfo de los Aliados y aunque las manifestaciones de júbilo no se hicieron esperar, Aída se estremeció ante la idea de tanta muerte. "Se acabó", dijo mientras desenchufaba el aparato.

"En mal momento me tocó volver", dijo Anselmo mientras se acomodaba en la barra en el mismo asiento de la primera vez.

"Dichosos los ojos", Aída lo saludó.

"¿Está contenta?"

"¿Y usted qué cree? Llevo cuatro años esperando este momento", se desabrochó el delantal, sirvió una cerveza Saturno a Anselmo y caminó apresurada hacia el restaurante. Eyerame se dejó abrazar, dar vueltas y aplaudió junto con Aída.

"¡Se terminó, mamá, se terminó la maldita guerra! Invítelos a todos a celebrar, La casa de Tom está de fiesta, ¡hoy todos nos emborrachamos!"

Aunque Anselmo se unió al alboroto que armó la invitación, permaneció sobrio durante el festejo, investigando los movimientos de Aída, sus risas, su manera de bailar y coquetear con los clientes. La miró y se dio cuenta que habitaban espacios diferentes, que los lazos que ataban a esa mujer a sus recuerdos eran más fuertes que cualquier prospecto que él pudiera ofrecerle. Cuando la oportunidad se presentó, aprovechó un momento en que la tuvo frente a frente para tomarla de la mano, decirle que ya había bebido lo suficiente y que un poco de aire fresco no le caería mal. Aída aceptó.

Eyerame se quedó en la cantina y ellos salieron a caminar.

Para sorpresa de ambos, la ciudad no había alterado su ritmo ordinario. Los transeúntes recorrían el sector despreocupados por lo que ocurría al otro lado del mundo y varios soldados se emborrachaban celebrando el triunfo. "¡Échense otra muchachos, que también los mexicanos ganamos, no que no, tóquenle mariachis!"

Caminaron hasta la plaza de armas y se sentaron frente a la basílica recién nombrada catedral. Aída recargó su cabeza en el hombro de Anselmo y cerró los ojos.

"Me cae bien usted, ingeniero, me trajo suerte", le dijo.

"¿Ingeniero?... Ah, se me había olvidado, tengo que confesarle algo, Aída". Se dio vuelta hasta quedar frente a frente.

"Qué seriedad... cualquiera diría que mató a alguien", bromeó.

"No, tanto así, no, pero tengo que confesarle que yo no soy ningún ingeniero, ni a la secundaria llegué", habló lentamente, mirándola a los ojos, tratando de leer en ellos.

"¡Ah qué mentiroso!" Aída se rió. "¿Pues no dijo que trabajaba en Tierra Negra?"

"Eso sí es verdad, trabajé dos meses allí, pero me salió la oportunidad de irme a California... y me fui. Hice buen dinero". Sacó la libreta de una cuenta de ahorros del bolsillo trasero del pantalón.

"Qué bueno, Anselmo, lo felicito, antes no se lo llevaron a la guerra a usted también. No se preocupe, hoy empezamos otra vez, ¿amigos?" Aída extendió la mano.

"Amigos, Aída, pero sólo hasta que su Tom regrese, luego me voy".

"Como quiera, Anselmo, pero vámonos ya que tengo que recoger a Dolores de donde la niñera". Se puso de pie y tambaleó un poco. Anselmó la obligó a caminar apoyada en él. En el camino de regreso, le contó que el día que lo capturaron le habían ofrecido la ciudadanía con la condición de alistarse para la guerra, pero como él no tenía espíritu combativo ni debía lealtad a ese país, decidió que era hora de volver al suyo. Consiguió el aval de su jefe, firmó los papeles de alistamiento para que lo dejaran ir y prometió a los oficiales que estaría disponible en cuanto lo llamaran. Cuando llegó a la pensión donde vivía, tomó los pocos ahorros que guardaba, empaquetó unas cuantas camisas en la misma bolsa de Jabón Juárez con la que había llegado y se encaminó a la terminal donde paraba el autobús de regreso. De haber sabido que la paz iba a ser firmada poco después, tal vez ahora no estaría allí, le dijo.

"Así son las cosas, uno nunca sabe dónde ni cómo va a

acabar. Es mejor así, ¿no cree?"

Anselmo no respondió. Le gustaba tener a Aída así, cerca, caminando los mismos pasos, respirando su ligero aliento de cerveza. Nadie sabía dónde iba a acabar, eso era cierto, pero en ese momento las probabilidades de que él estaría allí por mucho tiempo no eran pocas. Puso la mano sobre la de Aída, le sintió el pulso de la muñeca, tocó cada uno de sus dedos y apretó fuerte, para que ella supiera que él se quedaría, aunque hubiera dicho lo contrario.

25

De ahí en adelante, Anselmo frecuentó la cantina regularmente. Aída jamás le dio esperanzas y le recalcó lo de Tom para que no se hiciera ilusiones. Anselmo Pérez no claudicó, le confesó que estaba enamorado de ella, que la adoraba como a la propia madre de Dios y que cuando Tom regresara, él ya se las arreglaría. Aída se sentía complacida con esa devoción y aceptaba sus invitaciones a cenar.

En una ocasión Anselmo la convenció para que lo acompañara a celebrar su cumpleaños en el Tívoli. Aída se puso un vestido muy semejante a los que la madrina le había regalado, con las barbillas flappers de los años veinte y la tela negra satinada. Cuando Anselmo la recogió en la cantina, le dijo que Tom debía haber estado loco para no desertar por ella, que era una diosa bajada de los cielos. "Será de la sierra... de la tarahumara", corrigió.

Anselmo había conseguido un automóvil y le abrió caballerosamente la puerta. El Tívoli quedaba tan cerca que Aída se enterneció por la inutilidad del gesto. No había nubes, pero ella inventó un pronóstico de lluvia y elogió la precaución. Anselmo le sonrió, le dio un beso en la mejilla y cerró la portezuela.

Ciudad Desierto bullía en un desfile de mujeres entaconadas y hombres elegantes. Hacía un calor seco que invitó a Aída a retirarse el chal que llevaba puesto. Sus hombros fuertes y morenos contrastaron con la blancura del cuero que tapizaba los asientos. Su cabello imitaba el último estilo de María Félix. Para su sorpresa, el valet del centro nocturno los recibió con entusiasmo. Aunque la cola para entrar era larga, el muchacho la ignoró y los acompañó hasta la puerta antes de llevarse el coche. Anselmo le entregó una propina y lo despidió amablemente. Saludó al portero con un billete americano y a los pocos minutos estaban sentados en una de las mejores mesas, una botella de champaña se enfriaba cerca de ellos. Aída sonreía.

El Tívoli tenía una pista enorme y la música en vivo le cosquilleaba en los pies. Estaba contenta y decidió divertirse, disfrutar con Anselmo la noche entera. Habían sido casi cuatro años de espera y esperaría otros mil, pero esa noche abría y cerraba un paréntesis, un descanso bien merecido. Sin embargo, con el paso de las horas y los brindis, la forma de bailar de Anselmo le recordó otros abrazos, los labios que la besaban sabían a ron, las risas medidas de las señoras encorsetadas se habían convertido en carcajadas, los espejos luminosos en paredes despostilladas y llenas de anuncios, y hasta un estrado vacío la invitaba a iniciar el espectáculo del cigarrillo. La música de la orquesta retumbaba en La casa del Señor y Doña Aurora lo supervisaba todo. Cómo te amo teniente, cómo quise ser tuya desde el primer momento. Recordó los silencios entre los dos, las palabras ausentes de los que nunca se confiesan todo por temor a perderlo. La música seguía envolviéndola en cada giro. Te he esperado todos estos años. Cada vez que levanto a Dolores en mi regazo, cada vez que me acuesto a su lado para dormirla, cada vez que veo sus ojos azules, estás allí. Ahora las cosas van a ser diferentes. No habrá necesidad de corazas ni de miedos. No hay vestigios de la tarahumara del burdel, soy una empresaria a la altura de cualquier teniente.

Las manos prietas de Anselmo Pérez se habían blanqueado en la oscuridad del Tívoli, el traje negro se había transformado en el uniforme de piernas bombachas de la fotografía que Aída siempre llevaba en el pecho, los cabellos crespos y oscuros habían quedado en algún rincón de la pista. Glen Miller, Benny Goodman y la orquesta... Aída bailó con Tom toda la noche. Eran los viejos tiempos y nunca se había ido. *Boogie woogie boy of company B...*

Pero Tom no apareció, ni después del segundo bombardeo, ni tras la paz firmada, ni con el paso de los meses. Aída esperó, recorrió e indagó en Fort Bliss hasta que la informaron de que el escuadrón había vuelto, que los que no habían regresado era porque estaban muertos. Entonces investigó los nombres de los desaparecidos, los rangos y hasta visitó una morgue, pero todo fue inútil. Buscó en los armarios de casa, en su cofre de recuerdos, en su memoria, hasta que acabó maldiciéndose por no saber el apellido de Tom. Era demasiado tarde para enmendar torpezas y no le quedaba más que abrigarse en la soledad.

Cuando la nostalgia, la pena y recuerdo la exasperaban, Aída abandonaba la cantina, tomaba el tranvía de la Avenida Lerdo y cruzaba la frontera. Entonces todo reaparecía, lo descolorido de la piel desnuda de Tom, la picazón de su nuca recién afeitada, las risitas después de hacer el amor y las horas abrazándolo. Se bajaba en la plaza San Jacinto, se ponía a observar la fuente de los lagartos y permanecía absorta en la quietud de los reptiles. "En la sierra llegué a ver algunos, pero ninguno como los que tenían allí. Era como verme a mí misma, desplazada, prisionera, vencida", contó.

Pasaba las horas esperando que en el momento menos pensado alguien le acariciara la espalda y al volverse, encontrar la mirada azul que tanto extrañaba. Entonces, los recuerdos de la última noche con Tom y de aquella bebida que había resultado un fiasco, también aparecían.

Al oscurecer, retrocedía hasta el puesto del hombre sin piernas y compraba el ejemplar más reciente del Time. El vendedor le decía tres o cuatro palabras en inglés y ella respondía que sí, que hasta la próxima. Por lo regular, el ejemplar acababa abandonado en el asiento del tranvía de regreso.

En una ocasión se atrevió a preguntar al voceador acerca de los soldados. El hombre le dijo que él era veterano, que había perdido las piernas en un lugar de Francia y que sí, que había estado bajo el mando de un teniente llamado Thomas Mangan, de El Paso; que el tipo había muerto lleno de heroísmo, llevándose a varios nazis por delante y con las entrañas esparcidas por el suelo.

Aída se llevó la mano a los labios, negó con la cabeza, se ajustó la pañoleta a la barbilla y se despidió después de pagar la revista. Las lágrimas no cayeron de sus ojos porque todo se desordenó dentro de ella. Los pulmones se le congelaron, el corazón se le aceleró, la garganta se le inundó con una flema agria y los brazos se le cruzaron sobre el pecho. Caminó lenta hasta la fuente de los lagartos y vomitó. Llevaba el amor colgando en el estómago, ahorcándole cada partícula de oxígeno. Los lagartos la miraron sin mover los ojos, con las fauces oprimidas y los dientes protuberando. Animales pacíficos, de sangre fría, de muerte...

Deambuló varias horas por el centro de El Paso antes de darse cuenta de que había perdido el último tranvía. Había llegado a la conclusión de que tendría que bailar mucho para que Tom pudiera atravesar los tres techos que cubrían el cielo. Esa noche inició los festejos, le pidió a Eyerame que tocara el violín y se emborrachó como debía hacerlo. Cuando Anselmo apareció por la cantina, Aída lo invitó al cuarto de atrás y le hizo el amor hasta dejarlo seco. Al siguiente día, se enterró el dolor adentro, guardó la fotografía de Tom en una caja de su ropero y colgó sus emociones en el armario.

Dolores e Isabel

1

Su segunda hija llegó para aliviar la soledad que habitaba en Aída. Habían sido nueve meses de dudas, de sonambulismos recordando a Tom, de caminar por la cantina bamboleando la redondez de su vientre, de oír las mismas bromas del otro embarazo. La semilla de Anselmo Pérez había anclado dentro de ella a pesar de los lavados, de las infusiones humeantes que Eyerame le preparaba y de las fiebres que le daban cada mes, cuando debía llegarle el sangrado. "Mamá, mejor lo paramos, esta criatura está aferrada con uñas y dientes", había dicho.

A diferencia del nacimiento de Dolores, el segundo parto de Aída había sido difícil. Los doctores dijeron que parecía que la niña luchaba para no abandonar el útero. Aída pujaba con fuerza, pero toda su energía resultaba insuficiente para expulsar el bulto. "¡Tráiganme una tequilita desdichados! ¡Me voy a reventar! ¡Anselmo, hijo de tu madre! ¡Dónde estás... no te escondas... te voy a arrancar los ojos!" Sus manos se soltaron de los barrotes de la cama, palparon las sábanas y se descargaron con furia sobre el colchón.

"Empuje más, Aída, empuje con fuerza".

"Acabe ya doctorcito, por lo que más quiera, por su virgencita", suplicó.

"Esto no se ve todos los días, hasta parece primeriza. Ya está muy dilatada y no asoma nada".

"No le vaya a caer una infección, doctor. ¿Le damos un tesito de mata?" Pasaron dieciséis horas de contracciones y espasmos antes de que el doctor decidiera la cesárea. Aída no protestó, para entonces ya había ofrecido su alma a Onorúame y lo que sucediera la tenía sin cuidado.

"Rebáneme la panza doctor, rájemela ya. Tanta inyección, tanta pastilla, dígame el nombre para venderlas en La casa de Tom, qué rica borrachera, que vueltas... ¡Viva la sierra y viva Chihuahua india vestida bañada de luna y de sol...!"

Cuando volvió en sí, Anselmo Pérez le sonreía con la niña en brazos. "Se va a llamar Isabel... como mi madre de la que tanto te has acordado". Aída movió la cabeza en señal de aprobación y volvió a dormirse.

Una semana después, mientras la amamantaba, notó que un hililllo blancuzco escurría de un pezón de la niña. Intentó ponerse de pie, pero la herida del vientre la quemó y el dolor la obligó a permanecer inmóvil. Se despegó a Isabel del seno y con la sábana le secó las comisuras de los labios y el pecho humedecido. El goteo de la tetilla cesó. Aída la acercó de nuevo y al mamar, el líquido volvió a aparecer. Esta vez no la separó; con la mano que le quedaba libre probó la secreción. Era leche, tenía un sabor acanelado y dulce. Aunque días más tarde el doctor le explicó que aquello era normal en muchos bebés, Aída aseguró que Isabel había nacido con la bebida de Doña Aurora en el pecho.

Madrinita, usted dispense que no la haya visitado en todos estos años. Me da no sé qué volver al pueblo, todos se burlarían. "Pobre india loca, mírala, cree que el gringo la quiere, qué aires de grandeza. Habrase visto, querer agarrar soldado americano". Me duele hasta la angina de pensar que tenían razón. Mi teniente nunca volvió, madrina, pero yo sé que me quiso. Me lo mataron, madrina, le abrieron el estómago igual que a mí con esta niña. Le sacaron la vida y a mí me dejaron muerta. Usted lo conoció, usted sabe, ese amor se queda entre las dos, porque yo soy su hija, madrina. No crea que se me olvidan sus manos dulces y su olor a gardenias. Pero el amor que sentí por Tom, que todavía siento, ése sí se me estacó dentro... ¿ya le conté de los lagartos?

Una tarde, Eyerame regresó temprano de la cantina porque Dolores no se sentía bien, le dolía la cabeza y tenía sueño. Aída complacía a Isabel y la arrullaba despacio. Isabel había estado lactando. Aída las saludó y dijo que hacía mucho que no sabían de Doña Aurora, que la madrina seguramente trataba de comunicarse con ellas. Eyerame no entendió los razonamientos de su hija, pero le advirtió que no exagerara los mimos con Isabel, que Dolores ya se daba cuenta y que recelaba.

Tenía razón. A pesar de sus cuatro años, la mezquindad se manifestó en las actividades cotidianas de la hija de Tom. Era una niña desobediente que no escatimaba berrinches. Cuando lloraba, su piel transparente adquiría un color negruzco y los ojos se le ponían en blanco. Aída tenía que darle una bofetada para hacerla reaccionar. Entonces la niña descargaba su furia contra las paredes de la casa, contra los muebles o cualquier objeto que se atravesara en su camino. Disciplinar a Dolores era comprometerse a acabar con las manos enrojecidas por los golpes, los dedos casi fracturados y los brazos acanalados por los rasguños. Pero ni así cesaban los llantos. Por las noches, las pesadillas le interrumpían el sueño. Se despertaba aventando las cobijas de la cama y llamando a su abuela a pulmón abierto. Decía que Isabel trataba de matarla, que se salía de la cuna en la oscuridad y caminaba hasta ella con un cuchillo en la mano. Eyerame le explicaba que eso no podía ser, que los recién nacidos son incapaces de hacer cosas por ellos mismos y que aunque así fuera, allí estaba ella para defenderla. Dolores lloraba, se le colgaba del cuello y fijaba la vista en la puerta del cuarto para ver si Aída acudía a consolarla, pero su madre nunca apareció, al principio porque se vio obligada a guardar la cuarentena y después por comodidad. Eyerame preguntaba a su nieta si quería acurrucarse en sus brazos para tranquilizarse, pero Dolores siempre le dijo que no, que los tenía muy fríos, que mejor se sentara en la silla y no se fuera del cuarto hasta que ella estuviera dormida. Durante el día, Eyerame prefería llevarse a Dolores a la cantina porque varias veces la había descubierto al borde de la cuna. "Esta niña tiene malos pensamientos, necesita una limpia, hay que expulsarle el demonio", advirtió.

"No se preocupe, mamá. Es su hermana, ¿qué males le va a hacer?" Eyerame encogía los hombros y continuaba con sus diligencias. Sólo el recuerdo de Tom hacía reaccionar a Aída. Jugaba con Dolores, le peinaba los cabellos y la vestía con el atuendo tarahumara que la abuela le había hecho. La niña se le abrazaba al cuello, le daba besos en la cara y le decía que era la mejor mamá del mundo. Aída sentía que un alfiler se le hincaba en el corazón, un dolor apenas perceptible pero al fin y al cabo dolor. "Debí haberla querido más y creo que lo hice, pero nunca se lo demostré. Tal vez el miedo estúpido a que se me fuera como lo había hecho Tom", dijo un día.

2

Isabel llegó con una torta bajo el brazo, madrina. Hoy festejamos su primer añito y di el enganche del terreno donde construiremos la casa, por rumbos del Chamizal. Ya la siembra del algodón se va acabando y como todos se mudan para allá, me decidí a dejar el vecindario. Aparte, el otro día nos cayó un cohete que se les escapó a los americanos. No se murió nadie, madrina, pero qué susto nos llevamos. Ahora sí se me va a hacer abrir el paquete que me dio cuando nos despedimos, ese regalo empolvado en el armario. No sobra el dinero, pero el sitio de taxis de Anselmo ya casi reditúa igual que la cantina. Invertí parte de los ahorros en tres carros usados. Es tan servicial, el pobre. Trato de ayudarlo como puedo.

Anselmo vivía de las migajas de atención que Aída le proporcionaba. Desde que supo que Aída estaba embarazada, había decidido quedarse ahí, luchar contra el fantasma de Tom, desplazarlo a fuerza de paciencia. Vivían juntos aunque no se quedaba todas las noches en casa porque tenía choferes que trabajaban con los taxis veinticuatro horas. Cuando no supervisaba el turno de la noche se ocupaba de atender a Isabel.

Anselmo canturreaba felizmente mientras bañaba a su hija y le festejaba las gracias por insignificantes que fueran. Que ya le salió el diente. Ya dio los primeros pasitos. ¡Se va a caer del andador! Miren como juega a la gallinita pom-pom. No le preocupaba gastar su dinero ataviándola con ajuares carísimos que encargaba en La Popular, una tienda de El Paso que presumía de vender diseños exclusivos. Valía la pena aguantar los regaños de Aída al llegar a casa. "Eres un despilfarrador, mañana lo devuelves, ¿que no te preocupa el pago de la obra? Los albañiles dicen que hay escasez de cemento".

"Me hicieron descuento, no seas mezquina".

"No soy mezquina, soy precavida". Así, mientras Aída y Anselmo se acostumbraban a estar juntos, Dolores e Isabel crecían entre sonidos de violín desafinado, acordes de mariachi y conversaciones de políticos intelectuales. "La güerita está muy chula para que la tengas aquí, el día menos pensado te la roban y la venden en

Estados Unidos. Ya ves que eso está de moda. No seas tonta Aída, edúcala, casi está en edad".

"Si nunca he dicho lo contrario, quiero lo mejor para ella y pobre del idiota que se atreva a tocarla", les repetía. Dolores había adquirido tonalidades nacaradas que su cabello lacio imitaba, sus ojos intensificaron el azul de los ojos de Tom y hasta su andar recordaba a su padre. Después de mucho pensarlo y contra sus miedos, Aída aceptó los consejos de los clientes de La casa de Tom. A los cinco años, la internó en un colegio de Chihuahua; había decidido educar a su primogénita en la cultura de los chabochis.

El día que la matriculó todos vistieron sus mejores galas. Tomaron el autobús de las dos de la mañana para llegar temprano y durmieron en el camino. En la terminal desayunaron los burritos de lengua que Eyerame les había preparado y tomaron tres Cocacolas. "Órale mija, vaya al baño y enjuáguese bien los dientes. Acompáñala Anselmo, voy a buscar un taxi".

Llegaron al internado a la hora acordada para la entrevista. Las monjas los recibieron bien, pero se escandalizaron al conocer su fuente de ingresos, al enterarse que vivía en unión libre con Anselmo Pérez y que Dolores era hija natural de otro hombre. Aída no sabía mentir. La madre superiora indicó que sería imposible vencer la oposición del comité de padres de familia y que ella, honestamente, no veía la manera de aceptar a Dolores en el colegio.

Aída pidió a Anselmo que saliera de la oficina y que se llevara a las niñas. Abrió la cartera, sacó un billete de cien dólares y volteando los ojos disimuladamente añadió que un donativo como ese podría repetirse cada mes con el pago de la colegiatura. "Teniendo a mi hija aquí no escatimaría, pero no se sienta obligada madrecita". Se puso de pie.

Media hora más tarde, Aída salió al vestíbulo donde la esperaba Anselmo. Isabel dormía sentada en sus piernas y Dolores aguardaba mirando a través de la ventana que daba al patio interior. Era la hora del almuerzo y docenas de niñas uniformadas jugaban distraídamente. Aída la levantó en brazos, le dijo que tendría que portarse muy bien y que aprendiera muchas cosas para que no se quedara tonta como ella. Dolores entrelazó las manitas tras la nuca de su madre y por primera vez en mucho tiempo lloró olvidándose de los berrinches.

"Ya está grandecita para que la cargue, doña Aída, váyase tranquila que aquí se la encauzaremos por el buen camino". Aída sonrió. Por un momento pensó en Doña Aurora y en desviarse al regreso para hacerle una visita, pero prefirió posponerlo para otra ocasión. La pena comenzaba a invadirla y no tenía ganas de debilitarse emocionalmente. Dolores echó una última mirada a Anselmo e Isabel antes de que la madre superiora la arrebatara de los brazos maternos.

Al principio, Dolores extrañó el bullicio del bar, pasaba horas sumergida en ataques de llanto, no existía arrullo ni castigo que la hiciera callar. Las advertencias y los golpes de las religiosas fueron en vano. La niña no aceptaba las nuevas reglas. "Doña Aída, va a tener que venir por ella, está hecha una energúmena, una salvaje. Ya marcó de por vida a Sor Crepuscular y pues así, por mucho que yo quiera tenerla aquí, pues no. ¿Un San Tolomeo de tamaño natural? ¿Traje de seda?... bueno, intentémoslo dos semanas más. Ah, una cosita doña Aída, mejor mándenos el dinerito por giro que hay otras urgencias antes de la imagen. Sí, sí, a mi nombre, ay, si viera qué sacrificios..."

Dos semanas después de la llamada telefónica, Eyerame visitó el internado, pidió quedarse a solas con la nieta y sirvió el desayuno que llevaba en una canasta. Tuvieron una conversación larga, llena de promesas y empanadas de mermelada. Desde esa visita, Aída no volvió a recibir queja de las hermanas; por el contrario, cuando llamaba por teléfono para informarse, le decían que Dolores radiaba una alegría desbordante y decía a todo que sí. La niña había encontrado la iluminación divina una mañana que Sor Martirio rezaba con ella. "La pobre Sor Martirio, tan malita, casi desahuciada, sentenciada por su bondad y sin con qué pagar la consulta. No, eso ya sería mucho, cómo cree que íbamos a aceptar... Es usted un alma de Dios, doña Aída, tiene ya todas las indulgencias del Sempiterno ganadas".

3

Aída sólo visitaba a Dolores cada tres fines de semana y eso produjo un distanciamiento entre las dos. Te voy perdiendo, hija. Me sepultas de a poquito, con tus Avemarías y tus Padres Nuestros. Las monjas te han hecho una buena cristiana. No sé por qué me duele tanto si ya me lo esperaba. Mejor te saco del colegio, pero Anselmo dice que no, que eso es puro egoísmo. Yo qué sé... contigo no sé nada, a veces hasta pienso que debí mandarte a El Paso, pero ya ves que aquí se estila mucho lo de Chihuahua. Además, allí te están enseñando inglés, ¿verdad? La semana que entra vamos todos para allá.

Aída había insistido en que debían pasar en familia el tercer cumpleaños de Isabel, tenía miedo de que Dolores olvidara a su hermana. Además, Doña Aurora le había mandado un telegrama hablándole de una enfermedad que le alteraba la presión sanguínea, tenía ganas de verla y de conocer a sus nietas. Aída acababa de comprar el Ford y le había dicho a Anselmo que viajarían a Chihuahua para probarlo en carretera, que aunque Dolores no podría acompañarlos al caserío porque estaba en temporada de exámenes, a la vuelta llevarían a Isabel con Doña Aurora. Como siempre, Eyerame accedió a quedarse al mando de los negocios; ella visitaba a su nieta con más frecuencia que los demás.

Aída nunca se divirtió tanto como ese día; aunque era mala conductora, tomó las riendas de la travesía en cuanto salieron de Ciudad Desierto. Anselmo se sentó en el asiento posterior riendo con cada torpeza, pero como Aída resultó buen chofer de autopista, la risa le duró poco. Aída veía los ojos avellana en el espejo retrovisor y le daba pena verlos llenos de idolatría; para él hasta las torpezas de su mujer eran virtudes. "Qué se le va a hacer, en el corazón no se manda".

Cuando llegaron a la capital, recogieron a Dolores del internado y fueron a comer la famosa barbacoa que preparaban en un restaurancito al aire libre de la colonia Industrial. Ciudad Chihuahua era muy limpia, con casas enormes de rejas altas y puntiagudas. La luz del día era clara, sin chiste, iluminaba sin calentar.

No existía el movimiento automovilístico de Ciudad Desierto, ni la gente caminaba por las banquetas. Es una ciudad triste. Hasta las ciudades cargan tristezas y arrepentimientos, pensó Aída.

En la fonda, Isabel canturreó el repertorio de canciones de Pedro Infante que escuchaba en la radio de la cantina. La gente se enterneció con la emoción que reflejaba su rostro, con los ademanes artísticos y con esa voz tan fuerte y entonada para su edad. "¡Qué barbaridad, qué talento! ¡Mesero! Mándeles una ronda de Carta Blanca a los padres de esa criatura. ¡Qué Lucha Reyes ni qué ocho cuartos!"

Dolores jugó con su hermana hasta el atardecer y pidió tenerla en brazos cuando Isabel se quedó dormida en el asiento trasero. En el carro y sin que comprendiera una pizca, Anselmo Pérez contó a su hijastra que estaban a punto de establecer el sitio de taxis en la acera de la oficina de correos. Sonriente, le dijo que tenía por mamá a la gallina de los huevos de oro. Dolores rió y pidió a Aída que le regalara uno. Aída la observó con una mezcla de dicha y culpabilidad, hacía dos años que la niña no vivía con ellos y aunque la extrañaba, la distancia era el mejor remedio que había encontrado para la ofuscación que le producía el recuerdo de Tom. Había pasado esos años como si fueran dos días, enfrascada en el ir y venir diario, dirigiendo el funcionamiento de la cantina, ayudando a Eyerame con el restaurante y supervisando el negocito de Anselmo; había aprendido que Anselmo sin ella no era nada, era tan poca cosa y tan insignificante como su forma de hacer el amor. Ni siquiera en las noches de veranos infernales en Ciudad Desierto, cuando los recuerdos de Tom la deshidrataban, el hombre lograba apaciguarle la sed. Dormían en camas separadas porque Aída prefería hacerle el amor a la fotografía que guardaba en el armario, tomarla entre sus manos y acariciarla hasta que parecía difuminarse enfrente de sus ojos a punto de llorar. Entonces echaba la cabeza hacia atrás y obligaba a sus ojos a vaciarse hacia adentro, en un ritual que había comenzado en la recámara de Doña Aurora años atrás.

"Mamá, no me contestaste", Dolores la interrumpió.

"Por un beso tuyo te daría todo el oro del mundo", le dijo antes de estirar la mano para acariciarla. Habían llegado al internado y una religiosa abrió la reja para recibir a Dolores. La niña bajó lentamente, agitó la manita para despedirse y se quedó aferrada a los barrotes hasta que el Ford desapareció tras la esquina. Aída viró el rostro hacia el extremo opuesto para disimular su tristeza. Anselmo aceleró para alcanzar la carretera.

El regreso resultó agotador. Isabel iba molesta y afiebrada así que tuvieron que cancelar, por enésima vez, la visita a Doña Aurora. A la salida de Chihuaha no habían dado importancia a sus quejas porque la niña había pasado varias horas al sol entreteniendo a la gente del restaurante con los mariachis y sus canciones. Sin embargo, conforme fueron acercándose a la desviación que llevaba al caserío, comenzó a transpirar copiosamente. Cuando llegaron a la intersección de carreteras, Isabel vomitó y Aída decidió olvidarse de la visita a su madrina. "Mejor vámonos a casa, ¿qué pasa si se pone peor? En el pueblo no hay doctores".

Ya en Ciudad Desierto, Aída metió a Isabel en cama y la frotó con alcohol para disminuir la fiebre. Fue inútil. Isabel comenzó a temblar y a quejarse de dolor en las piernas. Al poco rato, los temblores se convirtieron en convulsiones. Aída ordenó a Anselmo que fuera a llamar a Eyerame a la cantina, que de seguro ella sabría qué darle. El hombre encaró a Aída con un aplomo incontestable. Hizo a un lado a su mujer y le dijo que la niña no estaba para remedios caseros, que trajera los ahorros porque la iban a llevar al sanatorio. Aída corrió a la recámara y sacó un fajo de billetes de entre los colchones de la cama. Se persignó con ellos y ofreció a Dios una buena kórima si todo salía bien. Abrió las ventanas del cuarto para ahuyentar los malos espíritus y alcanzó a Anselmo en el Ford. Isabel no salió del hospital esa noche.

Por primera vez en mucho tiempo, Aída se sintió débil. Observaba el persistente trajinar de Anselmo en la sala de espera y eso la ponía más nerviosa. Quería acercarse a él pero no podía. Mil veces se preguntó por qué había insistido tanto en el viaje. Cerró los ojos y aprisionó las lágrimas. Mi toweka va a estar bien, una fiebrita de muchas, anda Chabelita levántate y vámonos a seguir cantando. Qué linda voz tiene la niña, llévesela a México y de seguro la hacen cantante, aunque sea de carpa, recordó las voces.

Por la mañana los médicos explicaron que aunque todavía no estaban seguros, todo indicaba que la niña sufría de poliomielitis, que no podían tenerla allí por miedo al contagio y que las autoridades de Salubridad ya estaban en camino para acompañarlos a casa. Aída se taladró en el cerebro que no había por qué preocuparse, que no había mal que Eyerame no pudiera resolver y que Isabel se compondría. No había razón para esperar a nadie. Quería que Anselmo cargara con la niña y se fueran de una vez de ese maldito hospital, pero Anselmo no le hizo caso. El hombre estaba muy ocupado discutiendo con los doctores. Aída caminó hasta el elevador sin darse cuenta de lo que acontecía, descendió hasta la planta baja, salió al estacionamiento y llegó hasta el Ford. No pudo abrir la portezuela porque las manos se le habían entorpecido, así que corrió, corrió muy lejos de allí para escaparse de los ojitos marrones de Isabel, de su voz pueril retumbándole en los oídos. Corrió tan lejos que cuando volvió en sí, se encontraba entre los lagartos de la plaza San Jacinto y una docena de personas le pedía a gritos que se saliera de la fuente, que los lagartos la iban a atacar.

Aída se quedó petrificada entre los reptiles hasta que varios policías brincaron por encima de la malla protectora para sacarla. "Señora, ¿qué le pasa? ¿no puede estar aquí?" Aída no respondió, clavó los ojos en el policía que la había levantado en brazos y encontró los ojos de Tom. No te has muerto, has venido a rescatarme, a aliviar con tu presencia la angustia que me aplasta. Era mentira.

Como no hablaba, los oficiales decidieron llevarla a la comisaría. Allí, por primera vez en mucho tiempo, lloró, lloró porque Tom no había regresado, porque Dolores cada día estaba más distante y porque no sabía qué hacer con Isabel. El cansancio la había invadido de pronto, la había dejado inmóvil en medio de los lagartos, tal vez para eso serviría, para acabar despedazada en las fauces de uno de esos animales. "Al fin y al cabo ellos también deben de estar llenos de tristeza", dijo. Cuando los oficiales se enteraron de la situación, le perdonaron la multa y la llevaron hasta el puente. Aída regresó a casa envuelta en un silencio que comenzaba a losificarse.

4

Los médicos confirmaron el diagnóstico de la poliomielitis pero Anselmo se resistió a darse por vencido. Había adquirido una fuerza nerviosa y desafiante que Aída tuvo que respetar. Pasó varios días buscando doctores que hicieran algo por Isabel, haciendo llamadas telefónicas, yendo y viniendo a El Paso, rogando. Pero ningún médico se atrevió a intervenir.

En el nuevo fraccionamiento, los vecinos comenzaron a sospechar que algo extraño sucedía. Preocupados por el entrar y salir de enfermeras, se asomaban a las ventanas de la casa, esperaban afuera de las puertas y acosaban a todos con preguntas, pero nadie daba explicaciones. El día que Eyerame trajo al cura de la parroquia empezaron los rumores. "A la niña se le metió el diablo, el maligno del averno. Dicen que la abuela es bruja, ah pinche india, la maldición nos va a caer a todos. ¡Hay que quemarles la casa cuando no estén!"

El día del siniestro todos estaban allí. Isabel había sufrido una recaída y tenían que llevarla al hospital. Anselmo se estaba bañando y Aída tenía las manos ocupadas en un cocimiento. Eyerame gritó que una botella había quebrado la ventana de la sala. "¡Ah jodidos, trae lumbre! ¡Córrele con el agua!" gritó. Aída alcanzó una cobija y la echó encima de donde había prendido el sillón. De pronto, otro cristal cedió al paso de un proyectil. Eyerame cayó descalabrada. "¡Mamá levántese, no asuste! ¡Desgraciados! ¡Chabochis del demonio! ¡Anselmo!"

Cuando logró que Eyerame volviera en sí y que Anselmo la escuchara era demasiado tarde. El fuego del sillón se había extendido a las cortinas, a la alfombra y a los otros muebles. "¡Córrele por la niña! ¡Que se queme todo!"

Anselmo llevó a Isabel hasta el coche, regresó por Eyerame para ayudarla a caminar y apuró a Aída a salir de la casa. Cuando el coche arrancó, el tanque de gas estacionario explotó en la cocina y las lenguas de fuego salieron por las ventanas. Aída no volvió los ojos hacia el incendio, abrazó fuertemente a Isabel y se recargó en el hombro de Eyerame. Cuando regresaron del hospital, sólo los cuervos que le había regalado Doña Aurora se habían salvado del fuego.

No hubo culpables, ni pleitos, ni nada, apenas un reporte de policía indicando la inapropiada instalación del tanque de gas, pero como Anselmo había hecho el trabajito, pues no había delito que perseguir. Aída comprendió entonces que a pesar del tiempo, de los refinamientos y de las supuestas amistades que visitaban La casa de Tom, ella seguía siendo la tarahumara.

A partir de ese momento todo cambió. Volvieron a la vecindad y Aída vendió el restaurante adyacente a la cantina para cubrir los gastos médicos. Anselmo se olvidó de los planes para el sitio de taxis y como en las consultas que hacía a unos doctores de El Paso supo de un especialista que radicaba en Houston, suplicó a Aída que vendiera el terreno de la casa quemada para traerlo. Aída aceptó.

Los inspectores de Salubridad informaron que como era el primer caso de poliomielitis confirmado en Ciudad Desierto, en cuanto el médico la estabilizara, iban a filmar la recuperación de Isabel, si ésta mejoraba. Mientras tanto, tenían que fumigar cada tres día y desinfectar cualquier objeto que estuviera en contacto con la niña. Las enfermeras exigieron, entre muchas otras cosas, que diariamente se quemara la bata que la niña usaba, las sábanas podían durar hasta tres días y las cobijas no más de una semana "¿Ya vieron las piernitas como hilachas? Sí, sí, lo que sea con tal de que no se me muera. ¿Va a quedar mal? Los bracitos, los bracitos también se le cansan".

Para sufragar las deudas, se vendieron los taxis, las tenencias de los mismos y al final, los derechos de estacionamiento. La enfermedad atacó las piernas de Isabel y aunque volvió a caminar, los vestigios del mal siempre fueron evidentes. Tropezaba por la casa en fallidos intentos por sostenerse en pie, acabó con adornos, lámparas y hasta los muebles de segunda mano que Aída había repuesto después del incendio mostraban los efectos de sus caídas.

Cuando lo peor hubo pasado, Anselmo Pérez se convirtió en un ser hermético, adormilado. Aída aseguró que estuvo a punto de volverse loco, que parecía que también a él el silencio se lo tragaba paulatinamente, que sólo aparentaba calma para dedicarse a Isabel, que a ella dejó de mirarla con devoción y ni siquiera cuando le hablaba parecía verla. Había comprado un proyector y todas las tardes, cuando Aída se iba a la cantina, contemplaba en silencio las imágenes de Isabel trastabillando con todos esos aparatos metálicos que se le enredaban en las piernas. Improvisaba la pantalla con una de las sábanas esterilizadas y se sentaba en el sofá de la sala. Sólo permitía la compañía del tesgüino que había aprendido a disfrutar, o de una botella de tequila cuando Aída no preparaba el fermento. Poco a poco, en esas tardes cinematográficas, Anselmo Pérez huía del mundo que lo rodeaba. Recorrió tantas veces las proyecciones que las películas acabaron desgastándose. La misma cinta se adelgazó de tal modo que las imágenes fueron haciéndose fantasmales, casi transparentes. Aún así, Anselmo siguió enredando y desenredando aquellos filmes hasta que un día la pantalla sólo fue un cuadro de luz brillante donde sólo se escuchaban las instrucciones de las enfermeras y las caídas de Isabel. Anselmo no cambió su rutina, continuó colocando la sábana en la pared, aceitando el proyector y acomodando aquella cinta invisible en los carretes.

5

Dolores regresó a Ciudad Desierto ante la imposibilidad de que Aída siguiera cubriendo la colegiatura y los donativos que ella misma se había impuesto. Volvió convertida en los pininos de una señorita de modales católicos y altaneros. Daba la impresión de que todo le molestaba y constantemente repetía que extrañaba a sus amigas del internado. "Aquí nadie reza ni le agradece a Dios nada. Sor Crepuscular decía que esta ciudad es el infierno, que todas las mujeres son unas pecadoras. Yo me quiero regresar".

La niña tenía un aspecto nuevo y había desarrollado una obsesión por la pulcritud de su persona; se bañaba dos veces al día, se lavaba las manos constantemente y se cepillaba los dientes antes y después de cada comida. Exigió, con una firmeza irrevocable, que los demás hicieran lo mismo porque la casa siempre olía a sudor, a suciedad y a malos alientos. Eyerame fue la única que la complació. Dolores acababa de cumplir ocho años y las cosas marcharon mal desde el principio. "No la malcríe, mamá. ¿Qué tal si el día menos pensado aparece Tom y yo qué clase de hija le voy a presentar? Ya estuvo bueno de chiplerías, déjela que trabaje también. Ya ve, Anselmo dice que es mejor llevársela a la cantina, no le vaya a hacer un mal a Chabelita. Déjelo, a veces tiene razón, si no está más loco de lo que se hace".

Aunque Aída condescendió a tenerla en La casa de Tom, la niña no había acabado de deshacer las maletas cuando ya estaba inscrita en la escuela pública del barrio. "Me da asco, las paredes están llenas de mugre, por favor abuelita, lléveme al internado, esta es una escuela de pobres". Lloraba y se tiraba al suelo dando patadas. Eyerame la dejaba desahogarse, le explicaba que por un tiempo no habría dinero para pagar la colegiatura pero que no se desesperara, que el día menos pensado estaba de vuelta en Chihuahua.

A pesar de su aprensión, Dolores era la primera en llegar a clase, siempre oliendo a jabón y algunas veces hasta con un poco de perfume. Se sentaba en el primer pupitre frente al pizarrón y esparcía los libros sobre él para evitar que algún zarrapastroso se acomodara a su lado.

"Recoge tus cosas Dolores y hazle un lugar al Chuy, ya ves que es el único que se atreve a sentarse junto a ti".

"Mi mamá dice que no, maestra; traigo las paperas y puedo contagiarlo".

"¡Qué paperas van a ser! ¡A un lado o te doy con el metro!" Para cuando la maestra anciana regresaba a su escritorio, Dolores había ahuyentado a su compañero de banca y había reclamado su territorio. "Niña, te solapo porque eres inteligente y pasas las revisiones de higiene mejor que nadie, pero un día de estos vas a acabar cansándome... Chuy, búscate otro asiento".

Sin embargo, los esmeros de su hija en el aseo personal preocupaban a Aída. Una vez, la sorprendió en la regadera frotándose con tal fuerza que el estropajo parecía arrancale la carne. Gimoteaba sin dejar de exfoliar su piel enrojecida. Aída le preguntó por qué se hacía daño y Dolores, con los labios amuecados, enseñando los dientes, contestó que Isabel había estornudado sobre ella, que no quería quedarse chueca. Aída le miró los ojos azules por un instante, soltó la cortina y salió del baño.

A pesar de su limpieza, fueron varias las ocasiones en que Dolores regresó a casa golpeada y sucia porque sus compañeras no soportaban sus desplantes de grandeza. Le disparaban bolitas de papel ensalivadas, le echaban engrudo en el asiento o le ponían zancadillas, todo disimuladamente porque habían aprendido a respetar sus puños.

"La princesita del prendedor, tan bonita princesita tan bonita como ¡YO!"

"Así no va la poesía, maestra. Repruébela".

"Qué va, va a ser artista, déjenla".

"Ya párale güerinchi llena de piojos".

Además de ser hermosa, tenía habilidad para los deportes. Era alta, se había desarrollado antes que sus compañeros y dominaba el balón de baloncesto con maestría. "Es una gacelilla esquizofrénica, abofetea la pelota con enjundia. A lo mejor hasta le sacamos beca", prometió el entrenador.

En el tercer año, por recomendación del maestro de educación física, la incluyeron en el equipo infantil de baloncesto de la ciudad. Tenía que levantarse de madrugada para llegar a los entrenamientos y mantener un promedio de excelente. "¡No te excedas Dolores! ¡Cuidado con las faltas!" "¡Saquen a esa güera faulera!" Aída accedió a patrocinarla y al poco tiempo tenía en casa a la campeona estatal. Tom estaría orgulloso, hija. Así me gusta, que te ocupes en algo sano. Encesta mucho, mete muchas canastas.

Cuando no tenía práctica de baloncesto, Dolores llegaba al negocio con la mochila a cuestas y se acomodaba tras la barra a hacer la tarea. Extendía una alfombra de útiles escolares que los demás sorteaban cuidadosamente para no enfrentarla. Sólo abandonaba el escondite cuando llegaba la hora de cortar limones. Aída experimentaba un sentimiento amargo al verla deslizar el filo del cuchillo a través de la pulpa. Imaginaba que en cualquier momento alguno de ellos se negaría a ser tajado y endurecería la cáscara hasta hacerla impenetrable. Entonces el filo resbalaría sobre la corteza verde y le rebanaría los dedos. Pero nunca sucedió. Los limones eran incapaces de defenderse, de evitar quedar convertidos en gajos ácidos y babosos. Aída no exigía que hiciera nada más. A las ocho y media la encaminaba a casa y Eyerame se iba con ellas.

"Ella es la dueña de la cantina, mamá. El día que me muera La casa de Tom pasa a sus manos. Y ya no se secreteen, quién sabe qué historias le estará contado... dígale que Tom me quiso mucho, que me agarraba las manos y me las besaba despacito, que ponía mis dedos dentro de su boca y yo sentía su lengua como si fuera la Gracia de Dios". Cómo le palpitaba el amor a Aída entonces, le producía sudores y le acaloraba todo el cuerpo. El tiempo pasaba y Tom seguía ahí, con sus botas de charol lustrado, su uniforme acabado de almidonar y su gorro de ala ancha. Ningún hombre podía medirse contra él, ni los turistas esporádicos, ni el dirigente del PAN que le hacía ojitos de perro agradecido, ni Anselmo que dormía, roncaba y se tiraba pedos en la misma habitación.

6

Una vez que el especialista de Houston les dijo que ya había hecho todas las terapias que se podían hacer y que no había manera de mejorar las piernas de la niña, Aída volvió al trabajo con más ímpetu que antes. Puesto que carecía de fondos para abastecer la barra y se habían perdido los créditos, empezó a preparar tesgüino. Compraba el maíz germinado a un paisano que se lo traía todas las mañanas, lo dejaba reposar en agua dos días y una vez reblandecido, lo molía con raíz y todo en un metate. "Nada de licuadoras, el tesgüino nada más a su manera y a ver si Onó no nos castiga por prostituirlo".

Una vez pulverizado el grano, Aída lo hervía con unas matas de basiáwari que conseguía en el mercado, después lo dejaba dos o tres días en los barriles de madera que había colocado en la trastienda para que acabara de fermentarse. Por cada barril, Aída ofrecía varias danzas a Onorúame acompañada por los chirridos agudos del violín de Eyerame. "Todavía bailo bien, mamá. ¡Qué movimientos y échese otra pieza en honor al teniente!"

Aunque no había renovado los permisos fiscales, la cantina seguía abierta gracias a las mordidas. Los inspectores de Gobernación sabían de los problemas con Isabel y se conformaban con las propinas que Aída les daba. No obstante, le pedían que se apurara con los pagos pues no podrían hacer la vista gorda por mucho tiempo. Aída les aseguraba que con el tesgüino y con muchos rezos a Onó, pronto cubriría los atrasos. "Ya van a ver, espérense tantito y los invito a la primera tesgüinada en Ciudad Desierto. Mamá, perdóneme por hacerla recordar, se me salieron las palabras sin pensarlas".

El tesgüino tuvo el éxito suficiente para reanimar el negocio, sobre todo con los turistas que seguían siendo la clientela principal. Aída no supo si fue la bebida o la voluntad de Eyerame lo que acarreó el segundo aire de la cantina. Aparte de ayudarla con la preparación del trago, Eyerame se había propuesto recuperar la cocina adyacente. Se levantaba antes que los demás e iniciaba la preparación de los guisos que le habían acarreado fama antes de la polio. Mamá, qué silenciosa con sus cosas. Anoche molió mucho nixtamal en el metate, yo pensé que para el tesgüino. Nadie se dio cuenta. Los olores de lo que preparaba nos levantaron uno a uno.

Eyerame no había dormido. En la mesa de la cocina había una cantidad enorme de tamales humeantes; eran de chilacayote. Había también de puerco en pipián, de chile colorado; gorditas de quelite guisado con manteca, de quelite con chorizo; quesadillas de asadero, de tripas y de flor de calabaza; hasta dulces de bisnaga y pipitorias había.

Eyerame acomodó todo en la canasta afelpada con paliacates, la colocó sobre su cabeza y dijo que hasta más tarde. Desde ese día, recorrió los negocios de la Avenida Juárez y la 16 de Septiembre vendiendo su comida en la canasta. Vendió hasta que ahorró lo suficiente para recuperar el restaurancito. No dijo nada, sólo dejó de cocinar en casa una mañana. Cuando Aída llegó a la cantina, el arrendador de los puros ya le había dejado el contrato. Ninguna de las dos habló sobre lo ocurrido. Aída firmó los papeles, los dobló y los puso en un sobre. La puerta interior que comunicaba los dos negocios se volvió abrir. Los olores de la comida entraron presurosos y Aída tuvo la impresión de que los malos tiempos no habían ocurrido, que Dolores todavía estudiaba en Chihuahua e Isabel dormía su siesta en la casa de Juventina, la niñera. No había empezado a sonreír cuando el recuerdo de Anselmo la regresó a la cantina. Se sentía responsable por la infelicidad del hombre porque por más que compartieran la pena que los envolvía, ella no encontraba dentro de sí ni una chispa de amor para correspoderle. "No me volverás a tocar, Anselmo, ya no puedo", le dijo una noche después de hacer el amor.

Sin embargo, nadie podría haber asegurado que Anselmo siguiera en el intento por conquistarla. El hombre vivía en un mundo aparte, se levantaba temprano, salía de casa y no volvía hasta entrada la noche. De vez en cuando tenía deslumbramientos esporádicos. Llevaba a Isabel a los partidos de su hermana, pintaba las paredes de la cantina, pedía dinero a amigos improvisados, jugaba al dominó, barría los dos patios de la vecindad y a veces, hasta platicaba con los vecinos. En uno de esos episodios de lucidez logró que, a pesar de la cojera, Isabel fuera aceptada en la escuela. Aída había tratado de matricularla en el parvulario, pero desistió cuando los directores adujeron que las instalaciones del plantel no eran adecuadas para ajustarse a las necesidades de una minusválida.

"No señora, no hay cupo, no insista; además, ¿no cree usted

que si hubiera se lo daríamos a alguien con más futuro?"

"Métase su cupo donde le quepa... no es una leprosa". "Groserías aquí no, señora, que no está en su cantina". Como Aída todavía estaba pagando las deudas de los hospitales y no tenía dinero para maestros particulares, pospuso el asunto. No supo qué hizo Anselmo, pero una tarde, antes de salir para La casa de Tom, la detuvo en el zaguán y le dijo que Isabel había sido admitida. "Llévala el lunes, ya la midió Juventina, van a ser quince pesos por los uniformes. Tráete unas cervezas cuando vuelvas".

7

A pesar de la protección de Anselmo, Isabel creció ensombrecida por Dolores. La niña desarrolló una admiración febril por la hermana mayor y siempre encontraba la forma de estar cerca de ella. "¿Quieres jugar a las damas chinas? ¿Hacemos un círculo en el cemento y nos echamos unas canicas? ¡Muñecas!... eso es lo que tú quieres jugar. ¿Muñecas, Dolores?"

Dolores permanecía muda ante las sugerencias de su hermana, le brindaba media mirada y la despedía con la mano. "Tómate tus medicinas, te las dejé sobre la mesa. Al rato llegan los acomedidos de la vecindad a jugar contigo".

Una tarde, Isabel oyó que las de sexto planeaban arrojar a Dolores al canal que pasaba detrás de la escuela. "Es una alzada. Tenemos que darle una lección, la muy frufrú".

Isabel quiso que sus piernas tuvieran fuerzas suficientes para llevarla hasta el otro lado del patio; corrió haciendo espirales, levántandose tras las caídas y sin sacudirse. "¡Cabronas! ¡Quieren pegarte hermanita, quieren echarte a la acequia!"

Pero Dolores no la escuchó, hablaba con el Chuy, botaba la pelota de caucho anaranjado, se la pasaba tras la espalda y la dominaba en el índice. Cuando Isabel llegó hasta su hermana era una mezcla de lodo, raspones y falta de oxígeno. Dolores soltó el balón, pensó en la reprimenda que le darían por no cuidarla y alzó la mano para abofetearla. Isabel retrocedió perdiendo el equilibrio. "Te van a aventar al canal, gritó antes de caer sobre el cemento".

Dolores miró hacia el otro lado del patio, levantó a Isabel de un tirón y corrió hasta donde jugaban sus enemigas. Era la hora de salida y ningún maestro se encontraba presente. Con saña, cogió las trenzas de la más alta y tiró de ellas hasta que la chiquilla quedó de rodillas frente a ella. Inmovilizadas por la sorpresa, las otras no atinaron a ayudarla. Dolores sacó la pluma fuente que conservaba desde el internado y vació la tinta sobre la blusa blanca de su prisionera. "¡La próxima vez te la meto en los ojos, india maldita!" gritó mientras blandía el instrumento ante las demás.

"¡Pinche güera cuerera! ¡Güerinchi mata la chinchi! ¡Pelos

de elote! Vas a ver con la directora y con los maestros y con mi mamá... y la tuya es una puta cantinera".

Dolores regresó a donde Isabel, le sacudió el polvo y dio media vuelta. Las de sexto cuchicheaban en el otro extremo, la ofendida se limpiaba las lágrimas en la blusa de otra y se arreglaba el peinado. Dolores inclinó la espalda, repegó su cuerpo al de su hermana y le indicó que subiera. "Sí, por veinte pasos", dijo Isabel.

"¿Pasos... no serán manzanas?"

Para Dolores, Isabel no era la niña desvalida que todos pensaban. Ella era la única que advertía la fuerza incubada en cada gesto, en cada palabra, en cada caída. Era como esas sanguijuelas de las que hablaba la maestra o como los vampiros con los que soñaba desde que le habían contado la historia de Drácula, chupaba la sangre de Aída, de Anselmo y hasta de ella misma. Por eso no le extrañó que a pesar de la diferencia de edad, Isabel fuera la primera en tener novio.

Había sido un niño del barrio que estaba enamoradísimo de ella y que todas las tardes la iba a buscar para pasearla en una carruchita roja, de esas que utilizaban para el acarreo de materiales en la construcción. Isabel se acomodaba coqueta y se iba a dar la vuelta con él. "Mi chuequita", la bautizó y la llevaba a recorrer el vecindario. La nueva amistad fue el pretexto que Dolores necesitaba para acabar de distanciarse de su hermana menor.

Dolores ya no se ocupa de ti, nunca se ocupó, mija. Tu destino es quedarte allí, sentadita en la ventana viendo a la gente que camina, corre y brinca en la calle. Pobrecita, dicen que yo tuve la culpa por llevarte a Chihuahua con tanto calor. Perdóname mija, perdóname y acábate tu arroz con leche para que siempre estés dulcita adentro.

Aunque sólo estudió hasta el cuarto año, Isabel desarrolló un gusto especial por la lectura. Como ya no tenía lo suficiente para ataviarla con enseres de La Popular, Anselmo gastaba sus ingresos en revistas. A la niña le gustaban las historias de amor y todos los martes pedía la *Novela Semanal*. De vez en cuando, también el escuincle de la carrucha le traía *Las Aventuras del Santo*.

Como Isabel no salía a jugar, unos catequistas compadecidos que vivían en el barrio y pasaban todos los días por la ventana de Isabel decidieron organizar partidas de lotería todas las noches. "Déjela venir señora, se la cuidamos bien. Aquí nomás al segundo patio. Está muy bonita su niña para que se pase la vida así".

Los catequistas reunían una multitud de niños junto a los

lavaderos, repartían frijoles y barajaban las cartas. Isabel tenía que cantar los nombres de los naipes y todos se enternecían porque a pesar del desperfecto, Isabel tenía una cara y una voz preciosas. "Canta niña, trajimos las guitarras, apréndete este himno: No podemos caminar, con hambre bajo el sol.... Bendito, bendito, bendito es el Señor..."

"Pero a mí no me gustan los himnos", protestaba.

"Canta Chabelita, no te hagas de rogar", le gritaba Juventina desde los tendederos.

Un día Anselmo llegó con una colección de discos que, según él, tenía todas las rumbas, boleros, rancheras y congas del mundo. Desde entonces, aunque le insistían, Isabel se negó a ir a las loterías de los catequistas. Se pasaba las horas escuchando las voces en el tocadiscos que había sobrevivido a las casas de empeño. Lo colocaba en la ventana, abría las cortinas y cantaba a todo pulmón acompañando las voces de Pedro Infante, Pedro Vargas y Libertad Lamarque. Los vecinos apagaban sus radios, se asomaban al oírla y volvían a sus labores con más energía que antes. Las señoras se soltaban los rulos, bailaban con la escoba y acariciaban las plantas, los muebles y los uniformes grasosos de sus maridos. Los niños tarareaban la música y al ritmo de Isabel inventaban nuevos trucos para los baleros, los trompos y los yoyos.

8

Aída andaba por los treinta cuando murió Doña Aurora. Para entonces, el comedor de Eyerame iba viento en popa y la cantina había recuperado la clientela. Eyerame misma había facilitado el dinero para comprar una mesa de billar que durante el día atraía a los jóvenes que se iban de pinta. Aída se rió al comentar que sólo iban a desgastar las bolas pues por más que le insistían, nunca les quiso vender licor y no tenían suficiente dinero para comprar a las muchachas que se reunían en la barra.

La mañana del miércoles que la avisaron del deceso, Aída se había levantado con dolor de cabeza. Dijo que la muerte había andado revoloteando por varios días, pero que ella pensaba que andaba en busca de Eyerame. A la madrina jamás la imaginó muerta. La noticia la había dejado lívida, sin ganas de trabajar y con un cansancio que le venía del alma. De pronto se había dado cuenta de la inercia que manipulaba su presente, se sintió vieja y acalambrada.

Al mediodía, la jaqueca desapareció. El mensajero le había advertido que el velorio había comenzado hacía tres días y que si quería llegar a despedirse del cuerpo tendría que apresurar la marcha. Cuando la vio consternada por la incertidumbre, Eyerame le dijo que se fuera, que sabía cómo había querido a Doña Aurora y que no se preocupara por la cantina ni por la casa. Aída se secó las manos en el delantal y le aseguró que volvería lo más rápido posible.

Al llegar a casa la arremetió un sentimiento de agobio que terminó por trastornarle el estómago. Por más que se apresuró para llegar al baño, el vómito la alcanzó en plena sala. El líquido bilioso despedía un olor tan fuerte que tuvo que fregar varias veces el linóleo para erradicarlo. Anselmo la encontró a gatas, desinfectando el piso con Pine Sol. El hombre levantó los párpados y meneó la cabeza con un gesto de resignación, estaba acostumbrado a los arranques de pulcritud de las mujeres con las que vivía. Hacía mucho tiempo que se había embotado en sus propias nebulosas y ya no hacía nada por disimularlo.

Por los preparativos para la ceremonia de graduación que se

llevaría a cabo el domingo, Dolores no había vuelto de la escuela. Esa última semana, había tenido que quedarse a los ensayos todas las tardes. Había obtenido las mejores calificaciones en las pruebas de aplicación y el presidente municipal le haría entrega del certificado. Dolores lo mantuvo en secreto porque quería sorprender a su familia en la ceremonia. Cuando llegó, aún faltaban algunas horas para abordar el autobús.

Aída decidió que lo mejor sería apresurarse, no tenía ánimos para enfrentarse a las aglomeraciones. Había decidido no conducir porque ya no confiaba en el Ford que seguía aparcado en la calle, aparte, viajar en él le traía malos recuerdos. Empacó lo necesario para una semana y se encaminó hacia el sitio de taxis que quedaba a la vuelta de la esquina. Anselmo se había puesto su mejor traje y la seguía con Isabel en brazos. Dolores caminaba detrás de ellos, lloraba en silencio. Llevaba el ajuar de graduación en una bolsa que se había amarrado en la espalda, se había empeñado en vestirse los zapatos de charol y el sombrero que hacía juego. Cuando el taxi pasó por la primaria, Dolores conservó la cabeza erguida y los ojos fijos en el respaldo del asiento del automóvil.

El sol desapareció a espaldas del autobús. Esos camiones eran mucho más rápidos que los que recordaba Aída, pues ni siquiera tuvo tiempo de quedarse dormida cuando les anunciaron la llegada. Se soltó el molote que llevaba y se lo volvió a peinar mientras Anselmo bajaba con las niñas. Cuando respiró el aire del caserío, comprobó que las noches seguían tan calientes como en los viejos tiempos. Cerró los ojos y los mantuvo así por varios minutos hasta que decidió lo que iba a hacer. Compró cuatro Pepsi-Colas en el estanquillo que servía de parada para los camiones y les dijo a sus familiares que la siguieran. La casona no quedaba muy lejos de donde habían bajado.

Mientras caminaba, se percató de que los recuerdos regresaban para acalambrarla. Volvió a sentir que la arena se le metía en cada abertura del cuerpo. Pensó en el nombre de Ciudad Desierto y le pareció irónico. El verdadero desierto estaba allí, en ese caserío que ahora era atravesado a cuatro costados por los arranques de la modernidad. La única tienda de abarrotes del pueblo continuaba en el mismo lugar, pero a su lado habían construído un cine. La pila se había secado; los edificios seguían duros y de pie, conservaban los mismos colores chillones que recordaba. Cuando cruzaron el portón de la casona, recordó los cuervos metálicos que la madrina le había regalado y que volvían a empolvarse en el armario.

Aída indicó a Anselmo que se uniera a los rezos en el solar y que arrodillara a las niñas junto a él, que ella volvería enseguida. Siguió de largo hasta el cuartucho donde había crecido, ese cuarto que, según ella, era el único lugar donde había logrado ser un poco feliz. Por primera vez en mucho tiempo recordó a sus medias hermanas. Se las tragó la tierra, pensó.

No encontró la habitación como esperaba. Los cortinajes de manta que hacían de separadores cuando ella vivía allí habían desaparecido; ahora, una cantidad enorme de tiliches invadía el espacio. En el fondo, entre los muebles arrinconados, distinguió la hornilla que les había servido de estufa. Todavía mostraba el tizne endurecido que nunca había podido arrancar. Se dio cuenta de que allí Tom no era un recuerdo, que los olores de la última vez habían quedado fijos, que las risas compartidas emergían de las paredes y que las entregas todavía le agitaban el espíritu. Por segunda vez en esa noche se deshizo el molote y dejó que el cabello negro le cayera sobre los hombros. Sintió las manos de Tom desnudándola despacio, entre caricias adultas y apretones rasposos. Se apretó los pechos acostumbrados a sus mordidas, las caderas resbalosas y ensalivadas, el sexo doliente de tanto usarlo, hasta que se dio cuenta de que estaba sola, que el murmullo que le zumbaba en los oídos no era la exhalación de Tom, sino la letanía mortuoria de los reunidos en el patio. Entonces se maldijo por perder el control, por sucumbir a las pasiones que creía haber dejado en la Plaza de los lagartos. Se amarró el cabello y regresó a donde estaban los demás.

La madrina había dejado todo a Aída, sólo La casa del Señor quedaba como propiedad mancomunada de las últimas prostitutas que la habían trabajado. Nadie se había atrevido a impugnar el testamento pues en los días que antecedieron a su muerte, Doña Aurora se encargó de hacer pública su voluntad. Ahora, a los ojos de la ahijada, la muerta parecía sonreír a través del cristal del ataúd. “Madrinita, le exageraron el maquillaje. Mire cómo me la embadurnaron, hasta parece pastel de bodas”, dijo en una voz apenas audible. Le habían puesto pestañas postizas y tenía las mejillas hinchadas y rozagantes. Tal vez porque se trataba de la cantinera habían querido darle un toque de elegancia y al hacerlo, la madrina terminó como el adefesio triste de lo que fue en vida.

La humareda de los cirios y el incienso hacían irrespirable el aire dentro de la sala. Aída reconoció al mismo cura que oficiaba las misas en los tiempos en que no había iglesia, el hombre se veía realmente acongojado. Sólo Dolores, que se encontraba irritada por los ajetreos, se atrevió a contradecir la decisión matriarcal de iniciar el rosario. Argumentó que estaba cansada y que necesitaba dormir, que desde la recámara oraría por la viejecita. Aída accedió para evitar el escándalo y le ordenó que se llevara a Isabel con ella.

Cuando la gente acabó de irse, Aída le dijo a Anselmo que la ayudara a abrir el ataúd. Eyerame le había explicado los pasos a seguir para que la madrina alcanzara el más alto de los cielos. Envolvieron el cuerpo en una de las cobijas tejidas por Concepción y Primor que Doña Aurora había guardado con cariño. Entre los dobleces colocaron algunas de las pertenencias más significativas para la madrina, un poco de joyería, algunas cartas amarillentas que Aída encontró en un cajón del ropero y casi estuvieron a punto de acomodar la concha nácar que Anselmo había recogido del tocador, pero Aída prefirió guardársela para sí. Cuando terminaron de reembalsamar el cuerpo, Aída inició la charla con el cadáver. Le contó los acontecimientos de los últimos años como si Doña Aurora la escuchara, le pidió disculpas por no haberle escrito y le recomendó que se fuera con Dios, que no se dejara engatusar por reré-betéame. Al poco rato, Anselmo se cansó de la conversación, la dejó sola y se fue a acostar.

9

La mañana del domingo la comitiva llegó temprano. Aída había convencido al cura de que la dejara dirigir el funeral hasta la nueva iglesia. Anselmo y otros tres hombres cargaron el ataúd, hicieron un circuito en el patio santiguándose en los cuatro puntos cardinales e iniciaron el recorrido. La gente del pueblo comenzó a reunirse y formó una procesión que alcanzó varias cuadras de largo. Entre los dolientes se encontraban hombres, mujeres y niños que en alguna ocasión habían tenido que ver con las bondades de la mujerona. El evento adquirió un toque místico cuando un coro de prostitutas enlutadas entonó el Ave María. Las mujeres más viejas iniciaron los llantos y el funeral alcanzó un fervor religioso pocas veces visto en el pueblo. Hasta el mismo desierto decidió acudir al entierro pues, misteriosamente, un remolino arenoso siguió la procesión. Al llegar al atrio, la comitiva dio tres vueltas alrededor del Cristo que adornaba la entrada y todos volvieron a persignarse. El cajón fue acomodado en el centro y el cura inició la ceremonia al aire libre. Habló del perdón de Dios, de las ovejas arrepentidas, de la misericordia... pero en especial exageró los beneficios de las indulgencias, dijo que Doña Aurora necesitaba mucha ayuda para alcanzar la gloria y que era deber de todos corresponder a sus favores.

Después de la misa, la madrina fue llevada al desierto. El sepulcro había sido abierto detrás de la casona, en las arenas blancas que todos respetaban. Frente a la fosa, los hombres repitieron la ceremonia de los giros y las santiguadas, bajaron el ataúd despacio y se retiraron para dar paso a las ofrendas. Los que habían oído las instrucciones de Aída arrojaron comida y ropa, los otros depositaron un puñado de arena. Dolores se acercó lentamente y siguiendo las indicaciones de su madre, vació un cucurucho de pinole de maíz. Llevaba el vestido blanco que le habían confeccionado para la graduación, los guantes, los zapatos de charol, el sombrero y hasta una bolsa con incrustación de pedrería. El pinole se esparció fabricando una estela de polvo ocre que poco a poco se perdió en el aire. Cuando no hubo nadie más que se acercara a echar los puñados de arena, los hombres de la comitiva terminaron el trabajo con las palas.

Ese mismo domingo después del sepelio iniciaron las nutékimas. Aída invitó a todos los que habían asistido al entierro. Había mandado matar varios marranos del corral de la casona y los cabritos que había conseguido humeaban en el patio. También el tesgüino era abundante, que no se dijera que las nutékimas de Doña Aurora habían sido menores.

La cama donde murió la madrina fue colocada en el centro del patio y alrededor se acomodaron la comida y las vasijas que contenían el trago. La ofrenda tenía que ser plena para satisfacer al iwigá. La música de mariachi animó la fiesta hasta que llegaron los matachines. Aída se unió al baile vestida a la usanza tarahumara, era el mismo atuendo que Eyerame había vestido al dejar el caserío. Bebió y fumó sin dejar de bailar hasta que consiguió el trance. Entonces, ordenó a todos que cargaran con su mejor prenda y la siguieran al desierto, que tenían que ayudar a la madrina a subir al cielo. La mayoría, para entonces ebria, obedeció y se adhirió a la comparsa de matachines. Cuando llegaron a la tumba, Aída arrojó sobre la arena el penacho que llevaba y gritó al espíritu de Doña Aurora que se fuera para arriba, que descansara en paz. Los demás hicieron lo mismo con los objetos que traían y se volvieron a la casona a continuar la nutékima. Todo era frenesí. Zapatos, sombreros, relojes, pulseras, aretes y alguna que otra muela de oro quedaron regados en ese pedazo de desierto que guarnecía los restos de la madrina. Hasta Isabel dejó el bastón tallado que Anselmo había mandado que le hicieran. Lo único que Aída recordó en las horas que siguieron fueron los enormes ojos de su hija menor, pues a pesar de ser de madrugada, la niña no se durmió ni la perdió de vista en toda la noche. Chabelita no me mires así, que me das miedo.

Al otro día, después de la borrachera y tras notar que les faltaban varias cosas, los convidados se quejaron de haber sido víctimas de un robo. El grupo que se había quedado a dormir en el patio se fue juntando lentamente con los que regresaban en el umbral de la puerta principal de la casona. Esta vez no se oyeron más rezos que los clamores por una garantía de lo perdido. Aída explicó que no tenían por qué alterarse, que la desaparición de las ofrendas era la señal de que Doña Aurora iba por buen camino, pero que si en realidad necesitaban algo, ella se encargaría de reponerlo. Los quejumbrosos respondieron que no iban a dejarse engañar por segunda vez y que mejor se hiciera a un lado porque de la casona sólo quedarían los cascarones. Aída hizo que Anselmo tomara a Isabel en brazos y retiró a Dolores, que acababa de aparecer en la puerta, del paso de la manada. Alguien le gritó que aunque se vistiera de encaje seguía siendo una india ladina, ratera y puta. Aída aseguró que ni el comentario ni los empujones le dolieron tanto como la mirada de repudio que Dolores le insertó en los ojos.

En pocos minutos la casona quedó tan vacía como el desierto donde estaba enclavada. Las lloronas de la procesión arrastraban en los manteles los candelabros y la vajilla de plata. Los hombres que habían ayudado a Anselmo en la comitiva funeraria cargaron con las sillas del comedor y más tarde regresaron por la mesa. Hasta el sacerdote se adueñó de los santos que Doña Aurora había comprado en sus viajes por el sur del país.

Las mujeres de La casa del Señor que acudieron al saqueo no se atrevieron a pasar por donde estaba Aída, probablemente pensaron que las recriminaría. Pero no fue así, Aída comprendía que esas cosas que llevaban envueltas en las cortinas de la sala hacían más falta en los cuartos del burdel. Los últimos que salieron con botín ni siquiera habían asistido al entierro, mucho menos a la nutékima. Cabrones aprovechados.

Cuando todos se hubieron ido, Aída contempló la desolación de la casona como si hubiera existido de siempre, abandonó el rincón donde se había refugiado de la estampida y dijo a su familia que se pusiera de pie, que había que clausurar las ventanas y las puertas antes de regresar a Ciudad Desierto. Era lunes y había que hacer inventario en la cantina.

10

Después del sepelio de Doña Aurora, Aída se resignó a la quietud de la rutina, al menos en lo que a su vida personal se refería, pues Ciudad Desierto parecía no tener intenciones de dejar de crecer. Recorrer la Avenida Juárez era perderse en un mundo que enfiestaba los sentidos. Grandes salones de baile popularizaban los últimos ritmos norteamericanos y los desérticos acudían a ellos con la esperanza de toparse con algún astro de Hollywood. Se sabía que los famosos de las películas viajaban hasta allí en busca de los divorcios al vapor. Los tranvías seguían yendo y viniendo por los puentes internacionales y hasta una compañía de excursiones turísticas, radicada en la ciudad vecina, se encargaba de promocionar a compás de rocanrol la vida nocturna de Ciudad Desierto. La cantina de Aída celebraba el progreso con una rocola de altavoces múltiples que entretenía a la gente cuando los mariachis no estaban presentes.

Aída ahorraba dinero con el único propósito de pasar una vejez tranquila, aunque en ese entonces, lo único que le había envejecido era el corazón. Cada viernes abordaba el tranvía a las dos de la tarde para llegar al banco antes de que cerraran. Se arreglaba como si fuera a una cita amorosa y no hablaba con nadie en el trayecto. El tranvía paraba frente al edificio bancario; ella descendía, caminaba hasta el vestíbulo, llenaba los impresos de los depósitos y cuando terminaba las transacciones, embolsaba el recibo. Entonces abandonaba el lugar y se dirigía hasta la Plaza de los lagartos, la verdadera razón de sus visitas a El Paso.

Aída creía firmemente que los lagartos ya la conocían pues muchas veces escuchó sus voces preguntándole por Tom. Eran unas voces rasposas que rechinaban en sus oídos con la misma aspereza de la piel reptil. A veces las oía tan claro que le producían un leve escozor en las orejas. Aída reiteraba a los lagartos que Tom seguía muerto, que Dolores se parecía cada día más a él y que mejor hablaran de otra cosa. Los lagartos le manifestaban las contrariedades de vivir acuartelados en esa pecera estúpida, que la gente no había aprendido a respetarlos y que algunos de ellos ya llevaban varias cirugías en el estómago para retirar los objetos que les lanzaban como alimento. Aída les aconsejaba rebelarse, les decía que ella los comprendía muy bien, que al fin de cuentas eran unos desarraigados igual que ella. Los lagartos abrían sus enormes fauces para bostezar y la dejaban hablando sola. Sumergían el cuerpo en la fuente y coleaban hasta el otro lado. Entonces Aída se acomodaba bajo la frondosidad de los sauces y los olmos que sombreaban la plaza. Se quedaba allí hasta que caía el fresco y la luz de los faroles o un uniformado le indicaba que era hora de regresar.

11

Aunque el cabello rubio se le había oscurecido, Dolores se había convertido en el vivo retrato de Tom. Sin exhuberancias, había madurado sin que los demás se dieran cuenta. Era delgada, de facciones anglosajonas y no disimulaba su mal carácter. Los que la conocieron en esa época decían que en sus ojos existía un aire de letargo, de sofocación constante, que nadie en su familia tuvo en cuenta, tal vez porque cada uno se encontraba perdido en sus propios enigmas.

Eyerame había tenido la infeliz idea de hablarle a Dolores de su nacimiento y de los planes de Aída para dejarle el negocio. Desde ese momento Dolores pensó que llevaba la cantina en la sangre, que estaba condenada a ser otra cantinera. Por boca de Eyerame conoció también la historia de la lapidación y supo de Tom. Es que en las noches de luna llena, Eyerame no guardaba secretos. Dolores no estaba segura de cuántas veces la había encontrado tirada sobre el linóleo de la sala, con un tarro de tesgüino a su lado y el pasado a flor de labios. "Tráeme el violín, hija. Yo toco y y tú bailas, no seas malcriada. Obedece, tenientita".

"No me digas así, no me gusta. Me llamo Dolores, Do... lo... res".

Cuando eran chicas, Isabel y Dolores se tumbaban al lado de su abuela y la escuchaban relatar los sucesos con lujo de detalles; pero con el paso del tiempo y cuando las historias comenzaron a repetirse, el interés de Dolores se melló convirtiéndose en un repudio creciente y desaprensivo. Sobre todo cuando Eyerame se propasaba con la bebida y remataba sus historias con un vómito alcoholizado que se le deslizaba por la barbilla hasta la blusa. Entonces Isabel se apoyaba en los muebles de la casa para ir hasta el baño por unas toallas y Dolores se quedaba inmóvil, analizando las protuberancias huesudas que le empezaban a salir a su abuela por todos lados.

Un día, Isabel advirtió que el alcoholismo era un mal heredado, que en uno de esos libros que Anselmo le había comprado había leído que ellas terminarían igual. Desde entonces, no fue raro encontrar a Dolores cortándose la piel para desangrarse. Se veía débil y caminaba a todos lados con un vaso de jugo de naranja en la mano. "Para reponer las energías", decía. Las llamadas de atención, los regaños y los ruegos entraban por un oído y salían por el otro. "No juegues de esa manera, un día acabarás cortándote una vena, ¿quién te ha enseñado semejante brutalidad?"

"Nadie mamá, así se curaban los males antes, tú deberías saberlo, eres tan vieja".

Lo único que Aída atinó a hacer para remediar el asunto fue esconder los objetos punzocortantes que tenía en casa. Imaginaba que la verdadera razón de las torturas de Dolores no era el alcoholismo de Eyerame sino su sangre indígena. Mandó que Anselmo instalara cerrojos en las gavetas de la cocina donde guardaba los tenedores y los cuchillos, y obligó al hombre a esconder sus herramientas. Dolores se limitó a quebrar vasos cuando se quedaba sola.

"No quiero saber nada más de la cantina", dijo Dolores al fin del tercer año de secundaria mientras preparaba los limones. "Me da vergüenza que me vean salir de aquí, la gente va a pensar que soy una..." No terminó la frase pero todos supieron lo que había insinuado. La vieron lavarse las manos, desatarse el delantal y salir corriendo.

Aída caminó hasta donde habían quedado las rebanadas de limón, las deslizó sobre la barra hasta la cubeta donde las mantenía frescas y limpió los jugos con un trapo. No la llamó ni le dijo que ella era su madre y que se guardara sus opiniones. No porque no hubiera querido hacerlo, sino porque la huída la había tomado por sorpresa. "Escuincla malhumorada, neurasténica", regañó Aída.

Esa noche, Eyerame encontró a Dolores encerrada en el baño. Isabel ya se había dormido. No hizo ruido ni encendió la luz. Merodeó lentamente por el pasillo, caminó de cuarto en cuarto y finalmente regresó frente a la puerta del baño. Los sollozos de Dolores la obligaron a pedirle que desatrancara el pasador. No hubo respuesta. Eyerame pegó sus labios a la madera y habló suavemente a través de ella, como si su voz tuviera la facultad de materializarse en el otro lado para acariciar a su nieta. Deslizó sus manos escamosas por la pintura cacariza de la puerta, musitó unas palabras en tarahumara, las mismas que había utilizado en su primera visita al internado de Chihuahua, dio unas palmaditas cariñosas a la cerradura y se aferró a ella para hacerla girar.

No sucedió nada, la perilla permaneció inmóvil. Imaginó a Dolores muerta, con las muñecas tajadas, la lengua de fuera y los ojos en blanco. Llamó otra vez, esta vez con golpes fuertes y voz autoritaria. "¡Abre Dolores, abre! ¡No me asustes, abre la puerta!" Se le había secado la garganta y la yugular le palpitaba.

Dolores abrió, le gritó que la dejara en paz, que estaba harta de sus ridiculeces y que se fuera con sus brujerías a las montañas. Acababa de rasurarse las piernas y todavía empuñaba la navaja de afeitar que Anselmo había olvidado sobre el excusado. Por sus muslos resbalaban varios hilillos de sangre.

Eyerame sufrió un temblorcillo leve y se hizo a un lado para dejarla pasar. Limpió el piso con una toalla húmeda. La sangre diluída en el agua jabonosa tenía un color anaranjado. El color de la sangre chabochi, pensó Eyerame. Exprimía la toalla cuando sintió un dolor en la espina dorsal, se puso de pie cuidadosamente, se sobó la espalda y salió del cuarto.

A la mañana siguiente, comenzó a envejecer desordenadamente. Las piernas se le enflaquecieron y los ojos se le hundieron bajo los párpados. "La espalda fue lo primero que se le murió", dijo Aída. Se fue desgastando hasta convertirse en una presencia silenciosa que habitaba la casa. Trabajaba sin quejarse y aunque no le faltaban bríos, su esqueleto comenzó a ser visible y a crujir tenuemente con los movimientos bruscos.

12

A partir del incidente en la cantina las cosas empeoraron entre Aída y Dolores. Aída pensaba que habría sido mejor azotarle unas cuantas bofetadas y haberla hecho reconocer su ofensa, pero nunca se atrevió a golpearla y a esas alturas no iba a empezar. No obstante, sus palabras se le metieron muy adentro y ahí se le quedaron latentes. Cada vez que oía la voz de Dolores se le figuraba que iba a acabar de gritarle que se avergonzaba de ser hija de una india prostituta.

Ya no quiero quererte tenienta, me saqué el amor, lo envolví en tus palabras y lo guardé en el mismo cofre donde tengo la fotografía de Tom. Él te hubiera enseñado a respetarme.

No hubo recriminaciones, el silencio se sembró, germinó y creció entre las dos. Aída encontró satisfacción recortándole el dinero que le asignaba semanalmente. Pretextó que el negocio no iba muy bien y que todos tenían que sacrificarse. “Con eso de las televisiones todos prefieren quedarse en casa y como tú no quieres aparecerte por allá, he tenido que ocupar a una muchacha que se encargue de tus trabajos”. Dolores se encogió de hombros, contó el dinero que traía en la bolsa y se fue con las hijas de la vecina al cine.

Pero ni la suspensión de la paga de los domingos la obligó a volver a la cantina. Pasó el verano en compañía de los pocos amigos que tenía, escuchando la voz de Elvis Presley en la radio y haciendo girar la cintura con el último artefacto que alcanzó a comprar con sus ahorros, un enorme aro de plástico llamado Hula Hoop. Aprendió a bambolear el juguete a una velocidad extraordinaria porque le habían asegurado que su cintura quedaría tan pequeña que a pesar de ser delgada, aparentaría una silueta carnosa y curva. Aunque todos le aconsejaron lo contrario, había decidido no regresar a la escuela. “Me inscribiré en un instituto de inglés, no creo que la vieja me lo niegue”.

“Allá tú, eres muy terca y contigo es mejor no insistir”, le dijo una amiga.

Cuando terminó el verano y los muchachos que la frecuentaban regresaron a clases, Dolores se dio cuenta del malestar que le producía quedarse en casa. Aída dormía hasta muy tarde y cuando Anselmo no aparecía por la casa, Isabel la perseguía a todos lados, cojeando y tratando de recitarle en voz alta sus últimas lecturas. "Cultivo una rosa blanca, en julio como en enero..."

"Ya me declamaste ésa, pareces un perico. Vete a tomar el sol con los niños de Juventina, échales un ojo".

Dolores no tenía ninguna responsabilidad asignada abiertamente, pero como le incomodaba vivir en desorden, aseaba la vivienda antes de que Aída se levantara, colocaba flores frescas en los jarrones y regaba las macetas que afloraban por la casa. Tenía debilidad por las plantas: julietas, romeos, helechos y geranios crecían en las tres recámaras, en el corredor, en la salita y en la pequeña cocina. Poco a poco inundó el espacio con un follaje siempre verde. La única condición que Aída puso fue que su habitación fuera consagrada a las gardenias, para que nunca se olvidara el perfume de Doña Aurora, ni la ayuda que la mujer les había brindado. Dolores humedecía las plantas con la regadera y cuando llegaba a los macetones del corredor, escarbaba la tierra para recoger el dinero que a escondidas Eyerame le dejaba allí. Acababa con las uñas negras y las manos oscurecidas por la tierra mojada.

Parece que traigo guantes, que blanca soy. Un cadáver, a veces me veo en el espejo y no veo otra cosa que la cara de la muerte. La muerte debe parecerse a mí en lo descolorida.

Tenía dieciséis años cuando empezó a trabajar de mesera en El oriental, un café de chinos. Se había cansado de sentirse inútil, de participar en concursos de belleza donde le proponían triunfos fáciles y de la academia de inglés. No pidió permiso. Pensaba que abandonando sus quehaceres se desvincularía completamente de su madre y alcanzaría libertad. Los muchachos del barrio le habían informado que la cantina seguía llenándose y que era mentira lo que Aída venía diciéndole desde hacía buen tiempo. Siempre había clientela. Dolores prometió, juró y perjuró no volverse a parar en el negocio y, aparte de Isabel, no dirigió la palabra a los de su familia.

"Bola de mentirosos, ¿qué cree mamá, que me chupo el dedo? Y la abuela, tanta ayuda, tanta limosna, eres mi tenientita, mi nieta favorita. Han de tener el dinero escondido entre las sábanas o en las verijas".

"No hables así, Dolores, qué falta de respeto".

"Ya me cansaron, yo no las necesito".

El oriental era uno de los cafés más populares de Ciudad Desierto. Se horneaban buenos pasteles, tartas de fruta y en invierno se freían churros. Tenía una barra con asientos rotantes de tapicería azul, piso de mosaico blanco y reservados a lo largo de una pared. Los viernes eran los días más ocupados, se servía la mejor comida china y los precios eran módicos. También se vendía todo tipo de leches malteadas, batidos y helados, el Banana Split era la especialidad y Dolores lo promocionaba con insistencia porque los postres llevaban comisión extra.

"No trabaje tanto, Lolita, usted con su sonrisa tiene para hacer milagros, me honra mucho que trabaje aquí".

"¡Ah qué chino! Ya le dije que no me llame Lolita, detesto los diminutivos, váyase a su oficina y déjeme trabajar en paz".

Con el nuevo sueldo y las propinas, Dolores comenzó a satisfacer caprichos propios. Se mandó hacer un guardarropa que imitaba los diseños de Marilyn Monroe, se tiñó el cabello de rubio platino y se compró una bicicleta estacionaria. Le gustaban los accesorios de piel de cocodrilo y poco a poco había completado una colección de zapatos, bolsas y cintos de colores neutros. Recorría las tiendas en el centro de El Paso todos los sábados, almorzaba en el restaurante del almacén Kress y comía en el de La Popular. No volvía a casa hasta el anochecer. Instaló el servicio telefónico en la vivienda, compró varios ventiladores de plástico para que hicieran circular el aire, una lámpara de invernadero para sus plantas y llenó el botiquín del baño con botellas de suplementos vitamínicos. Dolores sabía administrarse y al poco tiempo recuperó el dinero que le costaba la telefonía rentando el aparato a los otros inquilinos de la vecindad.

13

Cuando supo que Dolores trabajaba en un restaurante, Eyerame compró la máquina de asar pollos, un artefacto metálico enorme con varias barras horizontales giratorias que le costó todos sus ahorros. Lo había adquirido pensando que Dolores se sentiría atraída por él, pero ni así consiguió que su nieta predilecta volviera a ayudarlas.

"Ya sé que no me hablas, pero escúchame hija. Oye las palabras de tu abuela. ¿Qué necesidad tienes de andar trabajando para otros? Vente al restaurante, es tuyo, ven a ver la máquina nueva". Dolores la dejó terminar, levantó la ceja, enchuecó el labio inferior y volvió al libro que tenía entre las manos.

De cualquier modo, la inversión había servido para atraer a Isabel, quien se ofreció a manipular la rostizadora porque no le gustaba quedarse en casa. Isabel disfrutaba ensartando los pollos en las varillas de la máquina, los acomodaba en línea recta sobre una mesa y los iba atravesando uno a uno con el estoque. La hipnotizaba verlos dar vueltas, escurriendo la grasa que se acumulaba en el piso y adquiriendo un apetecible color dorado. En muchas ocasiones Eyerame tuvo que reprenderla porque hasta en los días en que la clientela no era abundante, Isabel ensartaba, giraba y tostaba pollos sin medir; entraba en estado de euforia y al compás de sus silbidos musicales ajustaba la máquina a su capacidad máxima. *Allá en el rancho grande, allá donde viviíííí...a, había una rancherita que alegre me decía, que alegre me decíííí....a: Te voy a asar tus pollitos.... como los asa Chabela...*

El placer consistía en que después de la regañada, Isabel tenía que recorrer los negocios vecinos para vender los pollos. Entonces, el noviecillo de la carrucha roja que tenía desde la infancia acudía a su rescate. El jovencito trabajaba como talachero en una tienda de curiosidades vecina y cuando el olor a pollo rostizado llegaba a él, pedía permiso a su jefe para ir a ayudar a Isabel. Poseía una bicicleta acondicionada con un asiento extra sobre la llanta trasera y una canasta de alambre sobre la delantera. Isabel llenaba la canasta con los pollos envueltos en papel aluminio, se montaba abrazando la espalda del jovencito y se iba con él a pregonar por la

Avenida Juárez. Tenían que hacer varios viajes, porque como el muchacho siempre andaba acatarrado, tardaba en percibir el aroma de los pollos y cuando llegaba, Isabel ya había rostizado para toda una semana.

"Chuequita, cuando cumplas quince años yo seré tu chambelán, me voy a entacuchar requetebién, ya voy juntando. No me digas que no quieres fiesta de quinceañera. ¿Cómo no, Chabelita? No seas aguada, no te me achicopales. Eso estuvo bien para la estirada de tu hermana, pero tú no. Habrá un fiestón, vas a ver. Todos en la vecindad vamos a hacer coperacha para darte un buen regalo, yo te llevaré en motocicleta a la iglesia. Una quinceañera muy de aquella, muy padre, con su vals y tus canciones. ¿Qué tal? ¿Te apantallas?"

La fiesta de quinceañera de Isabel nunca llegó. El novio se despidió de ella una noche, le dijo que se iba de piloto de coches de carreras y que no se pusiera triste, que regresaría rico y famoso para casarse con ella. Isabel lloró un poco, le platicó la historia de Aída y le dijo que era mejor no hacer planes. Los dos estaban muy chicos para promesas de amor. "Vete y si regresas lo más seguro es que me encuentres, ¿quién se va a fijar en una coja como yo?"

"No seas así, mi chuequita, tú vas a ver que el tiempo vuela, dame un besito, dime que me esperarás aquí, en tu balconcito de vecindad, con tu trompita roja y cantadora y tus manitas oliendo a pollo. No te rías Isabel, no te burles. ¿Que qué haces con el vestido?... pues tu quinceañera, tonta. No hay celos, palabra, palomita mía, jilguerito azucarado, canarita prieta".

"Ya párale, loco, que se supone que debo llorar ahora, no reírme".

Después de la despedida, Isabel se puso al servicio de su hermana para mantenerse ocupada todo el día. Se levantaba muy temprano a plancharle el uniforme y a cepillarle los zapatos pues Dolores tenía obsesión con su apariencia. "Ya te dije que las medias color humo no van con esta falda, eres una imbécil. No dobles la blusa así que va a quedar muy arrugada. Después del trabajo voy con las muchachas al San Luis, no digas nada. ¡Esconde los cigarros, tonta!"

Isabel también tenía que aventurarse cuando Dolores no podía ir de compras a El Paso. "Hay rebajas en La Casa Blanca, cómprame el trajecito sastre del maniquí en el aparador, lo vi ayer, es uno azul cobalto con botonadura dorada. Está monísimo, no te vayas a equivocar".

Isabel abordaba el tranvía antes de que torciera sobre la Avenida Juárez para que Aída no la viera. Siempre había algún chico compadecido que se ofrecía a ayudarla en las bajadas y subidas y de paso hurgar dentro del declive de sus senos. "¡Señorita, cuidado! Pobrecita, agárrese a mí no se le vayan a atorar los pies en las vías".

Era una coqueta innata; los ademanes que Dolores había estudiado tanto, Isabel los utilizaba con prestancia y desenvoltura natural. "Estás mejor sin el bicicletero ése, milhombres, era un energúmeno, tan feo el pobrecito, ¿cómo te fuiste a fijar en él? Aprende de mí, que no con cualquiera".

Isabel se convirtió en una adolescente bellísima disimulada bajo los estragos de la pollería. Tenía unos pechos voluptuosos y una cintura minúscula que hacían que los admiradores pasaran por alto el defecto de sus piernas. Poseía un cabello azulnegro que siempre llevaba recogido en una cola de caballo. "Los ojos los sacó de Anselmo, grandes y almendrados, pero tristes. Aunque cuando empezó a maquillarse pudo disimular la tristeza, yo siempre alcancé a distinguírsela", dijo Aída.

14

Isabel se descubrió hermosa el día que su hermana trabajó en el turno de la noche. Dolores había dejado su estuche de cosméticos sobre el tocador e Isabel regresaba de tomar un baño. Se sentó frente al espejo para arreglarse el cabello y las pinturas llamaron su atención. Dejó el cepillo a un lado y examinó los rouges y los bilés. Había tantas brochas y tantos compactos que por un momento no supo qué hacer. El rostro apenas coloreado de Dolores en la fotografía sobre el mueble le mostró los pasos a seguir.

Isabel fue cuidadosa en extremo, cada tarro utilizado volvía a su lugar como si no hubiera sido tocado, cada colorete regresaba a su estuche. Probó varios lápices de labios hasta que encontró uno que la satisfizo, esparció la base, usó el delineador, se untó los correctores. Fue víctima de una reacción en cadena que no terminó hasta que vio el rostro maquillado en el espejo. Lucía una emoción extraña que le henchía el pecho, como si de pronto se liberara de todos esos años de agonía, de sentirse lenta, siempre atrás.

Encendió la radio portátil y dejó que la voz de José Alfredo Jiménez la serenara; la incertidumbre iba desapareciendo. Era como si de pronto se revelara ante sus ojos una rutina aprendida en otro tiempo. Abrió el ropero, hizo a un lado el ajuar de la quinceañera frustrada y tomó el vestido escarlata que Dolores había llevado al baile de corazones de la preparatoria. Aunque sus senos pugnaban por escaparse del escote, decidió dejárselo. Se calzó también los zapatos altos de su hermana y, en un arranque de coquetería, la imitó en una de sus poses estudiadas. Quiso dar algunos pasos pero tropezó yendo a dar contra la cama. No sólo ignoraba cómo caminar con tacones, sino que tenía un pie más chico que el otro y eso la hacía perder el equilibrio con frecuencia. Se levantó, fue al teléfono y llamó un taxi. El chofer, años antes al servicio de Anselmo Pérez, no la reconoció. Hacía viento y los pocos árboles de Ciudad Desierto parecían silbar una musicalidad nueva, una tonada armoniosa que calmó sus últimas dudas. Olía a nubes y la luna llena estaba cobarde.

Cuando llegó al negocio, Aída acababa de salir en busca de

Anselmo. Hacía tiempo que el hombre lustraba zapatos en la Mariscal y de vez en cuando se quedaba dormido en las banquetas. No boleaba por necesidad sino por el afán de mantenerse ocupado y lejos de la casa. Se había olvidado de sus mujeres y había formado una familia con los borrachos, pandilleros y pordioseros de la Avenida Juárez. Fueron muchas las veces en que Aída tuvo que recogerlo en la delegación de policía y otras tantas las que acabó descalabrado o herido en la Cruz Roja. Siempre repitiendo la misma cantaleta de creerse director de cine y estar en plena producción del más importante largometraje de la historia, La sirena Isabela.

Isabel entró despacio, en parte para no trastabillar y en parte porque el vestido ceñía sus caderas de tal forma que apenas podía caminar. El humo del tabaco circulaba en el aire formando serpientes que desaparecían con los manotazos de alguna mujer distraida o de algún turista embriagado. Observó a los clientes hipnotizada, sumergida en un placer glorioso. Caminó hasta la barra cuidándose de no tropezar y le dijo al cantinero que le llevara un banco hasta el estrado. El tipo apenas pudo dar crédito a la transformación. Isabel resplandecía con un brillo sobrehumano que nunca había tenido, radiaba fantasía y a su paso varios hombres habían quedado boquiabiertos. Pidió una cerveza y aunque nunca había fumado, abrió la bolsa para sacar un cigarrillo. A sus pies, las escupideras de tabaco despedían un fuerte olor a agua de lavanda. Preguntó al empleado si las acababa de desinfectar y ante la respuesta afirmativa de éste, le ordenó que nunca lo volviera a hacer de noche porque el olor tan intenso podría molestar a los clientes. El cantinero tuvo que hacer un esfuerzo supremo por regresar a sus labores pues no podía apartar los ojos del rostro de Isabel, era una Ava Gardner de piel de bronce y ojos gatunos. Los mariachis tocaban alrededor de una mesa de americanos. Isabel llamó a uno. El músico la tomó en brazos y la llevó hasta la plataforma. Le preguntó que si sabían *Amémonos* y él asintió.

Cuando Aída volvió con Anselmo la cantina reventaba; se abrió paso entre la gente como pudo. La voz matizaba los acordes de las guitarras, violines y trompetas con un tono de amargura pocas veces escuchado. Los registros alcanzaban notas dramáticas y largos falsetes que provocaban lágrimas en la concurrencia. Las paredes enyesadas vibraban y multiplicaban los sonidos. Las botellas, las copas y los espejos tintineaban al ritmo de la música. Aída volvió a sentir las escoriaciones que la voz de los lagartos producía en sus orejas.

Isabel descubrió a su madre y le sostuvo la mirada sin parpadear. No tenía intenciones de dejar de cantar. Confirmó que eso que le agitaba el pecho era un gozo súbito y rebelde dispuesto a prolongarse por tiempo indefinido. Interpretó los temas más sentimentales que el mariachi conocía, encadenando la voluntad de los allí reunidos a las mesas decoradas con publicidad de cerveza Tecate. No acababa de terminar una canción cuando los oyentes empezaban a pedir más. Isabel inflamaba la voz e iniciaba otra interpretación sublime.

Cerca de la medianoche interrumpió el show. Había visto a Anselmo Pérez salir de la cantina. El hombre parecía arrastrado por una fuerza desconocida que lo deslizaba hacia afuera sin moverle los pies. Isabel dejó la melodía e hizo señas al mariachi que la había ayudado antes para que le consiguiera un carro de sitio. Se excusó con los músicos argumentando que Dolores regresaba de la cafetería a la una y le reñiría al verla con su vestido. Los gritos de otra, otra, la acompañaron hasta el coche.

Esa noche la cantina quedó impregnada de una energía desconocida. Los noctámbulos se movían en círculos concéntricos sin atreverse a dejar el establecimiento, parecía que la voz mágica de Isabel todavía resonaba en las paredes. Mas para Anselmo, aquella voz cautivante acabó por perderlo en los laberínticos senderos que transitaba desde tiempo atrás. Los nudos que le amarraban la conciencia se habían amalgamado tan estrechamente que ya era imposible desatarlos.

15

Aída relevó a Isabel de la pollería sin cuestionarla. Existía un silencio de complicidad entre las dos que ninguna se atrevió a romper. El dinero de la primera noche había sido suficiente para comprarle dos vestidos de lentejuela azul marino y los zapatos que combinaban. Aída contó cómo convencieron a la empleada del almacén para que trajera dos pares de número distinto e intercambiar en un descuido los tamaños diferentes que necesitaban.

Nadie extrañó a Anselmo Pérez. En las semanas que siguieron, Isabel escuchó comentarios sobre él en un almuerzo de domingo, pero se hizo la desentendida. Aída y Eyerame siguieron conversando de temas superfluos. A ninguna se le ocurrió pedir explicaciones para lo que habían estado esperando desde hacía mucho tiempo. Isabel guardó silencio y volvió a llenar el vaso de Dolores con jugo de naranja.

La noche del debut lo había distinguido entre los clientes. La miraba sin apartar los ojos de ella, embrujado por el mismo hechizo que poseía a los demás. Lo vio llorar sin vergüenza, con la actitud de quien de pronto recupera la razón y se siente ajeno a quienes lo rodean. Al término del espectáculo lo había seguido en taxi por la Avenida Juárez y después por la 16 de Septiembre hasta la estación de ferrocarril. Era una de esas noches húmedas tan extrañas en Ciudad Desierto. La llovizna sobre el pavimento caliente provocaba una niebla tenue y visible sólo a la luz de los faros de los coches.

Trató de alcanzar a Anselmo en la taquilla de boletaje pero las piernas le fallaron. Quería darle las gracias, invitarlo a compartir su rebelión, pero daba unas zancadas tan largas que parecía seguir impulsado por ese espíritu extraño que lo había sacado de la cantina. Un niño pordiosero se acercó a ayudarla, le ofreció su espalda en silencio e Isabel se abastonó en él. Iba a mandarlo a que detuviera a Anselmo pero éste había desaparecido entre un grupo de viajeros. Comprendió que ni siquiera se había fijado en la ropa que vestía su padre y no tenía modo de describirlo. El muchacho puso su manita sucia sobre la de Isabel y comenzó a caminar.

Ya no me necesitas, Isabel. Tu madre y tu hermana nunca me han necesitado. Tu abuela me ignora. Que se las lleve la chingada a las tres, quién sabe qué brujerías hicieron para tenerme de criado todos estos años, ha de haber sido el maldito tesgüino. Sólo tú eres buena, Isabel, sólo tú.

Cuando alcanzaron el andén, el tren ya había iniciado su marcha. Isabel no supo si Anselmo la oyó llamarlo a gritos. Prefirió pensar que no, que los ruidos de la máquina apagaron su voz. Anselmo Pérez desaparecía en silencio, sin despedidas cursis ni promesas de volver. Isabel entregó un dólar al muchacho, le despeinó el copete cariñosamente y le rogó que la acompañara de regreso hasta la parada de los taxis. Ocultó el secreto de la huída como tantos otros que empezaban a enterrarse en el seno de esa familia de lagartos.

A partir de aquella noche, Isabel siguió cantando regularmente. Bajo su administración, el establecimiento pasó de cantina a centro nocturno. Para entonces, Isabel contaba con una concurrencia segura. Los hombres quedaban fascinados con su rostro firme, con sus pómulos altos que recordaban la ascendencia mestiza y con sus ojos almendrados, que según Anselmo eran producto de su sangre andaluza. Los labios eran gruesos, de un carmín que contrastaba con los tonos olivas de la piel revelada por el escote. Para las mujeres escucharla era abrazar por un instante el placer de soltar amarras y esclavizarse a voluntad, de experimentar tristezas y suprimirlas con un trago de tequila. Les gustaba verla beber entre canción y canción y se apresuraban a brindar con ella.

Al final de la noche Isabel les regalaba *Aquel amor que marchitó mi vida....* Entonces los gritos cesaban, la concurrencia consumía las bebidas como si fueran agua y los dolores escondidos surgían de entre las mesas como espíritus en pena, ondulantes y con aliento alcohólico. El reflector que iluminaba a Isabel se apagaba. Un mariachi la tomaba en brazos y la conducía hasta el taxi que esperaba afuera. No le gustaba que la vieran cojear. Así acababa el espectáculo. Cuando las luces se encendían de nuevo, las meseras tenían que pasar toallas a la clientela para que la vertiente de lágrimas no inundara el local. Fueron varias las noches en que fue necesaria la fuerza para sacar a algún cliente impedido por el llanto.

Así, mientras Dolores continuaba desangrándose por la casa, suspirando en el café y muchas veces trabajando horas extras, Isabel empezó a elaborar su propio mundo. Acudía al negocio durante el día porque se relacionaba con gente importante y sin darse cuenta, asumió las responsabilidades de Aída. Despidió a las prostitutas que seguían tratando de hacer clientela en la barra y al cabo de unos meses compró un sistema de iluminación que creó una imagen nueva y elegante en el establecimiento. Se movía lentamente, casi arrastrándose, pero sabía mandar con el simple movimiento de sus ojos.

Aunque se desvinculó del dominio de su hermana, decidió mantener el secreto. Dolores jamás sospechó lo que ocurría porque los uniformes amanecían planchados cada mañana y sus encargos se cumplían al pie de la letra. Aída seguía con sus idas a El Paso para visitar los lagartos de la plaza, aunque no fuera viernes ni tuviera que hacer depósito en el banco. Disfrutaba viendo la amenazante pasividad de los reptiles porque cada vez estaba más segura de ser uno de ellos. "Allí estábamos todos, una familia de lagartos quietos, aburridos, hambrientos".

16

Antón Villafierro acababa de terminar la universidad cuando ocurrió el accidente de sus padres. Había planeado tomarse un año de descanso antes de regresar a Tierra Negra pero ahora el deber lo reclamaba. Aunque conocía los manejos de la finca, en los últimos tres años se había desconectado totalmente de las cuestiones financieras. De no haber sido porque era desconfiado, hubiera encomendado los inconvenientes del entierro al administrador general. La noche que conoció a Isabel acababa de terminar el último rosario que las autoridades de Ciudad Desierto brindaban a los señores Villafierro.

Ese viernes, Antón había tomado más de la cuenta. Cuando la música tocó los acordes de una melodía de moda, Isabel, que en raras ocasiones bajaba del estrado, lo tomó de la mano y lo sacó de su mesa. Antón hizo un gesto de disculpas a la mujer que lo acompañaba y cantó con Isabel. Aunque no tenía una gran voz supo seguir la tonada de *Acércate más, y más, y más, pero mucho más y bésame así, así, así como besas tú.* El público divertido los aplaudió y les pidió el beso de la canción. Al terminar, Antón la llevó hasta el escenario y regresó a donde estaba su acompañante para sacarla a bailar. La mujer se negó y refunfuñó mostrando su desagrado por lo que acababa de ocurrir.

Isabel observó atenta lo que acontecía y más tarde, cuando las cosas parecieron arreglarse entre la pareja, los convidó a una jarra de tesgüino, les explicó que era la especialidad de la casa y que lo fermentaban allí mismo. Antón Villafierro agradeció el obsequio y la invitó a sentarse a su mesa. Isabel ignoró el desconcierto de la mujer, le dijo a Antón que tenía algunas peticiones por cantar pero que volvería enseguida. "¡Órale muchachos, *Señora Tentación!*"

Cantó mirándolo a los ojos, haciendo que las notas fluyeran tersas y acariciadoras hasta él. *Debo a la luna el encanto de tu fantasía y a tu mirada el dolor y la melancolía.* Lo deseó sin el menor respeto, lo apabulló con las imágenes sensuales que su voz recreaba. *Señora Tentación... de frívolo mirar... de boca deliciosa ansiosa de besar... mujer hecha de miel y rosa en botón...* Antón Villafierro se quedó muy serio, evaluó las ideas estrambóticas que comenzaban a excitarlo y pidió otra jarra del famoso tesgüino.

Isabel se acercó a la mesa de nuevo, se inclinó despacio revelando las curvas de su pecho y arrebató el vaso que Antón acercaba a su boca. *Quisiera el sortilegio de tus lindos ojazos y el nudo de tus brazos... Señora Tentación....* La expresión rídicula de Antón se convirtió en un completo desacato cuando distinguió el pezón oscuro. Se levantó despacio y la tomó por la cintura. Dejó que Isabel siguiera cantando entre sus brazos mientras el público enardecido lo vitoreaba. Tembló e Isabel reconoció en ese temblor la fuerza de su voz.

Después de la canción, Antón Villafierro volvió con su acompañante para informarle que le había pedido un coche de alquiler, que él se iba con la cantante. La mujer lo abofeteó, le gritó que era un desgraciado y salió de la cantina tan rápido como pudo. Isabel pidió que le trajeran la bolsa, se acomodó el peinado y puso su mano derecha sobre el brazo de Antón. "¿Adónde vamos?"

Fue la primera vez que Isabel visitó Tierra Negra. La majestuosidad del recinto no la impresionó. A ella no la deslumbraban los alardes de los que tienen dinero para comprarlo todo. Sin embargo, inhaló un aire tibio y húmedo que nunca había respirado. Sintió la piel sudorosa, pero la transpiración no escurría como en Ciudad Desierto, se untaba sobre su carne formándole una peliculilla invisible. Escuchó gritos de animales sin reposo, creyó distinguir bestias entre la maleza e imaginó que la noche misma olía a caña de azúcar. Se dio cuenta de que estaba rodeada por una vegetación sonámbula y curiosa. Era prisionera de un sentimiento fantástico y al mismo tiempo sorprendentemente natural. Había oído hablar de los Villafierro, de sus empresas, de las plantas carnívoras y los lagos inventados, pero esas conversaciones de restaurante llenas de exageraciones la habían tenido sin cuidado. Sabía que Antón había crecido en Europa pero estaba muy lejos de rendirle admiración a su abolengo. Ella no era mujer de esperanzas matrimoniales ni de escaleras sociales. Ahora estaba allí porque, minutos antes, Antón le había despertado los arrebatos del amor que estaba tan acostumbrada a cantar; que la Tierra Negra de los Villafierro le despertara pasiones inicuas, aborígenes, era otra cuestión. Ni ella misma se dio cuenta de que ese arranque lujurioso acabaría convirtiéndose en la obsesión que la llevaría a su desgracia. *Profecía, profecía. No quiero verte más, me voy muy lejos sin tu amor. Olvídame será mejor así...* Cruzó el vestíbulo de la mansión lentamente para disimular la cojera. Espió cada rincón de la casona y se detuvo al pie de la escalera. "Llévame en brazos", dijo.

Antón la subió hasta la habitación de sus padres, la depositó sobre la cama y se tendió sobre ella. Le besó la boca, el cuello y le arrebató el vestido para llegar a los senos. Isabel cerró los ojos y sintió los labios de Antón impregnándola de saliva, ella también quería lamerlo, probar el tórax velludo y sudoroso, emborracharse con el sabor salado de su axila. Le gustó sentir el peso sobre ella y luego acomodarse sobre él. Era ella misma la directora de su propia desfloración, la causante del dolor que debía dominar porque prometía elevarla al placer más lejano. Dentro de ella había un río creciente que amenazaba con desbordarse, bastaba una gota más, un sólo movimiento.

Cuando terminaron de hacer el amor, Isabel se levantó de la cama y caminó hasta la ventana. Antón se había quedado dormido. Abrió el cortinaje y dejó que la luna la iluminara. Inclinó la cabeza y vio sus pechos aún endurecidos, su ombligó redondo y su sexo brillante. No quiso ver más abajo, hasta allí llegaba su cuerpo, lo demás era prestado.

17

Dolores, con sus bellos ojos azules, veía el ir y venir de la gente a través de las ventanas de El oriental. Al otro lado, la ciudad estaba llena de edificios nuevos, de autos último modelo y de pordioseros recién llegados. En las paredes, algunos carteles anunciaban *The Birds*, la nueva película de Hitchcock. Hacía un viento fuerte lleno de arena y hojarasca que chirriaba contra los muros y hacía estremecer los vidrios. Un cliente entró abrazando un periódico que informaba sobre los corazones artificiales; Dolores pensó que ella ya tenía uno. El hombre se quitó el sombrero y pidió un café negro.

En los últimos meses, Dolores se esmeraba en el trabajo con más ahínco que antes porque estaba dispuesta a salir del ambiente en el que había crecido. No le importaba que su jefe, desde el rechazo amoroso, se hubiera tornado un déspota malhumorado. El hombrecillo sólo necesitaba una sonrisa para convertirse en un dulce empalagoso y moldeable. "Chinito mandarín, no te acongojes, tómalo con calma y a lo mejor un día te digo que sí".

Se había acostumbrado a las burlas bienintencionadas de las otras meseras que no entendían por qué trabajaba allí cuando podría hacerlo en el negocio de su familia. "Hace años que no pongo los pies en ese lugar cucarachento, no tengo necesidad. No se hable más del asunto, aquí estoy bien".

Eran los tiempos de los peinados altos, los tacones delgadísimos y las pestañas postizas. Dolores acudía al salón de belleza cada tres días para arreglarse el crepé, hacerse la manicura o ponerse una mascarilla. No le gustaba la concha nácar; esos menjunjes caseros estaban bien para Aída e Isabel que eran prietas y resistentes. Había dejado de fumar porque el dentista le aseguró que el sarro le comería los dientes y le estropearía la sonrisa, mantenía un régimen alimenticio saludable y purgaba su instestino todos los viernes.

Para evitar conflictos con el horario de trabajo había terminado la preparatoria asistiendo a clases nocturnas, tenía una necesidad apremiante de valerse por sí misma y había reconocido que la educación era primordial. "¡Ay mija, para qué tanto estudio si estás muy chula, cásate ya!"

"No muchachas, yo tengo más aspiraciones que el matrimonio. Fíjense que el otro día el maestro de contabilidad me echó piropos, el muy idiota".

"Te lo decimos, aprovecha tu belleza que no dura mucho".

Aunque parecía estar segura de sus propósitos, las palabras de sus compañeras de trabajo le producían dudas. Fueron muchas las ocasiones en que se sintió enterrada entre pastelillos rellenos de crema, malteados de chocolate y chop sueys. "Señorita, tráiganos la sal. Un bistec medio crudo con salsa inglesa al lado por favor, póngale queso menonita arriba y sus frijolitos. ¡Ah, y la salsa que sea de hoy!"

"¿Y no quiere que se lo dé en la boca también?"

"¡Grosera! ¡A ver qué propina le dejo!"

De vez en cuando, atender clientes era como tener unas manos apretándole el cuello hasta asfixiarla, unas manos gorditas, morenas y callosas que laceraban en cada roce, unas manos indias que nunca la habían acariciado y que ella no conocía. Entonces tenía que dejar el servicio y salir a la calle en busca de aire. Caminaba entre la gente con la blusa desabrochada hasta el pecho, esperando que el padecimiento se esfumara. Si eso no daba resultado, pensaba en la Isabel que ella recordaba, llena de grasa, dando vueltas a la máquina de los pollos. La repulsión que le producía la imagen mitigaba su alma y volvía al café. Las demás meseras estaban acostumbradas a sus escapes y no le decían nada, le entregaban las propinas de las mesas que había dejado a medias y le daban unas palmaditas en la espalda.

Dolores no sabía que en las noches Isabel distaba mucho de ser la pollera transpirada y pringosa que atendía el restaurante de Eyerame. Aunque hizo conjeturas de que algo extraño pasaba en la cantina, no le interesaba cerciorarse de lo que acontecía. Los cambios de los últimos meses habían sido positivos para la casa. No es que Aída no hubiera tenido dinero para redecorar antes, sino que en esa época los avances tecnológicos se sucedían uno tras otro. Isabel compró un televisor blanco y negro y un juego de sala nuevo; Dolores, con los ahorros que le quedaban después de pagar sus clases de personalidad y modelaje, adquirió una consola estereofónica que combinaba con los nuevos muebles. Ansiaba traer a casa la colección de Javier Solís que escuchaba en el pasadiscos de El oriental.

En el café la cortejaban varios clientes pero Dolores nunca

los tomó en serio. A medida que el tiempo transcurría su ambición sentaba ideales que cada vez parecían más lejos de su alcance. Soñaba con uno de esos príncipes de cuento de hadas que hasta ella misma consideraba inexistentes, pero no claudicaba. Hasta llegó a pedirle a Isabel que le enseñara algún hechizo amoroso para atrapar un buen partido, pero ella le contestó que las únicas que sabían de esos asuntos eran Eyerame y Aída, que les preguntara a ellas. Dolores le recordó que hacía tres años que no les hablaba, que mejor dejar las cosas como estaban.

Su belleza había ganado la admiración de muchos, entre ellos, un equipo de jugadores de béisbol que se reunían en el café después de los entrenamientos. "Ándele mi Marilyn, sea nuestra madrina, va a tener entrada gratis toda la temporada".

Dolores había aceptado; en cierta forma, el detalle le recordaba los años que había pasado jugando al baloncesto. Me estoy quedando muy flaca, mírate en el espejo Dolores, nada de caderas. Ya estuvo bueno con la pelota.

Entre los pretendientes también figuraba un viejecito de ascendencia libanesa que le prometía hacerla la dueña de Las tres B, una tienda de rancio prestigio venida a menos con la apertura de los centros comerciales de El Paso. Dolores le decía que no podía casarse con él, que tenía miedo de matarlo en la luna de miel. Aparte, ya sabía ella de las deudas de la tienda y no estaba dispuesta a quedarse viuda y arruinada. El viejo remilgaba un poco, se tomaba un café y se quedaba dormido en el mostrador con un servilletero como almohada. Dolores payaseaba haciendo muecas e imitando el masticar molacho del anciano. Entonces las demás meseras moldeaban con popotes unas antenas que le colocaban en las gafas. En una ocasión hasta trataron de sacarle la billetera pero el viejo despertó enseguida y después de propinar varios insultos, se marchó.

También estaban los admiradores adolescentes y los señoritos de posición, desde el repartidor de los víveres que siempre le llevaba el periódico, hasta el hijo del dueño de la lechería Zaragoza. Éste último aparecía todas las mañanas, alrededor de las diez, con el pretexto de una cita o reunión de negocios. Llegaba arrastrando las botas vaqueras con la actitud de un ranchero de ciudad, prepotente y pedante. Dolores estuvo a punto de decirle que sí, claro que después de muchos meses de cortejo y sólo por ser el más consistente. Era un hombre guapo, de facciones duras y sonrisa ágil. La cubría de regalos y siempre tenía una invitación a comer en los labios. Dolores aceptaba con la condición de llevarse a dos o tres de las meseras como chaperonas. El tipo accedía y acababa pagando cantidades enormes por bocados que terminaban intactos sobre la mesa. Dolores y sus amigas se excusaban para ir al baño y cuando terminaban de secarse las lágrimas de la risa, volvían dispuestas a pedir los postres.

El muchacho era limpio; sin embargo, por más agua de colonia que se pusiera, conservaba un ligero olor a estiércol producto de sus labores vacunas. Una tarde, en pleno cine, el tufo era tan fuerte que Dolores se levantó de la butaca con la excusa de ir al tocador y ya no regresó. Había tratado de ser cortés por un buen rato porque la etiqueta así lo mandaba, pero la fetidez había vencido sus buenos modales. Al día siguiente en el café le explicó lo sucedido. El muchacho se acongojó un poco, dio la vuelta al asiento de la barra donde se había acomodado y antes de salir le dijo que algún día la volvería a buscar.

"Eres irremediable", le dijo una de las meseras que observó la escena. Dolores no contestó, inclinó su cabeza un poco hacia la izquierda y se alcanzó la Pepsi-cola que el muchacho había dejado a medias. Abrió la boca como para decir algo pero las palabras se le atoraron en la punta de la lengua. Lo extrañaría.

18

Esa misma semana Dolores conoció a David Price, sargento de la Fuerza Aérea americana. Lo vio entrar y sintió que ya lo conocía, de una época que ni siquiera sabía que había vivido. Se quedó inmóvil, lo siguió con la mirada y escuchó el tambor creciente que cimbraba su pecho. El hombre se sentó en una de las mesas junto a la ventana y pidió un champurrado. Afuera empezaba a oscurecer pero los copos de nieve del invierno prematuro hacían que todo pareciera iluminado. Por el corte de pelo, Dolores supuso que era soldado. Tenía un aire duro en los ojos y las pestañas tan abundantes que eran visibles a distancia. Cuando él reparó en ella y sus miradas se cruzaron, Dolores comprendió inmediatamente la emoción romántica de Eyerame cuando le contaba las historias de Aída y Tom, o la suya propia. Vio cómo le sonreía, cómo mordisqueaba los churros que le acababan de llevar, cómo se limpiaba el azúcar del mentón y cómo sacudía los dedos sobre el plato. Trató de disimular pero no podía cambiar la dirección de su mirada. Cerró los ojos y percibió la ilusión incipiente que comenzaba a circularle por sus venas de jugo de naranja. ¿Qué importaban en ese momento los sueños de riqueza o los príncipes azules, si el hombre que acababa de entrar había sido capaz de tumbarle los proyectos con una sola mirada?

Cuando se repuso del ensueño, el tipo estaba sentado en la barra y le preguntaba si se sentía bien. Contestó que sí, que había sufrido un ligero bochorno pero que ya había pasado. "Tanto frío afuera y vengo a toparme con una mujer acalorada", bromeó. Dolores se ruborizó.

El resto del turno lo pasó torpe y preocupada. David Price había conversado con ella por largo rato pero se había ido sin prometerle que regresaría. Hubiera querido oírle decir que estaba interesado en conocerla, que volvería al día siguiente, pero nada, pagó y se fue. Las muchachas del café se dieron cuenta del nerviosismo de Dolores y le dijeron que saliera a dar una vuelta, que el frío la despabilaría. "No tengo ganas, ¿qué tal si decide volver? Prefiero quedarme aquí". Tomó unos cuantos pesos de la copa de propinas y los puso en la rocola. Las canciones de Javier Solís siempre le atenuaban las preocupaciones.

Cuando llegó la hora de salida las calles estaban resbaladizas, la nevada había congelado las banquetas y la ciudad entera parecía haber sido arrancada de un país nórdico. Dolores se cubrió la cabeza, se ajustó los guantes y se dispuso a caminar hacia la parada de autobuses. En verano no le disgustaba caminar hasta la casa porque todo el sector permanecía lleno de gente hasta altas horas de la madrugada, pero en invierno las cosas eran distintas. El invierno sobre Ciudad Desierto era frío y blanco como en los polos. En esos momentos las calles estaban desiertas; la luz de los faroles se multiplicaba en las estalactitas que colgaban de los edificios.

El motor de un coche estacionado en la acera opuesta llamó su atención; trató de distinguir al conductor. David Price la esperaba dentro del auto y le hizo señas para que no se moviera. El coche dio una vuelta en U antes de derrapar contra el borde de la banqueta. Dolores rio y miró hacia el interior del café; las otras meseras observaban lo que acontecía. David Price estacionó el vehículo, caminó alrededor de él y se disculpó por la maniobra. Abrió la portezuela del Thunderbird y le dijo que la había esperado toda la noche, que probablemente era un atrevimiento pero que la invitaba a dar un paseo, que no tuviera miedo, él era un hombre decente. Dolores echó un vistazo a las meseras que le sonreían desde el otro lado del ventanal y le hacían señas indicándole que se subiera. Tras una breve vacilación, accedió.

La música de Elvis sonaba en la radio del T-bird. Dolores dijo que le gustaban los carros deportivos y que hubiera deseado que fuera verano para descorrer el toldo. David Price oprimió un botón cerca de él y la capota cayó dando paso a la nevada. Dolores lo regañó entre bromas y le pidió que lo cerrara, que iban a atrapar una pulmonía fulminante.

David Price le reiteró que era de San Antonio y que hablaba español porque acababa de divorciarse de una argentina, que estaba en El Paso porque ahora trabajaba en la oficina de reclutamiento. No tenía familia. Le confió que desde pequeño se había hecho a la idea de conocer el mundo, por eso se había dado de alta en la Fuerza Aérea. Había viajado por toda Europa, Oriente y algunos países de Sudamérica. Hablaba con tal elocuencia que Dolores se engolosinó con sus palabras. "Mi padre también fue militar, americano. Estuvo en la Segunda Guerra Mundial. Me hubiera gustado conocerlo, a veces lo sueño con uniforme, era tan guapo. De niña, mamá me enseñaba su foto en mis cumpleaños. A veces, cuando me quedaba sola en casa me las ingeniaba para abrir el cofre. Podía pasar horas viendo su foto amarillenta".

El sargento Price le besó la mano y le confesó que se sentía atraído por ella, que no la dejaría en paz hasta tenerla. Dolores le pidió que no dijera disparates, que se acababan de conocer y que dejara que las cosas tomaran su propio curso. Sin embargo, de no haber sido porque en ese momento pasaron por la cantina y la imagen de Aída le vino a la mente, le hubiera dicho que la tomara allí, en ese momento y en el coche.

Una hora después, Dolores entró a su cuarto y se tiró en la cama para serenarse. David no la había besado al despedirse, pero el roce de sus manos le provocó una ansiedad que apenas la dejaba respirar. Se pasó los dedos por los labios e imaginó que allí tenía los de él, cercanos y entreabiertos. La caricia se prolongaba húmeda y tibia, era como si la besaran por primera vez y por primera vez, ella correspondía sin tapujos ni falsos pudores. Escuchó la cojera de Isabel que llegaba tarde pero no tuvo ganas de preguntar nada. La sintió entrar y salir de la habitación y se fingió dormida. Isabel olía a cantina. Otro día le contaría, otro día cuando se cansara de disfrutar a solas las primicias de ese sentimiento giratorio que le emborrachaba el alma.

Ya te tengo dentro. En este momento no imagino mi vida sin que estés a mi lado. Tengo una necesidad enorme de tocarte, de pasar mis dedos por tu cara, de besarte. Pero no ocurrió nada. ¡Tú hecho un caballero y yo con estas clases de refinamiento!

19

A todas les fue difícil acostumbrarse al buen humor de Dolores. Era la primera en levantarse, se le oía canturrear en la ducha y alguna vez hasta ayudó a la esquelética Eyerame con la preparación del desayuno. Aída sugirió que la madurez había endulzado el espíritu de su hija mayor; pero Isabel, que había dejado las *Lágrimas y Risas, las Novelas semanales* y el *Libro rojo del amor* para ocuparse de los libros de ocultismo y parasicología, adivinó la silueta de un hombre en los rincones de la mente de su hermana. Utilizó toda la fuerza de su concentración para distinguir el rostro, pero como era primeriza en las cuestiones extrasensoriales no logró su cometido. Dolores había encerrado el secreto tras una vitrina de tonos morados y rojos que fue imposible penetrar.

Hacía sólo unos días, la vida no era más que un itinerario programado con anterioridad y ahora una agenda de imprevistos surgía para las navidades. Dolores se sentía contenta. Había acomodado su horario al de David para pasar más tiempo juntos. Él la recogía a las tres y la acompañaba a sus clases, incluso la esperaba sentado en el auto, dando cuerda a la ilusión de tenerla. Los fines de semana la llevaba de compras a El Paso. Empezaban la supercarretera que partiría esa ciudad en dos; Dolores sacaba la cabeza por la ventanilla del auto cuando iban a toda velocidad por los tramos construídos. Cuando regresaban temprano, iban a las carreras de galgos, a Dolores le gustaba apostar y el dinero de David escapaba de sus manos sin que el sargento se quejara. David la llevó a esquiar a las montañas de Ruidoso, le enseñó las Arenas Blancas, las cavernas de Carlsbad y los sitios históricos de Ysleta. A su lado, Dolores se arriesgaba a todo y no manifestaba la menor señal de aburrimiento aunque permanecieran callados. La conversación existía en el roce de las manos, en los besos y en el cruce de miradas.

El día que asesinaron a Kennedy, David llegó tarde al café y la encontró llorando. Los noticieros de la radio y la televisión no cesaban de repetir la tragedia. Los desérticos compartían la pena que se escurría más allá de la frontera. Las meseras no cesaban de elogiar el valor de Jackie y lo buen mozo que era la víctima. “Era tan joven, él resolvió lo del Chamizal, dicen que le gustaba México".

David se acercó a Dolores, la abrazó y se disculpó por la tardanza, había recibido órdenes de presentarse en Fort Bliss, todo era un caos. Dolores le besó el cuello, los labios, los ojos; dejó sus lágrimas en la camisa del sargento. "Creí que te llevarían, dime que no te vas a ir, dime que no vendrá una guerra". David la tranquilizó y le aseguró que nunca la iba a dejar, que él había llegado para quedarse.

Dolores se entregó al arrebatamiento de sentirse débil. Admitió que durante mucho tiempo se había privado de ser la mujer joven y llena de vida que todos veían en ella, suspendió el silencio que les otorgaba a Aída y a Eyerame, dejó las dietas rigurosas y comió, comió mucho por todos esos años que no lo había hecho.

El sargento Price la consentía en todo, le traía flores todos los días, le abría la puerta del coche, le acomodaba la silla antes de sentarse a la mesa y de vez en cuando le escribía recados de amor que Dolores encontraba dentro de su cartera, en la guantera del coche, entre sus libros o en un cajón del restaurante. "Muy bella, eres muy bella. Nos darán una casa con tres recámaras y las llenaremos de niños, de soldaditos americanos. Pondremos unos columpios en el patio y en las noches nos meceremos los dos. ¿En qué piensas? ¿Por qué te quedas callada?"

Dolores no respondía. Los sueños de David le producían un dolor punzante en el pecho, como si trataran de partirle su corazón mecánico. No se atrevía a decirle que sus jardines no tenían columpios, ni juguetes, ni niños, que estaban llenos de rosas, de jazmines, que había varias fuentes con angelitos desnudos y un camino de piedra que llevaba a un lago. "Me tienen cansada las compras, tanto envolver regalos, llévame a casa".

Pasaron la Noche Buena en casa de Aída. El patio de la vecindad había sido decorado con un nacimiento vivo. Mientras David ayudaba a Eyerame con la preparación de los tamales, Dolores accedió a representar a la Virgen por una hora. El sargento se acomedía a todo, untaba las hojas de maíz con masa, condimentaba el puerco en chile colorado, pelaba los cacahuates, entretenía a los niños que se colaban hasta la cocina intrigados por su presencia y cada diez minutos se asomaba al patio para sonreírle a Dolores. Eyerame le dirigía miradas cómplice y lo hacía regresar a la cocina. "Vente a trabajar güerito, no te la van a robar".

Aída llegó a las once, avisó que la cantina estaba llena y que Isabel se había quedado allá, que la perdonaran. Cuando vio a

David sentado en la mesa de la cocina, el corazón le dio un vuelco. El sargento le sonrió, se puso de pie y caminó hacia ella. Sólo cuando oyó su nombre Aída recobró el aliento. No era Tom, ni siquiera se le parecía, pero cuántas veces había imaginado al teniente allí, departiendo en familia, preparándose a abrir los regalos y a asistir a la misa del gallo. ¿Desde cuándo asistía a las misas del gallo? No lo hacía, pero era lindo imaginarlo. Le paso las ásperas yemas de sus dedos por la cara y le dijo que Dolores siempre había tenido buenos gustos, que era un gringo guapísimo. David rio, regresó a la olla de los calientitos y le sirvió una taza a Aída. "Póngale piquete, güero. Esta noche hay que festejar".

Dolores entró molesta, se detuvo un momento a observar el panorama y dijo que iba a la recámara para quitarse el disfraz. Todos en la cocina quedaron en silencio. David trató de disculparla diciendo que habían andado todo el día de tiendas, que estaba cansada. Aída y Eyerame se miraron a los ojos y trataron de desviar la conversación. Los villancicos de los vecinos irrumpieron en la incomodidad que había producido el arrebato de Dolores. Aída apuró la bebida, caminó hasta la puerta con David de la mano y contestó a la llamada de los cantos. *Entren santos peregrinos, peregrinos, reciban este rincón....* La casa se llenó de gente, de abrazos y de buenos deseos. Dolores regresó a la sala ataviada con un vestido de casimir rojo. Llevaba una diadema del mismo color y unos aretes de rubíes pequeñísimos. David la tomó en sus brazos, la besó delante de todos y le dijo al oído que nunca más la obligaría a hacer algo. "¡Uy, uy! ¡Déjala gringo que es la virgencita!" gritó uno de los chamacos que acababa de entrar.

20

La noche de Año Nuevo, el sargento la llevó al Club de Oficiales no Comisionados de Fort Bliss. Dolores congenió con las esposas militares, practicó su inglés sin apuros y fue elogiada con insistencia. "You are beautiful my darling, breathtaking. When are you getting married? Oh! You young ones, don't be embarrassed... you are going to have the sweetest little kids!" Dolores sonreía y cambiaba el tema.

Cerca de las doce, se acomodó la estola, se acercó al sargento y le dijo que tenía ganas de regresar a Ciudad Desierto. David le recordó que debido al cambio de horario, en el otro lado de la frontera ya se había recibido el año, que no quería ofender a sus superiores retirándose temprano. Dolores pretextó un malestar súbito y lo obligó a despedirse. El sargento Price se apresuró a recoger el coche.

Había llovido hasta muy entrada la noche. Dolores bajó la ventanilla del Thunderbird para que el aire frío le despejara las últimas dudas. David conducía en silencio, con los ojos fijos en la carretera. "Me siento mejor, si quieres nos regresamos. ¿No estás enojado? ¿Quieres visitar a mamá?"

El sargento no respondió, soltó la palanca de las marchas y le apretó la mano. Cruzaron la frontera y enfilaron hacia la cantina. La ciudad todavía festejaba el año recién llegado, por todos lados se veía gente con guirnaldas hawaianas y gorros de papel dorado. La Avenida Juárez era una larga fiesta de transeúntes que iban de bar en bar. David olvidó los contratiempos de Fort Bliss, se contagió del entusiasmo general e hizo sonar el claxon varias veces. Dolores lo besó en la mejilla y le indicó dónde estacionar el coche.

Cuando llegaron al establecimiento, la música de los mariachis se escuchaba sobre la gritería. El portero nuevo no conocía a Dolores; se dirigió al sargento, le explicó que como ya había pasado el primer número únicamente les cobraría la mitad de la tarifa. Dolores iba a decirle que ella era la dueña pero David se le adelantó, sacó un billete de veinte dólares y le dijo al empleado que se guardara el cambio. Dolores se recargó en el hombro de David y lo abrazó por la cintura, en parte porque le gustaba sentir la firmeza de sus caderas, en parte porque a veces le atraía la idea de sentirse protegida.

Dolores sabía que habían hecho algunas mejoras en el lugar pero lo que encontró al hacer a un lado la cortinilla de la entrada la dejó sin palabras. A sus pies se desplegaba un piso blanco que en la oscuridad semejaba mucho al mármol, unas mesas de hierro forjado sustituían los sucios sillones que ella recordaba y al fondo, la pista donde varias parejas bailaban en ese momento, había sido elevada sobre el nivel del piso. Varios ventiladores metálicos colgaban del cielo dispersando el humo con las aspas. Los anuncios de refrescos y cerveza habían desaparecido; en su lugar, una enredadera de neón azul se extendía sobre la pared. David masculló que le encantaba y la apretó contra sí. Una mesera se acercó para ofrecerles el reservado que acababa de quedar vacante y ellos la siguieron. “Han tenido suerte, hemos estado a reventar toda la noche”.

Dolores hurgó con la mirada entre la gente pero no distinguió a Aída por ningún lado. David pidió una botella de champaña y antes de que Dolores pudiera aclararle que allí no había, la mesera le dio a escoger tres marcas. Con el servicio les entregó dos sombrerillos Feliz 64, varias cornetillas y un paquete de serpentinas. “El show comienza en veinte minutos, si necesitan algo más no duden en llamarme”. Recogió el billete de la mesa y se retiró.

Dolores lucía radiante. La luminosidad neón que envolvía el ambiente resaltaba los tonos azules de sus ojos. Llevaba un vestido de seda blanca que se le ceñía al cuerpo dejándole al descubierto las pantorrillas, unos zapatos de tacón alto, una gargantilla de perlas de cristal opaco y unos guantes largos. En la mesa de al lado varios muchachos empezaron a piropearla, pero Dolores tomó la mano de David Price y la llevó hasta sus labios. “Te quiero”, le dijo mientras le daba un beso.

Cuando el maestro de ceremonias pidió la atención de los concurrentes, David ya le había dicho que tenía algo importante que pedirle pero que esperaría hasta el final de la noche. Dolores adivinó sus palabras pero disimuló. Amaba al sargento, de eso no tenía dudas; sin embargo, había aprendido que David Price era uno de esos hombres que se dejaban arrastrar por el romanticismo. Junto a él probablemente terminaría convertida en una de esas amas de casa llenas de hijos y sin más atribución que la de servir al marido, una military wife, pensó.

En ese momento apagaron las luces. Por un instante el

lugar quedó en penumbras y a Dolores no le fue necesario cerrar los ojos para vislumbrar la frustración que le empezó a malograr los sentimientos de enamorada. Le bastaron los segundos que duró un trago de champaña para decidir su futuro; haciendo acopio de fuerzas sonrió mientras aplaudía a la cantante que acababa de aparecer en el escenario. Llegué demasiado tarde a tu vida, David. Tú ya lo has hecho todo y la serenidad que buscas conmigo es de la que yo estoy huyendo. Te extrañaré siempre.

La artista permanecía sentada en un banco giratorio, el reflector le iluminaba la espalda desnuda. El vestido dorado y largo parecía haber sido forzado para encajar en la curvaturura de sus caderas. Los brazos se extendían finos sobre su cabeza, como si colgaran del micrófono que sostenía una de su manos. Así le gustaba comenzar a Isabel.

Los mariachis iniciaron el acompañamiento y los primeros versos de *Cuando vuelva a tu lado* se dejaron escuchar sobre las ovaciones de los espectadores. Isabel cantó unas cuantas estrofas y poco a poco, con contoneos sensuales, empezó a girar el cuerpo. Dolores no la reconoció hasta que la tuvo de perfil. Se llevó la mano al pecho y apuró torpemente otro trago. David le preguntó qué ocurría y ella musitó el nombre de su hermana sin despegar los labios de la copa. "Es tan bella como tú". Agradeció los elogios del sargento mientras se limpiaba las gotitas de sudor que le poblaban la frente. No acertaba a sentirse orgullosa, pero convencida por los aplausos que no dejaba de oír, optó por hacerlo.

Isabel había dejado atrás la languidez y brillaba con una luz que no provenía de la lámparas multicolores ni del trasfondo plateado del escenario. *Une tu labio al mío, y estréchame en tus brazos y cuenta los latidos de nuestro corazón...* "¡Ajúa, mamita, qué lindo cantas!"

Cantó durante hora y media, sola o acompañada por los coros del público. Todos estaban allí para escucharla y ella hizo alarde de los poderes de su voz. Corridos, rancheras y boleros de amor inundaron la atmósfera del bar. Instigado por la cantante, el público reemplazó las botellas de sidra espumante por los jarros de tesgüino. A medio espectáculo, el sargento pidió una botella de mezcal con gusano. Alguien le había dicho que tragarse el insecto traía buena suerte; Dolores, por razones distintas, pidió otra botella de champaña. Se sentía demasiado ajena a lo que hacían los demás porque David Price le acababa de insinuar que quería casarse con ella. Se dio cuenta de que estaba desconcertada y la champaña la confundía más. Respiró profundamente tratando de serenar su corazón lleno de dudas, pero sólo logró intoxicarlo con el humo del tabaco. Era una blasfemia acabar como esposa de un soldado después de tantas clases de refinamiento. Mientras oía las canciones de Javier Solís en la voz de su hermana, comprendió que ella era el payaso del cual se cantaba, que tenía que seguir sonriendo ante David aunque ya hubiera tomado la decisión de dejarlo. Brindaron toda la noche, se abrazaron y besaron hasta emborracharse.

Isabel terminó alrededor de las cuatro de la mañana, cuando la concurrencia la dejó ir. Un joven elegante se levantó antes de que apagaran las luces, caminó hasta el escenario y la tomó en brazos. Entre aplausos, gritos, silbidos y demostraciones de admiración y afecto, Isabel se dejó llevar mientras se despedía de la clientela.

Dolores los vio acercarse, se puso de pie rápidamente y le dijo al sargento que se fueran, no quería que su hermana la viera ebria. David no tuvo tiempo de contestar. Dolores apretó su cartera, atravesó el salón y se abrió paso entre los que bloqueaban la puerta de salida. Tambaleaba y tenía el peinado descompuesto. Se detuvo indecisa en el umbral del club, se llevó la mano al pecho escotado y salió. El aire frío le dio la fuerza suficiente para llegar hasta el coche. David, entre risas y con los abrigos en la mano, le gritó que lo esperara, que apenas podía caminar.

Más tarde, en el coche, el sargento no daba crédito a las palabras de Dolores. Habían aparcado el auto en el mirador de la montaña Franklin. La resaca del alcohol había quedado atrás después del menudo y los huevos rancheros. "Te digo que te amo, nunca he sentido las emociones que siento por ti, pero no puedo ser tu esposa, eso sería una falta de consideración para mis sueños. No dudes de mí..."

David guardó silencio. Las palabras rasgaban su piel con el filo de mil estalactitas de hielo. Se miraba en los ojos de Dolores y se veía muerto, condenado a recorrer el mundo por inercia, envuelto en un frío asesino que no podía ahuyentar. Esa mañana de enero, David Price permitió que el invierno se instalara dentro de él.

21

Después del rompimiento con David Price, Dolores se refugió en sí misma. Devastada por la ausencia del sargento dejó de trabajar en la cafetería y se inscribió en la universidad. Aída hizo lo posible por acercarse a ella porque leyó en su semblante y en las heridas de sus brazos que sufría las penurias del amor, pero Dolores había vuelto a enmudecerse. Pasaba los fines de semana tirada boca arriba sobre su cama, con una navaja de dos filos en una mano y un vaso de jugo de naranja en la otra.

Aída entraba en su cuarto y le hablaba como había hecho con el cadáver de Doña Aurora; le partía las naranjas en mitades y las colocaba sobre el buró. Por primera vez sintió que tenía algo en común con su hija, le arreglaba el cabello, la maquillaba un poco, le decía que ahora que el cabaret estaba de moda las cosas marchaban mejor que nunca. Sin embargo, la tristeza había tomado posesión de Dolores sin que la dejara corresponder a los cuidados de su madre.

Los lunes se levantaba como si los desangres no hubieran ocurrido, se daba un baño largo y caliente y asistía a sus clases de arte. En las tardes se iba a El oriental y allí hacía su única comida, alargándola hasta que comenzaba a oscurecer. Era como si se encontrara al acecho de David. Se torturaba recorriendo las calles que habían recorrido juntos, oyendo en la rocola las mismas canciones hasta desgastarlas, vistiéndose los regalos que él le había comprado. *Es tan triste vivir sin caricias, sin una ilusión y de noche tan sola entre sombras me siento morir, yo te juro que haré lo que quieras con tal de que vuelvas porque sin tus besos y sin tus caricias no puedo vivir.* David Price no regresó.

Dolores extendió los silencios a los momentos más ordinarios de su vida. Las articulaciones de su voz llegaron a reducirse a unos cuantos monosílabos indispensables. Perdió peso rápidamente y de no haber sido por las infusiones medicinales que Eyerame le prepararaba en secreto, habría acabado momificada en vida. Eyerame hervía la mezcla macerada, la colaba y vertía el líquido en una botella de tónico vitamínico americano, sólo así podía hacer que Dolores la ingiriera.

Entretanto, Antón Villafierro había abierto las puertas de Tierra Negra a Isabel con la condición de verla cada fin de semana. Él sabía que Isabel jamás podría convertirse en su esposa. Las mujeres de su familia tenían la facultad de ser perfectas e Isabel estaba muy lejos de serlo; sin embargo, desde la noche que la poseyó no hacía otra cosa que pensar en ella. Sólo tenía que recordarla para que los músculos de su cuerpo se tensaran. Extrañaba sobre todo el jugo que le había brotado de los senos en el momento de alcanzar el clímax. Primero habían sido unos puntillos blancuzcos en los pezones, luego se fueron agrandando hasta que escurrieron en vertiente dibujando riachuelos sobre sus pechos. Isabel lo obligó a lamer la secreción. Tenía una forma perversa de hacer el amor.

Las visitas a Tierra Negra eran preludio para la pasión. Empezaban con un almuerzo de frutas exóticas y panadería francesa, a mediodía venían los camarones en cóctel, los ostiones y la sopa de pulpo, y por la tarde terminaban todo con un filete asado a las brasas. La primera entrega ocurría allí, en la terraza o en el comedor, donde hubiera sido la comida. Hacían a un lado las sillas y se tumbaban a hacer el amor entre los platos, derramando los líquidos y quebrando la cristalería. Más tarde se entregaban en la recámara, en la sala de juegos o en el jardín. Sólo evitaban la biblioteca porque el recinto tenía la facultad de atenuar los bríos de la cantante. Allí, Isabel ignoraba a Antón y prefería leer. Acomodaba un almohadón en la silla del escritorio de caoba y se sumergía en los libros que el padre de Antón había coleccionado. Antón se quedaba dormido en un diván mientras Isabel leía memorizando cada anotación y recitando los pasajes que más la impresionaban. Le gustaba acariciar los empastes de cuero con inscripciones doradas, aunque Antón hubiera bromeado diciendo que su abuelo había sacrificado decenas de indios porque le gustaba el color apiñonado de la melanina indígena para forrar objetos; agregó que el hombre había estado al servicio de Lucifer, que había vendido su alma a cambio de ese paraíso inventado en pleno desierto. A Isabel no le importó, al contrario, le dijo que ella estaba dispuesta a hacer lo mismo por sus piernas. ¿Para qué quería el alma si la tenía prisionera en un cuerpo que sólo servía para arrastrarla?

Los libros le renovaron la urgencia por el espiritismo y la magia negra. Interrogó a la cocinera de color porque supuso que era experta en artes vudú, pero ella le dijo que no sabía nada, que ella era americana y muy cristiana, bautista. Isabel le dijo que los africanos tenían el poder de comunicarse con los muertos, que indagara dentro de ella y descubriría ese tesoro. La cocinera sólo la escuchó tres veces; a la cuarta se quitó el mandil y le dijo a Antón que renunciaba, que su novia era el diablo. Antón se rio de ella, le firmó un cheque por un mes de sueldo y le pidió al chofer que la llevara a donde quisiera. Él no era hombre de creer en supersticiones, hechizos ni brujerías. Isabel lo tendría embrujado hasta que él quisiera, hasta que dejara de divertirlo.

22

En una de sus muchas visitas, Isabel llevó a Dolores a la hacienda. El chofer las dejó frente a la reja y Dolores quedó extasiada ante la grandiosidad del edificio. Era un castillo de mármol blanco rodeado por un jardín simétricamente diseñado. Tenía una escalinata de peldaños anchos que subía hasta la puerta principal, tres columnas helénicas se erguían en cada lado y una enorme terraza se extendía a la derecha del segundo piso. Las puertas de caoba mostraban el escudo de los Villafierro labrado en la mitad inferior; en los cristales de la mitad superior había dos leones de bandera española en posiciones encontradas. Dolores pensó que allí la civilización se había detenido siglos atrás. Ahora sabía por qué en Ciudad Desierto existían tantas leyendas sobre el lugar. Antón Villafierro apareció, cruzó el patio frontal, abrió la reja y las invitó a pasar.

El encuentro con Antón trajo a Dolores recuerdos de la noche de Año Nuevo. Lo había visto la misma noche que descubrió a Isabel cantando. En ese momento aún no sabía que los dos eran amantes, ni siquiera lo intuyó cuando él la levantó en brazos al terminar de cantar. Hacía apenas un mes que había terminado con David y de pronto se sintió congestionada por las memorias. Trató de sonreír pero sólo logró que una mueca desagradable se le dibujara en el rostro. Antón Villafierro examinó el aspecto de Dolores, las facciones desprovistas de exotismo; la piel tersa, carente del color oliva que admiraba en la otra; los ojos serenos y claros, sin los destellos brujos que desprendían los de Isabel. Es un maniquí de escaparate, pensó.

Desayunaron en la terraza del segundo piso y apenas terminaron, Isabel se excusó para ir a la biblioteca. La familiaridad con la que se movía dentro de la casa incomodó a Dolores. Antón tomó a Isabel por la cintura y la acompañó escaleras abajo. Dolores los siguió con la mirada hasta que desaparecieron. Se puso de pie y caminó hasta el barandal que bordeaba la terraza. Desde allí podía observar los cisnes que nadaban en el estanque construído tras la mansión. Las palmeras y los sauces crecían circundando con un paredón vegetal el claro donde se enclavaba la casa. Cerró los ojos y dedujo que no estaba allí por casualidad, que esa mañana pondría cimientos a su destino. Se dejó acariciar por una brisa repentina colmada de olores dulces y desconocidos. Se convenció de que esa Tierra Negra que todos los desérticos temían no era tan malévola, que era un ente vivo dándole la bienvenida. Eran los primeros días de febrero y no hacía frío, pero ella estaba acostumbrada al páramo y al aire seco con sabor a arena. Deseó llevar un suéter. Tierra Negra era un territorio ajeno al orden que ella conocía. Quería pensar y recordaba, quería comprender y se confundía. No más desangres, Dolores. Te están afectando al cerebro, se recriminó.

Cuando Antón regresó, la encontró con los brazos cruzados sobre el pecho y la mirada absorta en el infinito. No se atrevió a hablarle, tal vez para perpetuar la estatuesca imagen en su memoria. No se imaginó que en los años venideros serían muchas las veces que la volvería a encontrar así, en la misma posición, avasallada por el silencio. Cuando Dolores se dio cuenta de que era observada, se dio la vuelta y sonrió. Minutos más tarde paseaban a caballo. Isabel se había encerrado en la biblioteca y Antón decidió no molestarla.

"Mucho dinero, muchos años y mucho trabajo, Dolores, un antepasado fue quien empezó todo. Ciudad Desierto apenas era una villa entonces. Tu hermana debe saber la historia de Tierra Negra mejor que yo, pregúntale a ella. Yo crecí en París, claro que la señora Villafierro me visitaba frecuentemente; tuve una institutriz mexicana, ella fue mi verdadera madre. Tenía que regresar, soy demasiado brusco para la etiqueta europea, pero no creas que no intento civilizarme, tantos años le hacen mella a uno. Mira el río Bravo, hasta él ha sido controlado, ahí va, muy dócil, muy encauzadito en su camino al mar. ¿En qué pensabas esta mañana, Dolores?"

Dolores no respondió. Se aferró a las riendas y apuró al caballo hasta hacerlo galopar. Los cascos salpicaron lodo y marcaron sus huellas en la cuenca del Bravo. Antón detuvo su caballo y la dejó ir. Las ropas ecuestres que le había proporcionado le sentaban a la perfección. Descendió de la cabalgadura y se dispuso a esperarla acostado a la sombra de una palmera. Cerró los ojos y se quedó dormido.

Dolores regresó con el rostro radiante y el cabello suelto. Tierra Negra había tenido el poder de devolverle el habla, de inundar su espíritu con las ansias de comunicarse, de olvidar esas semanas tiñendo de anaranjado las sábanas de su cama. Amarró las riendas del caballo jadeante al tronco de la palmera y con la vista recorrió el cuerpo tendido de Antón. Los pantalones de montar le ceñían las piernas y la pelvis. Había manchas de barro en su camisa. Se acercó lenta. Se quitó los guantes de cuero, se los arrojó a la cara y le gritó que la alcanzara.

Antón Villafierro la dejó tomar ventaja. La vio meterse en los algodonales, saltar los surcos con una agilidad extraordinaria y corrió detrás de ella. La alcanzó. La desnudó violentamente. Se bajó los pantalones y dejó que su sexo cabezón y peludo la montara. Te viene bien, te satisface el juego. Tú lo iniciaste querida, no digas ahora que no, que mejor otro día. Abre tus piernas y cabalga, Dolores, trota sobre la plantación que te tendió la trampa. David no fue así, David te convenció con besos, te buscó el modo suavecito. ¿Recuerdas la Noche Buena? Representaste a la Virgen y dejaste de serlo en cuestión de horas, que lindo fue entonces. Tu sangre naranja apenas lo ensució y él te quiso más que nunca. Siempre será tu David, tú lo sabes, porque aunque no quieras eres igual que tu madre y tu abuela y sus amores y el tuyo. Antón Villafierro te decepcionó y te recubres de silencio. ¿Podrás pronunciar discurso un día? ¿Enunciar una oración completa? Salió de ti y expulsó su gozo sobre tu estómago. Tú te volviste boca abajo y lentamente te arrastraste sobre el musgo como reptil que limpia su vientre. Te dolió todo el cuerpo, el alma. ¿Tienes alma, Dolores? Al regresar, Antón te indicó que subieras al cuarto a cambiarte, que no quería que Isabel te viera así.

Esa misma tarde, Antón Villafierro pidió a Dolores en matrimonio. Había llevado a las dos hermanas a casa e Isabel correspondía el gesto con una taza de café. Eyerame abrió la puerta y al verlo se santiguó, apretó el rosario que traía colgado al pecho y le negó la entrada. Dolores venía cabizbaja. "Hágase a un lado abuela, que no ve que tenemos visita. ¿Dónde está mamá?"

La petición sucedió entre sorbos de café y dejó a todas sumergidas en un laberinto para el cual sólo Dolores tenía llave de salida. Aída conocía a Antón de la cantina y cuando lo vio en casa pensó que estaba allí para formalizar con Isabel. Dolores apretó la taza de café, la llevó a sus labios, dio un pequeño trago y la colocó de nuevo sobre la mesa. Tomó la servilleta, secó las comisuras de su boca y sonrió. "Claro que acepto", dijo sin emoción.

Isabel se llevó la mano al pecho y sugirió una celebración. Caminó hasta la vitrinilla que guardaba los licores y, como no tenían tesgüino preparado, sacó una botella de tequila. Aída fue la única que perdió la compostura y mirando alternativamente a sus dos hijas juró entre dientes, "me lleva la chingada". Si Aída hubiera tenido a Dolores cerca, la habría abofeteado. Hacía ya meses que sabía lo de Isabel y Antón, los imaginaba casándose, Chabelita se lo merecía. ¡Qué cabronada acababa de hacer Dolores! ¡Qué poca madre!

Antón Villafierro permanecía orgulloso, soberbio, demasiado grande para la habitación. Se acercó a Dolores para reinspeccionar los bienes adquiridos. "¿Creen ustedes en el amor a primera vista? Aquí estamos nosotros, vivo ejemplo".

Dolores accedió al juego. Aída, por más esfuerzos que hizo, no distinguió ni un destello de amargura en Isabel. Por el contrario, la cantante preparó los tragos, caminó recta hasta Dolores y brindó. "Ladronzuela, deja que te abrace".

Por insistencias de la novia, la boda se llevó a cabo dos semanas después. Sin embargo, fue todo un acontecimiento. En honor a las tarahumaras, Antón Villafierro abrió las puertas de Tierra Negra a los desérticos, pero pocos se atrevieron a entrar. Una orquesta traída de Nueva York tocaba el jazz favorito de Antón y de vez en cuando amenizaba con un rocanrol o con la música Motown que empezaba a ser reconocida en esos tiempos. Los ricos fronterizos y nacionales se codeaban con la aristocracia europea alquilada por Antón. Había ingleses que presumían de ser íntimos de la Casa Windsor, algunos españoles emparentados con Franco que se compadecían de los exiliados, unos alemanes nobles que insistían en negar el holocausto y un italiano que aseguraba que Roma era la verdadera cuna de la cultura, no Grecia. Las dobles de Joan Crawford, de Marilyn Monroe, de Audrey Hepburn y de Tongolele circulaban entreteniendo a los invitados con poses malogradas y besitos al aire.

Aunque Dolores no pidió a su hermana que cantara, cuando llegaron los mariachis, Isabel requirió la atención de la concurrencia y tomó el micrófono de la tarima donde estaba la orquesta. *Llévame si quieres hasta el fondo del dolor, hazlo como quieras por maldad o por amor, pero esta vez...* La melodía trajo suerte a Isabel, pues esa noche conoció a un productor de cine que la puso en contacto con un representante de artistas en la Ciudad de México.

23

Dolores se habituó rápidamente al ritmo acelerado de Tierra Negra. Desde el principio se convirtió en la esposa acomedida y pronta que Antón Villafierro necesitaba. Se encargó de diseñar un sistema de quehaceres totalmente efectivo. Los sirvientes agradecieron la repartición equitativa de tareas y los aumentos de sueldo. Se compraron lavadoras automáticas, aspiradoras, hornos modernísimos, refrigeradores capaces de congelar sin hacer escarcha, estufas eléctricas e infinidad de enseres domésticos que hacían menos pesado el trabajo de la servidumbre. El único utensilio que Dolores se negó a adquirir fue un cuchillo eléctrico que cortaba con tal rapidez y saña que podía rebanar las latas sin ningún esfuerzo. Todavía no estaba segura de haber superado la etapa de los sangrados.

Los Villafierro asistían a los clubes privados de Ciudad Desierto y con frecuencia organizaban tertulias en Tierra Negra, todo por insistencia de Dolores y con el fin de promover la cultura en esa región de la frontera. Quería ayudar a los pintores, escultores y poetas que había conocido en la universidad. Les proporcionaba dinero, los ponía en contacto con los políticos amigos de Antón y patrocinaba exposiciones y lecturas en los edificios públicos. Los incipientes artistas empezaron a deambular por la mansión como espíritus risueños en busca de padrinos. Todos con los cabellos largos y fanáticos de la música inglesa. No había tarde en que no se escuchara una guitarra cadenciosa y las risas de Dolores coreándola.

Dolores era la mujer perfecta. Antón Villafierro correspondía al orgullo de saberla suya satisfaciéndole los caprichos, sobre todo desde que el embarazo comenzó a ser notorio. Entonces los consentimientos alcanzaron niveles no vistos para ninguna de las señoras que habían habitado en la mansión. Tenía dos sirvientas de tiempo completo a su servicio, una cocinera encargada de proveer un régimen alimenticio apropiado para el embarazo, un chofer disponible veinticuatro horas al día y una secretaria para organizarle la vida social. En esos días todos creyeron que Antón la amaba de verdad.

Fue un domingo caluroso de agosto cuando Dolores, ataviada con un traje de maternidad color miel, decidió que la mansión era un palacio de antigüedades maltratadas. Tomaba una limonada con su esposo en el patio del estanque y de pronto le surgieron ánimos por la remodelación. Los tonos dorados y rojos de la mueblería y los tapices Luis XV le parecían chocantes y escandalosos. "Esto no es la Francia decadente", dijo perturbada. Antón no protestó y se limitó a contratar a un decorador de interiores.

Martín Arizmendi ayudó a Dolores con los arreglos y compartió con ella su agudo instinto para localizar las obras de arte que comenzaron a ornamentar los pasillos y las paredes de la casa. Un Gericault genuino fue lo único que sobrevivió a los embodegamientos y respetado en su posición al final del pasillo. La angustia de los cuerpos desnudos del cuadro podía absorber a Dolores por horas. Los candelabros fueron bruñidos, los vitrales restaurados y las alfombras fueron substituidas por pisos de mármol. La mansión se abrió a una luz que más que del exterior parecía manar de la sonrisa de Dolores. Estás contenta, feliz como un globo inflado y a punto de dar a luz. Te sientan perfectos esos diseños que la Casa Chanel ha confeccionado para ti, para la señora Dolores Villafierro, la de los periódicos, la mejor adquisición de Tierra Negra.

Dolores y Martín Arizmendi congeniaron desde el principio y entablaron una amistad sincera. Él llegaba temprano a Tierra Negra, aparcaba su Corvette descapotable en los garajes y la acompañaba al peinador todos los días. Entre cuchicheos le reveló sus historias de amor, los hombres de prestigio que habían tenido deslices con él y sus secretos para conquistarlos. Dolores reía con las ocurrencias del tipo y le cuestionaba la razón de su soledad conyugal. Le decía que ella conocía los efectos de esos hechizos forzados y que tuviera cuidado con los malos espíritus, que no era bueno apurar el amor. Martín te divierte, Dolores, sabe mucho a pesar de ser tan joven. Habrá que extenderle el contrato, buscar nuevas tareas, proyectos largos.

En una ocasión, Dolores llevó a Arizmendi a casa de Aída. Le habían avisado que Eyerame estaba enferma y quería verla. Llegaron cuando Isabel salía para el cabaret. Era una tarde caliente pero Martín Arizmendi sintió un aire polar cuando Isabel pasó cerca de él. Se detuvo en seco y no entró en la casa hasta que Isabel desapareció en el taxi que la esperaba. Estaba perplejo, con los ojos inquisidores y las manos enjarradas en la cintura. "Mi amor, ¿quién es esa mujer grosera que ni siquiera se detuvo a saludar?"

Arizmendi se conmovió profundamente cuando se enteró de que eran medio hermanas. Puso cuatro dedos sobre sus labios, se los pasó por la barbilla y el cuello y los detuvo sobre su corazón. Suspiró con un ligero meneo de cabeza. Dolores no puso atención al gesto de ansiedad. Tiene la sensibilidad alterada, no lo tomes en cuenta. Preocúpate por tu abuela que a lo mejor esta vez sí se muere. ¿Cuánto tiempo lleva muriéndose? ¿Te acuerdas cuando te dejaba dinero en las macetas? Pobrecilla. Nunca negó que eras su nieta preferida. El tesgüino se la acabó, empezó a acabarse cuando la lapidaron, ella te lo contó, siempre lo dijo. Tú estás segura de que nunca morirá, es una india pura, tiene la sangre eterna, roja, llena de yerbas y curtida por el alcohol.

Dolores tenía razón. La enfermedad de Eyerame no pasó a mayores, aunque quedó tan delgada y ojerosa que cualquier viento podría habérsela llevado. Al cabo de unos días se reincorporó al equipo laboral del cabaret. Ella era la jefa de cocina y aunque sabía que pronto tendría que retirarse de sus trabajos, se empeñó en mantener oculto el secreto de su sazón tarahumara. No dejaba que nadie se le acercara cuando llegaba la hora de preparar los guisos, ni admitía sugerencias de los nuevos empleados que poco a poco se iban agregando al personal. Era partidaria de las tradiciones culinarias que había aprendido en la montaña y aunque todavía preparaba los platillos que en años anteriores había vendido en la calle, ahora los complementaba con florecillas silvestres y ensaladas que copiaba de las revistas gourmet que Dolores le regalaba.

24

A los siete meses de matrimonio nació el único hijo de los Villafierro. La noche del parto Antón andaba de viaje y no estuvo presente. El niño venía en mala posición y tuvieron que trasladar a Dolores al hospital. Afortunadamente, Arizmendi estaba en casa cuando empezaron las contracciones y él fue quien se encargó de avisarle a Aída. "No sé qué hacer señora, reúnase con nosotros en el hospital. Me acabo de tomar dos pastillas de valium y en un rato no sabré de mí. Creo que me voy a desmayar y la ambulancia no llega. ¡Cómo que la cola del puente está larga! ¡Pues nos van a tener que abrir paso, los señores tienen todo pagado en el Providencia!"

Arizmendi perdía la paciencia rápidamente, en los momentos de crisis dibujaba una angustia en el rostro que lo hacía parecer un buey en el matadero. Tenía tendencia a rascarse la cabeza y a tintinear los dientes, pero a pesar de su nerviosismo evidente, Dolores se aferró a la mano de su amigo hasta que llegaron los socorristas.

Aída llegó al hospital dos horas después. Había tenido problemas al cruzar la frontera porque con las prisas había olvidado su pasaporte. El oficial de aduana la mandó de regreso. Cuando Aída entró en la habitación y vio a Dolores con las piernas abiertas y varias enfermeras atendiéndola recordó los desangramientos y apretó la mano de su hija como si siempre lo hubiera hecho. Dolores lloraba y le pedía perdón, le gritaba que había llegado la hora y que la matara allí mismo porque ya no podía más. Arizmendi también dio rienda suelta a sus emociones; después tuvo que abandonar el cuarto porque los mareos lo acometieron con mayor intensidad y frecuencia, sobre todo cuando entró la enfermera con jeringa en mano. "La raquia", avisó la mujer y tras ella entraron los doctores.

Andrés te dejó imposibilitada para tener más hijos. Te rompieron, te rasgaron completita para meterte los fórceps, esos dedos metálicos que te recordaron los aparatos que Isabel llevó en sus piernas durante mucho tiempo. Los sentiste fríos y duros aunque te dijeron que no sentirías nada, que estabas anestesiada. Era mentira, por eso aullaste cuando las tenazas te penetraron.

¡Infelices médicos hijos de puta! Ahora estás seca, estéril.

Antón apareció al siguiente día. Isabel llegó con él. Los dos apestaban a tabaco y a alcohol. Iban rodeados de un aire que desoxigenó la habitación. Dolores no dijo nada, estaba somnolienta y había quedado débil después de haberle remendado las roturas. Isabel se acercó despacio a la cama y limpió la transpiración de la frente de su hermana. "Te ves agotada", dijo.

Aída y Arizmendi también estaban en el cuarto. Martín sostenía al bebé en su regazo y permanecía quieto, a la expectativa, arrinconado por los ojos de los recién llegados. Isabel se acercó y le arrebató el niño. Lo llevó hasta su padre y los dos elogiaron sus cualidades sajonas. "No se parece nada a ti, es el vivo retrato de Dolores", comentó Isabel.

Antón tomó el bulto en sus brazos, levantó la cobijilla azul que lo cubría y después de un largo minuto, asintió. "Mire doña Aída, usted tan prieta y el nieto que vino a tener".

"Sí, se parece a su abuelo, usted sabe que Dolores es medio gringa, ¿verdad? Estoy segura de que Tom, donde quiera que esté, va a regocijarse con este pedacito de carne. Ándele Martín, acompáñeme afuera, hay mucha gente en este cuarto". Aída sentía en la boca el sabor amargo que le anunciaba los vómitos y como era una inconveniencia ensuciar el piso esterilizado, prefirió tragarse los ácidos y disolverlos con un poco de agua de la fuente del pasillo.

Dolores tuvo que permanecer internada hasta que cicatrizaron las heridas. En todo ese tiempo ni Martín ni Aída se separaron de ella, sufría de depresión posparto. Lloraba por cualquier motivo, apenas comía y se tocaba el vientre constantemente. Ordenó que le trajeran muchas plantas, que le pusieran flores frescas y le cambiaran las sábanas tres veces al día. Le daba un asco tremendo hacer sus necesidades en la cama y aunque tenía prohibido levantarse, obligaba a Martín a que la ayudara a ir hasta el baño. Las bajadas y subidas hacían que sus heridas sangraran y que la sábana se marcara con gotitas naranja. "¿Ya se llevaron al bodoque? Llora mucho, no deja dormir. Me duelen los senos de tanta leche. ¿Qué no hay una pastilla o algo que la quite a una de estar lactando? ¡No me digan nada! ¡Lárguense del cuarto! ¡Qué sabes tú de esto, marica! ¡Yo no soy india! ¡No soy! .... no me dejen sola, tengo miedo..."

Isabel tuvo la certeza de que Dolores no se curaría pronto y se ofreció a hacerse cargo de su sobrino. Era robusto y sano. Había pesado once libras al nacer y tenía dobleces en todo el cuerpo. El doctor sólo explicó que había veces en que la naturaleza se burlaba de la ciencia de las formas más extrañas, si había niños que sobrepasaban los nueve meses y nacían enfermizos, por qué no aceptar que un sietemesino estuviera lleno de salud y regordete.

Isabel nunca había contemplado la posibilidad de ser madre así que el sentimiento la tomó por sorpresa. Los productos de aseo con olor a bebé, las cobijitas bordadas con patos azules y osos amarillos y el carrusel colgante que tocaba la misma melodía hasta el cansancio le despertaron un gozo interior muy similar al que experimentaba cada vez que subía a un escenario. Acababa de regresar de México y los productores de su disco habían quedado en llamarla cuando estuviera listo. Era una colección de boleros que Andrés, como Martín lo había bautizado, escuchó antes que cualquier radiodifusora. La ternura con que Isabel lo inundó fue sonora, sus arrullos tenían el efecto de mil abrazos maternales. *Te quiero dijiste tomando mis manos entre tus manitas de blanco marfil. Y sentí en mi pecho un fuerte latido, después un suspiro y luego el chasquido de un beso feliz. Muñequito lindo...*

Los momentos que le quedaban libres, Isabel los aprovechó para revestir la mansión con el aire cortesano que había desaparecido durante el embarazo de Dolores. Le dijo a Antón que los cambios habían sido producto de la mente inestable que caracteriza a las mujeres preñadas y que no se preocupara, que cuando Dolores volviera a casa estaría de acuerdo con el regreso a la elegancia clásica. La verdad es que en dos semanas la mansión volvió a lucir el mobiliario antiguo que Dolores había desterrado. Los pisos de mármol blanco se disimularon con las viejas alfombras persas que habían permanecido en la familia Villafierro durante generaciones; los colores suaves de las paredes fueron cubiertos con tapicerías de brocados chillones y los cortinajes de terciopelo fueron reinstalados donde Dolores había colocado persianas. Sólo el Gericault al final del pasillo parecía agradar a las dos hermanas. La servidumbre perdió la sonrisa constante de los meses de embarazo y volvieron a verse las caras largas y formales de los tiempos pre-Dolores.

Cuando Dolores volvió a Tierra Negra encontró a Isabel instalada y al mando de los manejos. No le importó, iba aturdida por los antidepresivos. "Martín, dile que pase la aspiradora más seguido, que huele a moho".

"Oye Lola, no es posible que accedas a esto. ¡Tanto trabajo que nos costó!"

"No me digas Lola, Martín".

"¡Pues te llamaré mil veces Lola si no haces algo! ¡Qué malgusto, qué furris!"

Ahora que no tenía el pretexto del enorme vientre, Dolores temía que Antón le exigiera sus derechos de esposo; desde la noche de bodas no había ocurrido nada entre los dos y a ella todavía no se le había olvidado la violación. Antón le explicó que con las modificaciones tectónicas que llevaban a cabo en Tierra Negra unos ingenieros japoneses, llegaba a casa cansado y sudoroso, que prefería tener su propia recámara para no molestarla con la impertinencia de meterse entre las cobijas en ese estado. Dolores fingió renuencia y accedió a la separación.

David Price jamás se fue del todo, todavía piensas en él. Bajo tu caparazón bullen las mismas combustiones que afectan a tu familia de lagartos, aunque por ahí digan que tienes la sangre fría. Más ahora que Antón te ha regalado ese David de Miguel Ángel, esa estatua de tamaño natural que mandó colocar en el centro del jardín frontal. Te lo mandó traer de Italia y yergue sus espaldas desnudas frente a tu balcón.

Martín acompañaba a Dolores a sus clases de Historia del Arte y colaboraba con ella en sus pasatiempos de orfebrería. Prácticamente, la Dolores de la sección de sociales, la dama cubierta de alcurnia, afloró en esas épocas. Su imagen se transfiguró y muchos de los sirvientes llegaron a pensar que había sido tocada por Dios. Martín la convenció de que avivara el color rubio de su cabello; todas las mañanas se lo lavaba con una infusión de flor de manzanilla. Poco a poco los tonos soleados de su cabellera resurgieron con más fulgor que nunca, sus ojos azules se pacificaron imitando la quietud del infinito y su piel descolorida adquirió un tono aperlado producto de los baños en leche de cabra. Antón Villafierro no volvió a tocarla. La exhibía con cuidado en los compromisos sociales y políticos que tenía y cuando llegaba a casa la depositaba en su habitación como si guardara su pertenencia más preciada. Martín Arizmendi era la única persona a quien se le permitía estar cerca de ella. Con el paso del tiempo ese hombre de modales cuidados hizo a un lado sus obligaciones y se convirtió en aliado de tiempo completo para Dolores, pues aunque Aída no quiso reconocerlo, una vez que su hija se repuso del parto, no se volvió a ocupar de ella.

25

A pesar de la mudanza a Tierra Negra, Isabel no descuidó el cabaret ni su primer disco. Antón Villafierro le había recomendado un administrador que se hacía cargo del negocio y ayudaba a Aída con la contabilidad. La tarahumara aprovechó las ventajas de la prosperidad para invertir su dinero en los negocios que le recomendaba el hombre. Con el éxito económico solventó su sueño de adquirir la vecindad donde vivía; los viejos inquilinos se convirtieron en la única compañía de las dos mujeres; inspirada por la memoria de Doña Aurora, Aída acabó como la benefactora más querida del barrio. El administrador la enseñó a aprovechar las ventajas de una enorme cuenta de banco y sin ningún remordimiento, mientras ayudaba a sus vecinos y empleados, Aída se convirtió en agiotista para gente rica. Con la garantía de algún objeto de valor prestaba dinero con intereses altísimos. En su casa proliferaban las vajillas Lennox, los relojes suizos e infinidad de aparatos eléctricos que los deudores nunca recogían.

Una vez cada tres meses, Aída organizaba una subasta que era dirigida por el administrador. Después de hacer cuentas, las inversiones se triplicaban, Aída entregaba una tercera parte al hombre y al día siguiente tomaba el tranvía que la llevaba a El Paso. En el banco existía un fondo público dedicado a salvar los lagartos de la plaza, Aída donaba la mitad de sus ingresos del agiotaje a esa cuenta y depositaba la otra mitad para sus ahorros.

En una ocasión fue invitada a una reunión de reconocimiento por sus labores altruistas y le regalaron un pequeño prendedor de oro en forma de lagarto. Aída llegó a casa, se encerró en su recámara y con el filo del prendedor imitó los desangres de Dolores. Lo que Aída trataba de expulsar de su organismo era el amor asfixiante que todavía sentía por Tom. Las gotas de sangre mancharon la sobrecama, Aída se molestó con ella misma, caminó al baño en busca del alcohol desinfectante y las vendas que Dolores había dejado en el botiquín. Comprendió que era inútil desangrarse por un recuerdo, que eso iba bien con el carácter conflictivo de Dolores pero que a ella le revolvía el estómago.

Por su parte, Isabel acomodó su vida a la de su sobrino. En esos tiempos de canciones rítmicas extranjeras, su disco de canciones románticas abarrotaba las casas de música y las emisoras de radio la programaban constantemente. La carátula mostraba un retrato acuarela de su rostro. Antón Villafierro se lo había mandado hacer a uno de los pintores de moda que asistía a las tertulias de Dolores. El artista había sido huésped en Tierra Negra por algunos días y había sabido capturar el coqueto ladeo de cabeza que caracterizaba a Isabel.

Debido al éxito, Isabel dejó de presentarse en el cabaret, las aglomeraciones eran tan grandes que la policía estuvo a punto de clausurar. De ahí en adelante actuaba por sorpresa y en ocasiones distanciadas. "De todos modos siempre estuvimos a reventar", decía Aída.

Con los meses, Isabel comenzó a padecer enajenamientos de espíritu, decía que que su voz tenía poderes sanatorios, que la estaba cultivando lentamente para lanzarse a la persecusión de las enfermedades, las tristezas, las frustraciones y todos los males habidos y por haber. Explicó que una tarde, mientras leía en la biblioteca de Tierra Negra, había llegado a percibir la materialización de su aura, que una luz cegadora había entrado por los vitrales envolviéndola poco a poco, que había oído unas voces diciéndole que siguiera con sus investigaciones porque pronto encontraría la respuesta.

Aída se desesperaba con los discursos de Isabel, pues por más que deseaba que se le compusieran las piernas, nunca distinguió la mejoría de la cual presumía su hija cada vez que la visitaba. Por el contrario, parecía como si Tierra Negra hubiera apagado la ebullición artística que había surgido en la cantina. Aída le aconsejaba tomar clases de canto para educar la garganta, le decía que contemplara la posibilidad del deterioro y le aseguraba que no siempre iba a tener la misma energía. Isabel le respondía que su voz estaba reservada para propósitos más elevados, que la cantada le daba satisfacción pero no era su prioridad.

Con Isabel en casa, las cosas entre Dolores y Antón Villafierro empeoraron. Antón se sugestionó con la idea de que Andrés no era hijo suyo y hacía lo imposible por esquivarlo. Dolores se conformó con los caminos que tomó su vida. No le molestó que Antón e Isabel se hicieran compañeros de parranda ni que llegaran juntos todas las madrugadas. "Tú y tus canciones, Isabel, por qué no te casas con el talachero, dicen que se está haciendo famoso con lo de las carreras. ¿Ya no te visita en la cantina?"

"Mi hermanita santa, ¿pues que no oíste que se mató hace un mes, que no lees las noticias? Yo misma le canté *Las golondrinas*".

Únicamente en las noches húmedas y tibias de Tierra Negra, la fortaleza aparente de Dolores se desmoronaba. Las paredes se le venían abajo y recordaba el pecho de David Price, la presión de sus dedos y el aliento que le bebió de la boca y de todos los poros. Abría las ventanas para serenarse y dejaba que la luna husmeara dentro, que iluminara sigilosa todos los objetos de su habitación y que la envolviera en su luz descolorida. Al otro lado del cortinaje, en el centro del patio frontal, se erguía su David. Dolores salía al balcón de su alcoba y se quedaba inmóvil, perdida en los músculos esculpidos de la estatua. Allí, en las espaldas de mármol, se le extinguía la ansiedad y un frío inmenso la invadía de golpe; lo sentía agudo y cortante, como si miles de escarchas endurecidas la penetraran.

Andrés

1

Los primeros años de Andrés Villafierro fueron díficiles. Llevaba la timidez por dentro. Todos aseguraban que su falta de carácter era producto de los mimos de Isabel, pero ni a ella ni a él les importaba. Todas las mañanas, Isabel abría la recámara con el desayuno en mano, canturreando alguna canción de moda. Colocaba la charola sobre el buró y aunque Andrés estuviera dormido, se tiraba sobre su cama para hacerle cosquillas. Tenía el hábito de leerle el periódico y aunque el niño no entendiera mucho de lo que acontecía en el mundo, le hablaba de política, de la película que debería ganar el Óscar, de que México triunfaría en el Mundial de Fútbol y le decía que ella lo iba a llevar a uno de los partidos. Andrés le decía a todo que sí, que tenía el cabello muy bonito y que le gustaba su perfume. Isabel estallaba en carcajadas, repetía los pellizcos y las cosquillas y le decía que estaba muy chiquito para fijarse en esas cosas, que había sacado lo mujeriego de Antón.

Antón Villafierro tenía la facultad de controlar el corazón, si es que poseyó uno. Desde pequeño, fue educado para mandar, para ejercer el poder que los Villafierro siempre habían tenido y del cual se sentían orgullosos. En él, las ínfulas se multiplicaban a la máxima potencia, nunca se avergonzó de proclamar a viva voz la superioridad de su sangre y en varias ocasiones confesó a Dolores, delante de todos, que no se había casado con Isabel porque era demasiado mestiza para ser su esposa, pero que siempre le había gustado. "El amor no existe, uno se casa por interés, según lo que convenga, nada más para tapar el ojo al macho. Las esposas son como un mueble de madera fina, hay que aceitarlas, desempolvarlas, acariciarlas de vez en cuando, pero que se queden quietecitas en su rincón, que no abran la boca. ¿O no?"

Dolores le pedía que no dijera esas cosas delante de Andrés y hacía señas a Arizmendi para que lo sacara de donde estuvieran. "Llévate al niño. No me gusta que escuche semejantes barbaridades. ¿No decías que te habías educado en Europa? Eres un salvaje, un cretino".

"¿Tú crees que el chamaco se entera de mucho?" mascullaba Antón.

"Eso es lo que quisieras, que no se diera cuenta, este niño es más vivo de lo que parece".

"No, si es por mí que lo sepa todo, Dolores, todo".

Antón Villafierro no se equivocaba; Andrés no comprendía sus palabras pero no las olvidó y un día lo golpearon de pronto, aparecieron ante él con tanta claridad que el vislumbre estuvo a punto de cegarlo. Su familia no era como esas que veía en la televisión americana, los papeles que desempeñaba cada uno de los seres que giraba a su alrededor estaban traspuestos. Dolores le era tan ajena que ni siquiera se atrevía a llamarla mamá y a Antón le tenía miedo porque no estaba acostumbrado a su presencia, nunca lo veía en casa. El hombre trabajaba todo el día en la urbanización de Tierra Negra y por las tardes se encerraba en su oficina hasta altas horas de la noche. Había vendido la mitad de sus terrenos a varias compañías ensambladoras de productos norteamericanos y japoneses. En ocasiones, aunque el niño no entendía el significado de sus conversaciones telefónicas, se acercaba a la puerta del despacho para escuchar la voz de su padre al otro lado. Pegaba la oreja a la madera y permanecía quieto para no hacer ruido. Encontraba en eso un placer dulce que no compartía con nadie, ni siquiera con Isabel, que para entonces se había convertido en su confidente.

Por su parte, Isabel no había vuelto a grabar desde su primer disco. Había recibido varias ofertas de las casas discográficas, pero no las aceptó. Prometió que el día menos pensado aparecería en televisión o daría una entrevista de radio y siguió insistiendo en su propósito de hallar la cura metafísica para sus piernas. Sus canciones se programaban cada vez más esporádicamente; se le inventaron chismes, algunos dijeron que había muerto y otros que estaba recluida en un convento. En Tierra Negra, Dolores le preguntaba constantemente por su carrera, le repetía que estando allí la gente se iba a olvidar de ella, que se mudara a la capital y que aceptara los contratos. Isabel no respondía. Siguió enclaustrada hasta que una noche pudo reaparecer en su cabaret con la misma concurrencia de antes de las aglomeraciones. Aseguró que la fama y el dinero la tenían sin cuidado, que los discos eran secundarios y que de allí en adelante estaría a gusto con sus presentaciones en el club. Ella había nacido para estar entre familia y así iba a seguir por algún tiempo. Dolores le insistió que era una tonta, que estaría mil veces mejor en el Distrito Federal. "¿Me estás corriendo, hermanita? Sí es así, dímelo abiertamente, ¿para qué ser hipócritas? ¿Ya no te acuerdas cómo te servía cuando trabajabas en El oriental?"

De vez en cuando, Isabel llevaba a Andrés al club para que la oyera cantar pues en Tierra Negra no podía hacerlo. Cada vez que lo intentaba, los trabajadores soltaban las palas, dejaban los picos y apagaban los bulldozers para escucharla. Ella comprendía las desventajas económicas que aquello acarreaba y sin que Antón se lo pidiera, decidió clausurar su garganta mientras estuviera en la finca. Pero como a Andrés no podía privarlo de ello porque era esencial para su bienestar síquico, lo llevaba al cabaret dos o tres veces al mes. Entonces, aunque fuese de día y hubiera clientes en el negocio, Aída cerraba las puertas y encendía las luces. Lo sentaba en una de las mesas principales cerca de la pista de baile y le traía una copa de jugo de naranja con granadina para que se hiciera la ilusión de estar tomando.

"Ándele, inícielo en la bebida para que acabe igual que..."

"Dilo, no te quedes a medias, para que acaba igual que su bisabuela tarahumara".

"Discúlpeme mamá, no quise decir eso".

"Déjalo. Mira, Andrés, allí viene tu bisabuela".

Eyerame aparecía con su violín y lo tocaba bamboleándose con un ritmo cómico, dando vueltas a lo largo y ancho del escenario. Tenía el rostro lleno de grietas y una sonrisa agujereada que atemorizaban a Andrés. La bisabuela vencía los temores del niño con un frasco de comida Gerber. Se sacaba el envase de la blusa y se lo enseñaba moviéndolo de un lado a otro. Andrés, como un cachorro hambriento, iba hacia ella con la mano lista para recibirlo. Eyerame le cobraba un beso. Por lo flaca, a Andrés se le figuraba que estaba besando a un fantasma arrugado que en cualquier momento se desvanecería en el aire. La bisabuela saltaba entre el público como si una corriente eléctrica la hubiera activado. Sabía que esos saltos desaforados provocaban en Andrés unos ataques de risa que culminaban con las lágrimas. Ella era el primer número y Aída juró que se presentaba únicamente para su bisnieto, que sólo los afortunados que coincidían con sus visitas podían presumir de haberla visto.

Después venía Isabel. Los acompañamientos musicales grabados en cinta magnética se iniciaban con una fanfarria escandalosa. Andrés se ponía de pie sobre la silla y aplaudía con frenesí mientras su tía caminaba lentamente hacia el centro del estrado. Para él, Isabel era la mujer más hermosa que sus ojos jamás hubieran visto y su voz se introducía inyectándolo de imágenes sensoriales que en ese tiempo no entendía, pero que le enchinaban la piel y le producían escalofríos. Qué bonito cantas tía, enséñame, no seas mala.

Ella lo invitaba al micrófono. No necesitaban hablar para comunicarse, habían establecido una línea telepática por donde las palabras se conducían sin el menor esfuerzo. En esos años, cuando la mayoría de los niños se entretenía con las canciones de Cri-Cri, Andrés conocía los corridos de José Alfredo, los boleros de Javier Solís y las letras de Agustín Lara. Farolito era su predilecta y la entonaba con la raquítica emoción que su voz le permitía. *Farolito que alumbras apenas mi calle desierta, cuántas noches me viste llorando llamar a su puerta, sin llevarle más que una canción, un pedazo de mi corazón, sin llevarle más nada que un beso, friolento, travieso, amargo y dulzón.*

Andrés acababa de cumplir cinco años cuando cayó una tromba en Ciudad Desierto. Ese día lo habían llevado a visitarlas cuando empezó el aguacero. Habían llegado sin avisar y Eyerame no tenía preparado el Gerber. Andrés, que ya entendía de consentimientos, se negó a darle el beso acostumbrado. Eyerame se le quedó mirando por un instante, se abrigó con una bolsa de plástico de esas con las que cubren la ropa en las lavanderías y, con la tormenta y todo, se fue a buscar el alimento.

...sin llevarle más que una canción, un pedazo de mi corazón, sin llevarle más nada que un beso, friolento, travieso, amargo y dulzón.

2

Andrés Villafierro había crecido sin amigos. A Antón le disgustaba que se relacionara con los hijos de la servidumbre; tenía maestros privados. No todo era terrible; en cierta manera, el niño disfrutaba vivir en ese mundo aparte, pues en Tierra Negra los sucesos sólo eran importantes si repercutían directamente. La conquista de la luna, la olimpiada mexicana de hacía dos años, los movimientos estudiantiles que todavía hacían bulla en Ciudad Desierto, fueron comentados ligeramente en alguna comida. No sucedió así con la devolución americana de los terrenos del Chamizal; Antón Villafierro movió influencias, sobó espaldas y sobornó autoridades para que la recepción se llevara a cabo en la mansión. Y lo logró. Los Villafierro echaron la casa por la ventana y se quedaron con la amistad eterna de los presidentes que asistieron a la ceremonia, Díaz Ordaz y Lyndon B. Johnson.

Pero esas historias de visitas espectaculares a Tierra Negra aburrían a Andrés; a él le gustaba platicar con Isabel de su música y aunque después no pudiera dormir, siempre le pedía que le contara uno de los tantos cuentos de terror que ella sabía. Había uno en el que un rosal cobraba vida para destruir a la mujer de su dueño, ese era su favorito y le pedía que lo contara una y otra vez. Isabel accedía gustosa y Andrés se adentraba en esos parajes fantásticos sin la intención de regresar. Imaginaba que Isabel era el rosal asesino y que Dolores sucumbía ante sus rosas negras. La idea de ver a su madre muerta lo paralizaba llenándolo de culpabilidad. Entraba en un trance de arrepentimiento que lo enajenaba del mundo ordinario. Mamá, te ves tan hermosa de muertita, si vieras, con tu pelo lleno de girasoles y tu piel de azúcar glass. Sin embargo, no importaba cuantos días hubiese andado deambulando con la historia en mente, la voz de Antón Villafierro siempre encontraba la manera de volverlo a la realidad. "¡Épale Andrés! Autismos a mí no".

Isabel era la única persona que entendía las rarezas y las soledades de su sobrino. Cuando aprendió a leer, le entregó la llave de un estante de su recámara al que nadie tenía acceso. Allí guardaba sus libros más preciados. Aunque al principio lo único que le interesó a Andrés fueron los dibujos demoníacos de las páginas, poco a poco inició las lecturas. Desde entonces el niño acrecentó la admiración y respeto que sentía por su tía, ahora sabía de donde le venía aquel poder arrebatante que tenía en la voz. A su lado, Dolores y Antón eran dos seres insignificantes que se anulaban en los afectos de su corazón.

Cerca del séptimo cumpleaños, Dolores mandó a su hijo a pasar todo un verano en un campamento de California. A pesar de que el lugar era atractivo, lleno de árboles y estaba cerca del mar, Andrés se sintió desplazado. Sobre todo porque era la primera vez que Isabel no estaba cerca. Pensaba en ella a cada instante y se esforzaba por conservar la telepatía que los unía. *Oye te digo en secreto que te amo deveras, que sigo de cerca tus pasos aunque tú no quieras, que siento tu vida por más que te alejes de mí, que nada ni nadie hará que me olvide de ti.*

Durante el día, obedecía las órdenes de los encargados, realizaba sus tareas y participaba en las competiciones deportivas. Aunque fue un fracaso para los deportes de equipo, se sentía bien en los individuales. Para su sorpresa, resultó ser buen nadador y al cabo de una semana en la piscina, no le atemorizó practicar en el mar. El entrenador de natación los llevaba en lancha hasta una distancia respetable de la playa, les pedía que se lanzaran al agua y remaba tras el grupo. Andrés se dejaba conducir por la corriente y durante los ejercicios de flotación, cuando tenía oportunidad, asustaba a los chicos que hablaban español con una melodía que le gustaba mucho, *tiburón a la vista... bañista...* Esa falta de precaución, esa ausencia de miedo, fue lo que causó su expulsión.

Una noche, después de la reunión en la playa y las estúpidas cancioncillas que los obligaban a repetir en la fogatada, decidió aventurarse en el océano. Esperó hasta el toque de queda y se las arregló para escabullirse de las cabañas. Hacía el mismo calor de los veranos en Tierra Negra; Andrés tenía una necesidad inmensa de sofocarlo, hasta el bañador le resultaba insoportable; se lo quitó y lo arrojó sobre una roca llena de cangrejos.

Encaminó su desnudez pueril hacia el mar. La marea se había tragado el fuego donde hacía unos minutos había estado cantando. El agua helada golpeó sus tobillos flacos mientras sus pies se hundían en la arena. Se dio cuenta de que a diferencia de las olas su corazón permanecía en calma. Frente a él todo era oscuridad, ni siquiera la luna había salido esa noche.

Avanzó lento, dejando que el mar lo fuera llevando hasta

que sintió que la playa desaparecía bajo sus pies. Nadó un poco, se sumergió y volvió a salir para acomodarse boca arriba, tratando de distinguir alguna constelación, pensando en Tierra Negra y en lo que dirían sus padres si pudieran verlo allí; bueno, en lo que diría Isabel porque a ellos no les preocupaba mucho. *Twinkle, twinkle little star, how I wonder what you are, up above the world so high, like a diamond in the sky...*

De pronto la sirena del campamento lo sobresaltó. Las luces de emergencia se encendieron y los gritos de una de las maestras llegaron hasta él. Algo malo sucedía en las cabañas y por primera vez se asustó. Trató de nadar de regreso, pero el mar que hasta hacía unos minutos lo había arrullado con la misma dulzura de la voz de Isabel, no lo dejaba ir. Sintió que unas manos inmobilizaban sus piernas y que tiraban hacia abajo; las manos lo hundían, lo aventaban y lo arañaban como si tuvieran garras. Imaginó que la serpiente marina de la que Isabel hablaba en uno de sus cuentos estaba allí, que lo convertía en alimento. Podía sentir su cuerpo resbaladizo y tibio. Sus manos, aunque pareciera extraño que una serpiente tuviera manos, no lo soltaban. Tragó tanta agua en tan poco tiempo, que los pocos instantes en que salía a la superficie, se le iban en vomitarla. Antes de perder la conciencia y rendirse a la bestia, alcanzó a ver su rostro. Era bella y tenía los ojos del maestro de natación.

Al día siguiente lo pusieron en el avión de regreso. Aunque se había dado un buen baño todavía sentía la arena incrustada en el cuerpo y eso le producía una comezón horrible. Lo habían sentado en la primera fila de asientos para que las azafatas lo cuidaran.

Una de las aeromozas, la más vieja y fea, observó las rasqueras; sonriendo le regaló una crema color verde mentolado, le dijo que se pusiera un poco en las manos y que la untara donde tuviera la erupción. Andrés le hizo caso y se bajó los pantalones para apaciguar el picor que sentía entre las nalgas. La mujer abrió los ojos, gritó unas cuantas palabras en inglés y se puso la mano sobre la boca. Cuando el niño se repuso de la sorpresa que le causó el grito, la tipa ya le había azotado una nalgada que le enrojeció el culo. Fue la primera vez que alguien lo golpeó.

Pasó el resto del vuelo apoyado contra la ventanilla de la nave. Era un día soleado y desde las alturas lo emocionó el color ladrillo de los desiertos que cruzaron. No supo por qué le pareció tan hermosa la extensión de arena que no tenía nada que ver con la jungla ficticia a la que estaba acostumbrado.

Cuando llegó al aeropuerto de El Paso, Dolores lo esperaba con una mueca de disgusto en el rostro. Discutía con Arizmendi el castigo apropiado para su conducta y entre los dos decidieron no dejarlo ver la televisión, ni comprarle comics por un mes. Mientras recogían el equipaje, Dolores le preguntó si se creía un tritón invencible y le advirtió que Antón lo esperaba en casa con el cinturón en mano. A Andrés sólo le preocupaba que su tía conociera la versión verdadera de los hechos. Para su sorpresa, Antón no le pegó, le dijo que estaba orgulloso de que fuera tan machito a pesar de su edad y que si seguía así, pronto sería digno de llevar el apellido Villafierro.

Esa tarde, Andrés se dio cuenta de que su lengua había adquirido una sensibilidad exagerada a la sal; la carne de res, la ensalada, el puré de papas y hasta el postre le supieron a mar. Trató de enmendar los sabores con varios tragos de agua, pero ni así pudo pasar los alimentos. Insistir en la comida era intolerable, así que pidió permiso para excusarse de la mesa, dijo que se sentía un poco enfermo y que se iba a acostar. Dolores comentó que eran los nervios, que más tarde le subiría un tranquilizante. Isabel le respondió que los viajes siempre son cansados y que no achacara defectos de personalidad al niño. "Yo soy su madre y sé lo que necesita", replicó la otra.

A partir de ese momento, Andrés repelía los sabores salados. Por pequeña que fuera la cantidad de sal utilizada en la preparación de la receta, la lengua se le inflamaba a tal grado que le era imposible cerrar la boca. La hinchazón duraba dos o tres días en los que tenía que permanecer a dieta de líquidos. "Era tu cuerpo pidiéndote el agua a la que estamos acostumbrados los lagartos", le dijo una vez Aída.

3

Aquella aventura y aquel verano quedaron sepultados en el acontecer diario. Isabel convenció a su hermana de no llevar a Andrés a ningún siquiatra y, como Antón Villafierro la apoyaba, Dolores no volvió a mencionarlo. Ordenó que las cocineras le prepararan los alimentos por separado y consultó a un especialista en nutrición para que le recomendara una dieta equilibrada. Dolores se obstinaba en hacer ver que era una buena madre; una tarde, durante la cena, dijo que había contratado al especialista para que se encargara de la cocina en Tierra Negra, que ella también estaba harta de tantos años de cocineras gringas e insípidas. Lo dijo en un tono tan firme que nadie se atrevió a contradecirla, fijó la mirada en cada uno de los reunidos a la mesa y brindó con un vaso de agua. Tenía los ojos dilatados y el cuello exageradamente estirado hacia atrás. Habían sido siete años de ambiciones apagadas, de deterioro, y siete años eran suficientes. De pronto se había visto dueña de todo lo que había deseado, sin nada más por qué luchar. Se sorprendió a sí misma caminando por la mansión, con las manos tras la espalda, envuelta en un silencio de féretro y siempre encaminada hacia el patio frontal, hacia el David. Ya no, basta de recuerdos, yo no soy Aída.

Andrés la observó complacido, como si de pronto pudiera visualizar los pensamientos de su madre. Cuántas veces había seguido en silencio las deambulaciones sin que ella lo percibiera, quería quererla pero un candado dentro no se lo permitía, un seguro que él no había puesto pero que estaba allí, colgado y sin llave.

De ahí en adelante, no hubo día en que Andrés no escuchara las protestas de Dolores sobre la mínima decisión de Isabel. "Isabel, mira nada más qué modales, cámbiate de ropa que vienen los diputados a cenar, arréglate el peinado, a ver si vas cambiando tu repertorio melodramático, tus canciones ya están pasadas de moda. Ya mandé que Arizmendi redecorara a mi gusto. Gracias por todos estos años de devoción, has sido un encanto, hermanita. He sido tan injusta contigo. ¿Me perdonas? Qué de sacrificios has hecho. ¿Ya conseguiste novio?"

Esa última pregunta erizaba los celos de Andrés y le gritaba a su madre que Isabel estaba esperándolo a él, que cuando creciera, él se casaría con ella. Dolores se disgustaba con el comentario e insistía en que el día menos pensado lo llevaría al siquiatra para que analizara sus ideas estrafalarias e incestuosas.

Un día al entrar en la habitación de su tía, Andrés la encontró haciendo el equipaje. Sacaba los vestidos del armario y los arrojaba dentro de las maletas sin doblarlos. Por primera vez notó que Isabel lo ignoraba. Estaba muy chico para distinguir las emociones que brotaron por los ojos de su tía. Se quedó parado en un rincón sin decir palabra, pensando que de un momento a otro Isabel se daría cuenta de que era él quien estaba allí y todo volvería a la normalidad, que sus mentes reestablecerían el vínculo que no podía conectar en esos momentos.

Pero no sucedió así. Isabel llenó maleta tras maleta sin reparar en las lágrimas constantes que escurrían por las mejillas de su sobrino; se acercó al armario de los libros con una caja vacía. El corazón de Andrés se comprimió súbitamente, se llevó la mano a la garganta y apretó la llavecita que llevaba colgada al cuello. No te los lleves tía, ésos son míos. Isabel se paralizó, soltó la caja y se volvió hacia Andrés. Había escuchado su pensamiento con más claridad que nunca. La sonrisa que le brindó más que tranquilizarlo le electrificó cada folículo del cuerpo. El niño tuvo que abandonar la habitación corriendo.

No supo a qué hora se marchó Isabel. A la mañana siguiente, cuando acudió a cerciorarse de que se había ido, los libros del estante todavía estaban allí, era lo único que había quedado en el cuarto. Descendió las escaleras apurado en busca de las sirvientas, el ama de llaves o el nutriólogo. La servidumbre no quiso darle información. "No, niño Andrés, nosotros no vimos nada. Su tía se ha de haber ido de viaje".

Andrés salió al jardín del estanque y gritó el nombre de Isabel. Le pidió que regresara, que no lo dejara solo. Pero nadie contestó. Repentinamente, la mansión perdió su amistosa simpatía y se convirtió en un mausoleo decrépito. A través de las lágrimas, Andrés vio que los cisnes se retorcían asfixiados por el mismo aire venenoso que él aspiraba, que los peces saltaban a la superficie en carne viva, que los árboles extendían sus ramas tratando de ahorcarse unos a otros. Tierra Negra era un monstruo selvático, lleno de horror. Siguió gritando el nombre de su tía hasta que se dio cuenta de que estaba tendido sobre una cama que olía a amoníaco y alcohol, internado en un cuarto de un hospital privado de El Paso.

Le dijeron que Isabel había decidido mudarse a la capital, que había llegado la oportunidad esperada todos esos años para lanzarse a la verdadera fama. Andrés sabía que no era cierto, que el doctor de ojos azules que iba a verlo cuatro veces al día, sus padres y hasta el mismo Arizmendi, le ocultaban la verdad. Con la partida, Andrés jamás volvió a visitar el cabaret ni la vecindad.

Isabel dejó la casa porque Dolores la sorprendió haciendo el amor con Antón. Volvían de una reunión de beneficiencia con las damas leonas de Ciudad Desierto cuando Arizmendi escuchó las risitas y los cuchicheos del nutriólogo y el ama de llaves. Ambos se asomaban por la rendija de la puerta que había quedado entreabierta al final del pasillo que daba a la cocina, uno sobre otro. El nutriólogo sobaba su pelvis contra las nalgas de la mujer y ella se subía la falda sin despegar los ojos de lo que sucedía en el otro cuarto sobre la mesa de cortar verduras.

Dolores se indignó, corrió hasta ellos y los sorprendió con un par de bofetadas. El ama de llaves perdió el equilibrio y fue a dar contra la puerta abriéndola de par en par. El espectáculo dejó muda a Dolores. Antón, con todo el esplendor de su desnudez, fornicaba al otro lado de la puerta. Las suelas de unas botas de tacones altísimos emergían sobre sus hombros. El estrépito que el ama de llaves hizo al dar contra el piso, lo obligó a darse la vuelta e interrumpir la penetración. El pene erecto cabeceó ante los ojos de Dolores por un instante. Isabel se incorporó. Dolores hizo señas a Arizmendi para que sacara a los sirvientes de allí.

Esa noche, las dos mujeres expulsaron a gritos el rencor que se les había acumulado en todo ese tiempo. Dolores reprochó a Isabel que la hubiera despojado del amor que su hijo le debía, que lo de Antón la tenía sin cuidado, pero que la desfachatez del descaro era lo único que no toleraría. Isabel le respondió que hacía mucho que era la dueña de todo, que Antón le pertenecía desde antes de la boda y que Andrés, aunque ella no estuviera allí, la seguiría idolatrando. Dolores vociferó que ya estaba harta de tenerle lástima, que siempre había sido una carga y que se largara para siempre de Tierra Negra. "¡Chueca del demonio! ¡Qué te has creído todos estos años! Te me largas de la casa inmediatamente".

"Me largo, hermanita. Quédate con tu mansión y tu David, tu estatua de masturbación. Acuérdate quién robó a quién".

"¡Impúdica vulgar! ¿Qué me echas en cara? Entre tú y Antón no había nada".

"Te equivocas, Dolores, él fue mío desde antes de tu matrimonio, pero quédatelo, míralo aquí, sin atreverse a decir palabra. Ya es hora de que me vaya largando".

"¡Qué esperas! ¡Se te está haciendo tarde!"

Isabel llegó llorando al cabaret, llevaba los brazos maltrechos y los ojos le flameaban como si fuera el dragón de alguno de sus libros. Llegó tan rápido a la barra que parecía que se le había arreglado la chuequera. Encendió un cigarrillo con las manos temblorosas, lo inhaló tres veces y lo trituró en el cenicero, se empinó un tarro de tesgüino y le ordenó al mariachi que la acompañara, que esa noche cantaría desde la barra. Las lágrimas de rimel le corrían negras por las mejillas; no había tenido tiempo de arreglarse el cabello.

No dijiste nada, Antón. Me humilló más tu silencio que sus palabras. Nunca quise quererte y siempre lo hice. *Es imposible que yo te olvide. Es imposible que yo me vaya. Por donde quiera que voy te miro... yo sin tus besos me arranco el alma,* gemía. Cantó con tal amargura que parecía expulsar su vida por la voz y bebió como nunca lo había hecho. Los clientes que la oyeron cantar abandonaron el cabaret al final del espectáculo y no volvieron a pararse en el lugar. Aseguraron que su voz parecía la de un ángel derrotado, que los lamentos escondidos de la tesitura se clavaron en sus almas para siempre y que nunca pudieron arrancárselos. *Cuatro caminos hay en mi vida, cuál de los cuatro será el mejor. Tú que me viste llorar de angustia, dime paloma por cuál me voy.* Hasta hoy circulan los rumores de que el diablo se apareció esa noche y que Isabel bailó varias piezas en sus brazos.

Desde ese momento, el club empezó a perder clientela. Se trajeron nuevas variedades, se cambió el color de los neones, los mariachis vistieron trajes blancos para atraer las buenas energías, pero todo fue inútil. Por más esfuerzos que Aída y Eyerame hicieron, cada día se quedaron más solas. Esa vez, ni siquiera el tesgüino tuvo el poder de rescatar el negocio.

4

Con las artes de buena comerciante que había adquirido con el paso de los años, Aída vislumbró la decadencia y vendió el cabaret. La única que siguió enfrascada en una lucha tan empedernida como inútil fue Eyerame. La bisabuela se descoyuntó totalmente y poco a poco empezó a perder fuerzas. Aída se empeñó en hacerle ver que las dos necesitaban descanso, que no fuera terca y que no se preocupara porque tenían ahorros de sobra. Eyerame ignoraba los comentarios y se quedaba quietecita en su mecedora. Allí se fue secando. "El día que entregué las llaves al nuevo dueño firmé la condena de mi madre", contó Aída.

Aída la bañaba todas las mañanas, la perfumaba para ver si se animaba un poco, pero la bisabuela continuó su silencio mortuorio con religiosidad hasta el día que le pidió que la vistiera a su modo porque el viento vendría muy pronto. "Saca tesgüino del refrigerador y tenlo listo para cuando llegue", agregó.

Aída no comprendió exactamente sus palabras; sin embargo, la obedeció. Desempolvó las enaguas, la blusa y las colleras rojas. La arropó como la muñequita que la había acompañado en el descenso de la montaña. La altivez de la Eyerame de entonces no había envejecido. La sentó en su mecedora, acercó el tesgüino y se acurrucó a sus pies para esperar. "Tocan mamá, voy a abrir".

El viento entró como los vientos de febrero y marzo, salvaje, derribando las macetas, quebrando los cristales, dejando en los pisos recién lavados la huella de su paso. Se la llevó. "¡No se me muera, mamá! ¡Míreme como me abrazo a sus piernas! ¡Quédese en este mundo, no me abandone!"

El rapto la consternó por unas horas. Lloró todo lo que no había llorado en todos esos años y se emborrachó con el tesgüino que quedaba. Abrió las ventanas, se limpió la nariz y preparó la nutékima. La bendijo con un número infinito de rezos, le preparó alimento, bailó y tocó el violín hasta repetir la sublevación sensorial que había alcanzado en las ceremonias de Doña Aurora. Entonces el viento regresó a contarle que los restos de Eyerame habían sido esparcidos sobre Ciudad Desierto, sembrados a lo largo del caserío y regresados a las montañas, a la cueva donde había acontecido su primera muerte. Fue una revelación hipnótica, un momento que la cantinera arrebató al espacio para quedarse en paz, segura de que Eyerame, al igual que Tom y Doña Aurora, se encontraba en la presencia de Onorúame.

Al día siguiente Aída se levantó temprano. Hirvió café en una olla de peltre y se lo sirvió cargado. El silencio le pesaba en el cuerpo, le apretaba el estómago. Comió un pan dulce, se limpió la boca y sacó un azadoncillo del armario. Salio al patio, hizo un hoyo en la jardinera y enterró bajo uno de los árboles las vestimentas que habían quedado sobre la mecedora. Después telefoneó a Dolores para informarla de lo que había sucedido. "Se fue, la molacha se fue".

"No sufra, mamá. Voy para ayudarla".

No hubo funeral, no podía haberlo; Dolores mandó hacer una cripta simbólica en el panteón de Tierra Negra. La nieta preferida lloró cuando dedicaron el edificio, pero nadie lo supo. Llevaba unas gafas oscuras que ocultaban sus ojos. Antón Villafierro le aconsejó que organizara algún tipo de ritual autóctono, pero como en Dolores aún hervía el disgusto por lo ocurrido en la cocina, le contestó que ella no se encontraba en condiciones para representar teatritos propagandísticos.

Aunque no la vio, Andrés supo que Isabel había asistido a la ceremonia. Su mente la presentía cerca y hurgó en todos lados para encontrarla. Sentía que lo observaba, tenía sus ojos clavados en la nuca, en la espalda o en el cerebro. Era un sentimiento que lo embargaba por completo. Intuyó que Isabel estaba allí para disculparse por la huída y para prometerle que regresaría. Trató de escabullirse de la mano de Dolores para buscarla, pero ella se mantuvo firme, forzándolo a permanecer inmóvil ante la prensa local, que a pesar de todo, se enteró del asunto.

Fue una de las pocas ocasiones en que Aída visitó Tierra Negra. Aparte de resaltar entre los reunidos porque vestía de blanco, era la única que sonreía. Cuando se acercó a Andrés, le dijo que se habían acabado las representaciones, que Eyerame lo había querido mucho y que la recordara siempre. Agregó que ella también se iba, que no le quedaba nada allí y que siempre oraría por él. Le dio un beso y le puso un prendedor dorado en la solapa del trajecito luctuoso. Era la figurilla de un lagarto.

En Ciudad Desierto no quedaba nada importante; en El Paso los lagartos habían sido mandados al zoológico, la plaza había sido sustituida por otra y quedaban pocos tranvías. Los soldados de Fort Bliss peleaban otras guerras en otros lugares del mundo. Los desérticos seguían tratando de mojarse las espaldas en el Río Bravo, que de bravo no tenía nada, pero de traicionero mucho. Las montañas de Tom habían sido cercenadas por una carretera y los edificios de más de diez pisos se seguían alzando. Antón Villafierro vendía su Tierra Negra a cualquier extranjero con dólares y las maquilas afloraban como epidemia. Había cada vez más pozos venciendo el desierto, más aires acondicionados, más recién llegados y menos trabajo. Las mujeres se volvieron locas con José José y los muchachos se dejaron los cabellos más largos que nunca, se pusieron camisas floreadas y zapatos de plataforma. En todos lados se abogaba por la paz y se fumaba marihuana. Se abrieron clínicas auspiciadas por el gobierno central, se cambió la moneda y un desértico de ritmos a go-gó que cantaba *no tengo dinero ni nada que dar* dejó los clubs de la Avenida Juárez para conquistar todo el país. El cabaret de Aída fue rebautizado como La cucaracha.

Tanto crecimiento, tanta aglomeración, todo lo que representaba la nueva Ciudad Desierto, no le interesaba a Aída. Igual que había hecho su madrina hacía muchos años, vendió lo que le quedaba. Hizo un buen regalo al administrador que la había ayudado en los últimos tiempos, empaquetó algunos enseres personales, se volvió a colocar la fotografía de Tom en el seno y regresó al desierto, a la casa abandonada que Doña Aurora le había dejado. Se sentía demasiado vieja para enfrentarse a las discordias familiares en Tierra Negra y consideró adecuado el momento para retirarse del mundo en que había girado hasta entonces. Se sentía sola.

5

Cuando Aída bajó del autobús se sorprendió de lo mucho que había crecido el pueblo. La última vez que lo había visitado la terminal apenas se podía llamar así; ahora hasta un restaurante de hamburguesas existía. Hacía un calor agobiante, pero decidió caminar. Sólo cargaba una maleta. Llevaba el mismo vestido de manta blanca que había llevado al entierro de Eyerame. Un abanico la mantenía fresca a pesar del sol. El cabello recogido sobre la nuca y unos lentes complementaban su vestimenta. Nadie habría reconocido a la india tarahumara que organizó las nutékimas de Doña Aurora años atrás, pero a esa hora ningún alma se atrevía a andar por la calle.

Aída recorrió el camino solitario como si lo observara por primera vez. Los senderos arenosos de antaño lucían un pavimento oscuro que reflejaba los rayos solares intensificando la temperatura. Las tapias de los edificios se difuminaban tras una cortinilla de espejismos danzantes. Los cactos se erguían indiferentes. Cuando después de la caminata vislumbró la casona, las suelas de los zapatos parecían haber empezado a derretirse. Ignoró el ardor en los pies y se apresuró hasta las paredes blancas que seguían tan firmes como en los viejos tiempos.

Al abrir el portón recordó los cuervos que lo habían adornado y que ahora daban la bienvenida en la mansión de Tierra Negra; aparte de su ausencia, todo denotaba una extraña normalidad. La limpieza del solar y la pintura reciente fueron los primeros indicios de que alguien se había hecho cargo de todo, después reparó en las ventanas abiertas. Vio unos recipientes metálicos agrupados en el patio y se acercó a ellos. La leche espumeaba, la habían colocado allí hacía sólo unos minutos; en ese infierno, nadie se arriesgaría a dejarla por mucho tiempo a la intemperie. Miró hacia una de las ventanas y vio que la cortinilla se cerraba con prisa. Recordó el saqueo de la última vez. Acomodó la maleta sobre una jardinera, se llevó la mano al pecho y se sacó la llave del entreseno. Sus dedos rozaron la fotografía de Tom. El corazón se le desbarrancó y los pies se le aflojaron.

El teniente apareció tras la puerta, condecorado con medallas fulgurosas, resplandeciendo bajo el dintel de la casona. Abría los brazos dispuesto a colmarla con caricias que habían quedado suspendidas en el tiempo. Sus manos la invitaban a acercase, a correr; esas manos ásperas y suaves que la habían apretado en las caderas hasta marcárselas, esas manos donde terminaban los brazos que la hacían sentir pequeña y resguardada; esas manos que se le deslizaban desde la cintura hasta el pezón y la hacían perder el aire, abrir la boca y morderse los labios. El teniente había estado aguardando allí todos esos años. No había envejecido, tenía el mismo cabello rubio y sus ojos habían guardado la misma inocencia retratada en el color sepia de la foto. Aída tembló y un dios mío ascendió de su estómago cuando Tom retrocedió cerrando la puerta. Saltó, dio el paso más rápido de su vida.

No tuvo tiempo de insertar la llave en la cerradura porque ésta se alejó de sus dedos para dar paso a Anselmo Pérez. El corazón le dio otro vuelco, la ilusión dejó de existir y la saliva le supo amarga. Permaneció quieta, para que lo que acababa de ver fuese una aparición y se esfumara pronto, para que regresara Tom. Mi teniente, no juegues así conmigo. No me desbarates. Casi siento mis manos en las tuyas.

Pero no sucedió. Anselmo Pérez estaba allí, había estado allí todo ese tiempo y lo único que Aída atinó a pedirle fue que la ayudara con la maleta. Tom seguía tan muerto como siempre. "Llévala a la recámara, me duelen los pies". Anselmo tomó el equipaje de Aída y le abrió paso para dejarla entrar.

Aída no pidió explicaciones porque no le interesaban. Se sentía traicionada pero tras la desilusión, el conformismo se hizo presente. Habían pasado muchos años desde la desaparición de Anselmo. Ahora, al verlo despabilado y vivo, se propuso resucitar los sentimientos de cariño que en alguna ocasión le había tenido. La casona era lo suficientemente grande para los dos. Apenas ayer había aceptado el destino de quedarse sola y de pronto la vida le ofrecía la compañía de Anselmo. Supo, pero no con certitud, que las cosas iban a estar bien. Anselmo era un buen hombre, siempre lo había sido.

Aída caminó hasta la vieja cocina, abrió el refrigerador y se sirvió un vaso de agua de horchata. Recordó las sartenes que en un tiempo habían colgado del techo, la espalda de Eyerame inclinada sobre la estufa, los azulejos brillantes y olorosos a detergente. Cuánta ternura la invadió entonces, se le desparramó por el cuerpo como si hirviese en una hornilla que tuviera dentro, olía a gardenias y sabía a tesgüino. Había tenido dos madres y las dos estaban allí, en esa casona que Anselmo había arreglado pero que seguía siendo la misma, en ese lugar donde había dejado de ser un poco tarahumara y había aprendido a ser un poco chabochi, en ese lugar donde Tom era una aparición llena de medallas y Anselmo la realidad que se había sentado frente a ella, con los ojos húmedos y la barba acabada de afeitar.

"Te quise mucho, Aída", dijo.

"Lo sé".

6

En Tierra Negra, las cosas entre Dolores y Antón no se arreglaron con la expulsión de Isabel. Dolores jamás le perdonó a Antón Villafierro su descaro y le juró que nunca la volvería a tener. El polvo milagroso que ella y Arizmendi habían descubierto en una de las tertulias poéticas los mantenía al margen de los aconteceres diarios. A Antón la dependencia química de su esposa lo tenía sin cuidado. Tampoco lo afectaba la ausencia de Isabel, siempre existía alguna señorita maquiladora dispuesta a serenar las ansias del señor. Sólo tenía que aparecer por alguno de los nuevos bares que habían abierto cerca del parque industrial para que las muchachitas de segunda se le colgaran del brazo. Le hablaban con un aliento de chicle y de cerveza que Antón ignoraba. Escogía a la menos ebria, a la que tuviera las mejores piernas o a la que pareciera más dispuesta. Le disgustaba andar con cortejos con ese tipo de mujeres. A lo directo, a lo que te truje Chencha.

Un día, Andrés descubrió a su madre inclinada sobre la mesita de su tocador, tenía un popote incrustado en la nariz y absorvía el gusanito de polvo blanco que había formado con una navaja de rasurar. Sonreía y mecía su cuerpo cadenciosamente frente al espejo. Cantaba imitando los falsetes roncos de su hermana, disfrutando de una comedia que solo ocurría en su imaginación. *Qué triste, todos dicen que estoooy, que siempre estoy hablando de tiiii...* Se concentraba tanto en esperpentizar el ritual de Isabel que no sintió el peso de la mirada curiosa. *Hasta la golondrina emigroooó, presagiando el final...*

Andrés intuyó que Isabel estaba allí, que el polvo era un vehículo para alcanzarla. Se acercó silenciosamente, no quería sobresaltar a su madre, no quería que interrumpiera el gozo interno de sentirse Isabel. Mamá me das tantito, me dejas probar, yo también quiero reírme. Dolores gritó, lo empujó hasta hacerlo caer sobre la cama y le dijo que saliera de su cuarto inmediatamente. "¡Espía, espía!" vociferó indignada. Andrés nunca la volvió a molestar.

Había otra Dolores, la de todos los días. Esa se levantaba

muy temprano, pedía el menú para los que se quedaban en casa y salía con el decorador a sus reuniones sociales. Tenía una sonrisa a flor de labios y sus ojos azules siempre maquillados acariciaban al despedirse. "Eres igualito a tu padre", dijo una vez que el niño la siguió hasta el coche. Andrés no supo si se refería a Antón Villafierro o a la imagen borrosa del otro hombre que había fabricado en la imaginación.

Isabel se había equivocado al decir que Andrés no querría a Dolores, pues su corazón apenas se vio libre del influjo de la tía, buscó el cariño de su verdadera madre. Sin embargo, era demasiado tarde, le daba vergüenza pedirle un abrazo y acercársele era difícil. Era tan hermosa y siempre iba tan bien arreglada que tenía miedo de estropearla con sus tonterías. Aparte, allí estaba Arizmendi, la sombra que se desvivía por protegerla.

La tarde que los oyó hablar del divorcio, Arizmendi había dejado entreabierta la puerta de la alcoba y Andrés podía escuchar desde el pasillo. Dolores permanecía sentada en un sofá. Andrés sólo distinguía los zapatos altos de sus piernas cruzadas. Los taconazos acelerados de Arizmendi llegaban claros a sus oídos, lo imaginó a espaldas de su protegida o protectora, con la mano derecha guardada bajo la axila opuesta y la otra sosteniendo el cigarrillo. "Eres una tonta, yo en tu lugar ya le habría exigido una buena pensión y la casa de Puerto Vallarta... ¡Ah y la de Santa Fe también!... ¿Qué se ha creído, que después de la harpía de tu hermana va a darle vuelo a la hilacha con todas las putas de Ciudad Desierto? No, mi chula, tú vales mucho para estar de segundo frente". Dolores no respondió, apoyó los dos zapatos en el piso y una de sus manos tentó dentro de su bolsa. Andrés pensó que había sido descubierto y que Dolores se enderezaba para alcanzarlo. Corrió.

Desde que Isabel se había ido, Tierra Negra se había convertido en el calmante de sus nervios. Le gustaba correr descalzo para sentir el musgo húmedo en las plantas. Allí no existían límites, podía gritar y llorar a voluntad. A veces, se entretenía conversando con algún insecto o se pasaba las horas abrazado a los árboles, platicándoles sus problemas y asegurándoles que Isabel volvería muy pronto para serenarlos con su voz. Frotaba sus mejillas sobre la corteza áspera de los troncos y jugaba a que era uno de ellos. Pero los árboles eran inmutables, fríos, y aunque Andrés los abrazara fuerte, no correspondían a sus pasiones. Ese día les contó que había escuchado la palabra divorcio y no sabía por qué le dolía dentro. ¿Qué iba a pasar con él? Quería que los verdes brazos se extendieran y lo acurrucaran, pero esas cosas sólo sucedían en las historias de Isabel. Allí estaba, solo en la oscuridad que producían sus cúpulas y ellos no acertaban a moverse. Pasó de uno a otro sin que ninguno lo consolara y cuando por fin se hizo de noche, regresó a casa.

La biblioteca estaba cerrada pero las carcajadas de Antón Villafierro resonaban hasta afuera. Arizmendi estaba en la cocina; Andrés lo interrogó pero el otro dijo que no sabía lo que ocurría, que sus padres habían estado discutiendo toda la tarde. Andrés se sirvió la lasaña que el nutriólogo le había guardado en el refrigerador y se sentó a la mesa. El decorador se ofreció a calentar el guiso. Andrés respondió que así estaba bien. El hombre tenía los mismos ojos perdidos de Dolores y se comía las uñas frenéticamente; hacía dos semanas se había africanizado el cabello con una permanente. Ni siquiera cuando Andrés hizo rechinar el tenedor sobre la porcelana del plato se sacó los dedos de la boca.

La puerta de la biblioteca cedió ante el peso de Dolores. Antón Villafierro le gritó que se largara, que ella no era nadie para decirle lo que podía hacer y que no le interesaba seguir aparentando lo que no era. "¡Ya estuvo bueno! ¡Ni como adorno haces buen trabajo! ¡Lárgate y a ver si encuentras a otro que te solvente el vicio!"

Andrés y Arizmendi corrieron a la estancia, pero antes de que llegaran, Dolores ya se había incorporado, un hilillo de sangre le escurría por la comisura de los labios. "¡Eres una bestia! ¿De qué te sirvieron tantos años en Europa? ¡Civilizado de mierda!"

Andrés corrió hasta ella y le abrazó las caderas. Arizmendi permaneció quieto, con los ojos muy abiertos y las uñas entre los dientes. Antón miró a su hijo con un aire de desconcierto que duró un segundo, fue una ternura sorpresiva que Andrés distinguió en sus ojos, pero que se extinguió tan rápido como había surgido. A pesar de lo que ocurría, Andrés deseó con toda el alma llegar a tener la fortaleza de su padre. Lo veía enorme, intacto. Sin embargo, la mano de Dolores se aferró a su espalda y no tuvo otra opción que indignarse por su sufrimiento. Fue un sentimiento obligado de lealtad; era un dolor que no le pertenecía pero que una voz dentro le dictaba que aparentara.

A la mañana siguiente, cuando Antón Villafierro fue a su recorrido acostumbrado, Dolores, Arizmendi y Andrés abandonaron Tierra Negra. El niño se dio cuenta de que su madre y el decorador seguían un plan preconcebido, que el pleito con Antón Villafierro era el inciso culminante de la representación. Papá, no dejes que me lleven, me quedo aquí, en silencio, sin molestar.

Los tres se instalaron en un apartamento amueblado en una colonia gris de Ciudad Desierto. Cuando llegaron, Dolores ordenó a Andrés que se fuera a la recámara, que allí encontraría todo lo necesario y que se preparara para salir más tarde. Desde el cuarto el niño oyó que los dos celebraban la huída y el escándalo en los diarios cuando se enteraran. Arizmendi le decía que tenían que iniciar los chantajes esa misma tarde porque lo más seguro era que Antón Villafierro cancelara las cuentas bancarias a las que Dolores tenía acceso. Ella lo tranquilizó revelándole que a lo largo de los años había ahorrado en secreto, que no había sufrido tantas humillaciones de gratis. Abrió una botella de brandy y sirvió dos copas.

Has hecho lo que tenías que hacer, Dolores. Eres una mujer fuerte. Has escapado de la Tierra Negra maldita, que tu hermana vuelva y no encuentre nada, todo va a ser tuyo, tienes un hijo que lleva el apellido Villafierro. Mira a Arizmendi mirándote, él te ha convencido de que juntos llegarán muy lejos, ha dejado el brandy y prepara la cocaína sobre el cristal de la mesita de centro. Es la única droga que te ha sentado bien, probaste el LSD, la heroína y hasta el hachís que te consiguió el nuevo dueño de El oriental, pero nada te satisfizo como la hoja de coca. ¡Qué energía y qué valor de hacer todo! Ni siquiera piensas en David Price aunque Andrés te lo recuerde a cada instante, es tu castigo por parecerte a Tom y torturar a Aída con tu presencia. La tragedia viaja en tu sangre, Dolores, en esa sangre que ahora debe ser mucho más rala por tanta droga. Pero tú de eso no te das cuenta, supones que ese vaso de jugo de naranja te mantendrá fuerte toda la vida. Al menos has dejado los laxantes, no los necesitas, ya casi no comes. Están de moda las siluetas esqueléticas como la tuya, eso también es un gen que debes agradecer a tu abuela tarahumara. Mira a Arizmendi como se limpia las aletas de la nariz y se mete los dedos en la boca, dice que la cocaína le erotiza la lengua. El día menos pensado deja de ser maricón y te acuestas con él, después de todo no es feo, tiene un trasero de envidia y un pene más grande que el de Antón. Te lo enseñó el otro día que se puso bien coco. Pero tú no podrías con él ni con nadie, eres una lagarta con delantalito blanco y lloras y lloras por tu soldadito de invierno. Qué cursilerías, Dolores, eso no va contigo. Mejor deja de pensar en poesías viejas y túmbate con Arizmendi a saborear la coca, la coca que te libera el alma de reptil y explota en colores y en ganas de hacer cosas.

7

Lo del apartamento duró dos meses que para Andrés fueron una eternidad. Se sentía prisionero, ahogado en esas habitaciones de techos bajos y muebles cubiertos de plástico. Extrañaba la selva, la humedad y el calorcillo pegajoso. Ciudad Desierto le parecía horrible, llena de personas malolientes y caras desconocidas. Pasaba horas viendo las telenovelas americanas, *Days of Our Lives, General Hospital* y *Guiding Light,* eran las mejores. Luego, después de la siesta, venían las repeticiones de *The Brady Bunch, The Partridge Family* y frecuentemente, *Pow! Zaz! Bang!... Batman!* A veces soñaba con la tía Isabel, pues desde el entierro de la bisabuela no había sentido su presencia.

Los fines de semana, Dolores lo llevaba a recorrer los almacenes de El Paso. Tenía un Mustang descapotable que siempre olía a cerveza y a cigarrillo. Gastaba el dinero como siempre, segura de que Antón Villafierro acabaría cediendo a los términos del divorcio. Arizmendi le pedía que recortara el presupuesto de las trivialidades y presagiaba que el día menos pensado se quedarían sin nada, que las cosas empezaban a oler mal. Dolores se reía. "Lo subestimamos, chula. Acuérdate que los diarios jamás reportaron tu rompimiento y cómo batallamos para encontrar un abogado. Tu viejo tiene amigos en todos lados".

A pesar de las advertencias, Dolores siguió abarrotando el apartamento de porcelanas, pinturas, esculturas y ropas de firmas reconocidas. Andrés cada vez se asfixiaba más. Se convirtió en un niño de piernas muy flacas y facciones óseas, con apariencia de tuberculoso. Dolores se empeñaba en vestirlo como marinero y en su noveno cumpleaños le regaló un navío de control remoto. Andrés soñó que Isabel y él zarpaban al fin del mundo. Ya no era el escuincle insípido de siempre, se había convertido en un hombre tan alto y fuerte como el David de Tierra Negra, o como Antón. Isabel se le abrazaba en la cubierta del bote, recargaba sus pechos sobre él y le ofrecía sus labios. Andrés despertaba sudando y asustado con el endurecimiento entre sus piernas.

El divorcio favoreció a Antón Villafierro en todos los aspectos. Dolores fue acusada de abandono del hogar, de adulterio con Arizmendi y de secuestro. No obstante, por petición de Antón, el juez le concedió la custodia de Andrés, le asignó una pensión modesta para el niño y le pidió que se inscribiera en un programa de rehabilitación. "Hágalo por su niño, señora. Y agradezca a su marido que no se lo quite, que yo en su lugar..."

Dolores apretó la mano de Arizmendi y soltó una maldición en voz baja. "¡Nos jodió!"

"No te preocupes, corazón, de ésta salimos pronto", la consoló. Dolores mantuvo la calma, se ajustó la diadema, prendió un cigarrillo y preguntó quién le iba a supervisar el programa.

Los problemas empezaron cuando Antón dejó de mandar el dinero y Dolores tuvo que conseguir trabajo. Arizmendi ayudó por un tiempo, pero después de la crisis nerviosa que tuvo cuando sorprendió a su amiga con las venas cortadas, acabó en los brazos de un amante de ocasión. "No me hagas esto mamacita, yo no estoy para suicidios, mejor me voy con Federico. Es un pobretón de mierda, feo y le huelen los pies, pero qué le voy a hacer, tu maridito se ha encargado de cerrarme todas las puertas de Ciudad Desierto".

"¡No es mi marido!"

"Pero lo fue, chulis, lo fue. Mejor te hubieras aguantado en Tierra Negra".

"Ya cállate güey y échate el último pericazo para que veas cómo te quiero".

"No me insultes, Lola, sabes que soy un sentimental".

"¡No me digas Lola!"

Como el alquiler del apartamento era elevado para sus posibilidades, Dolores no tuvo más remedio que volver a la vecindad de su infancia. Los nuevos dueños fueron condescendientes y le aceptaron una alhaja como pago, por casualidad la vivienda de Aída estaba desocupada. Dolores hizo añicos su orgullo, se deshizo de todas las tentaciones punzocortantes y lentamente emergió como la madre que Andrés soñaba. Era hermoso verla así y por primera vez en mucho tiempo el niño dejó de pensar en Isabel.

Por su parte, únicamente Isabel sabía de las batallas que había enfrentado consigo misma para no regresar a Tierra Negra. Aquella noche en la cantina los demonios que llevaba dentro se habían manifestado y habían tomado las riendas. Para controlarlos, Isabel había tenido que enclaustrarse por un tiempo. Después, se fue a la Ciudad de México y se perdió entre los actorcillos que pululaban por las aceras de Televicentro. Conoció a una artista folclórica que la reencauzó en lo de la cantada y, finalmente, logró participar en el Festival Nacional de Música Ranchera. No consiguió el primer lugar, pero su canción se escuchó en la radio más que cualquier otra. “Se consagró, está aquí para quedarse”, decían los periódicos. Hubo algunas negociaciones, algunos contratos de exclusividad y su segundo disco apareció con el título *La que se fue.* Chabela Villa, se rebautizó en honor a la señora que la había hospedado y que aseguraba ser descendiente del Centauro del Norte.

8

El recorrido que iba de la sala de belleza a la zapatería provocaba el miedo de Andrés. Había una pared muy alta y a él se le figuraba que nada más estaba esperando a que pasara para caerle encima. Pero Dolores siempre se empeñó en circular por allí. Andrés le tomaba la mano y agachaba la mirada, tenía que hacer un esfuerzo enorme por concentrarse en cualquier otra cosa. A veces eran esos zapatos de plataforma que ella siempre llevaba, a veces sus piernas, esa costura ascendente de las medias que se perdía en la bastilla de su minifalda, lo que fuera con tal de no voltear al muro.

Jamás confesó su miedo, que no se dijera que Andrés era el primer Villafierro cobarde. Él mismo comprendía que sentir así no era normal, pero esa ruta le ponía los pelos de punta. Antes de doblar la esquina hacia esa banqueta, Andrés se cercioraba tímidamente de que la pared estuviera allí, era el terror de que algo le cayera para aplastarlo, o que algún animal extraño le brincara desde el otro lado. Alzaba los ojillos casi sin querer y la veía. ¿Por qué no acababan de tirarla como habían hecho con el resto del edificio? A veces hasta soñó que Dolores era uno de esos ángeles de muerte, bellos, pero sólo buenos para encaminar al infierno. Ella percibía lo que pasaba y ponía de manifiesto su capacidad de hacerlo hombre al llevarlo por allí. Andrés caminaba a ciegas, aferrado a su mano y apretándosela sin dejar de temblar.

"Ya tienes diez años, controla la temblorina".

"Lo intento mamá, lo intento".

Todo había comenzado el día de la entrevista de trabajo. Como había fumigaciones en la vecindad y Arizmendi andaba de luna de miel en Tijuana, Dolores tuvo que cargar con su hijo. Ella quería impresionar al dueño de la zapatería, así que programó una parada en el salón de belleza. Andrés iba un poco asustado porque nunca se había subido en autobús. No es que tuviera miedo del vehículo sino que los olores a hierro oxidado y a sudor lo hicieron pensar que toda esa gente se había escapado de uno de los cuentos de Isabel y estaba a punto de atacarlo.

"¿Por qué vendiste el Mustang? ¿No extrañas a papá?"

"No hagas preguntas estúpidas y cógete del barrote, no te vayas a caer".

El salón tranquilizó a Andrés. La recepcionista llevaba un peinado de cuernos que la hacían lucir como un satanás afeminado, sin embargo, lo había recibido con una sonrisa y un caramelo enchilado en forma de mazorca de maíz. Sin hacer ruido, Andrés se sentó frente la butaca donde se había acomodado su madre. La percibió tan sola, con un casco que echaba un aire calentito y una medio sonrisa que daba melancolía.

Cuando salieron del peinador, Andrés comprendió lo estúpido que Antón Villafierro era al no obligarla a volver. Era tan hermosa como esas mujeres de revista y por todos lados le insistían en su parecido con la desaparecida Monroe. Ya no llevaba las joyas que había acumulado como señora de Tierra Negra, pero se adornaba con el porte altivo de la desintoxicación. Andrés se sentía tan orgulloso que no podía voltear hacia otro lado, sólo para arriba, para verle esa carita bella y recién maquillada. Esa carita que las drogas no habían conseguido atrapar.

Fue entonces cuando la pared apareció, horrible y enorme. Se extendía tras la cabeza de Dolores como queriendo cortar el cielo en dos pedazos. En lo más alto había una cruz improvisada por dos tubos torcidos. Se aterrorizó, quiso continuar pero no pudo, era como si se hubiera petrificado. Dolores estiró y Andrés dejó ir su mano. Sólo acertó a permanecer allí, con los ojos clavados en la pared. Ella dio algunos pasos y cuando se dio cuenta de que Andrés no la seguía se volteó. Andrés se había mojado los pantalones.

El dueño de la zapatería le disculpó el retraso y a Andrés le dio una vergüenza enorme cuando la muchacha de la peluquería le pasó la toalla húmeda por el sexo. Los pantaloncillos cortos colgaban del mismo casco donde Dolores antes había puesto la cabeza. El manotazo fue insignificante comparado con la vergüenza de verse tratado como un imbécil. ¿Qué diría Antón Villafierro si se enterara de que su hijo era flojo de aguas? Cuando Dolores regresó, Andrés se había quedado dormido en la bodeguita del establecimiento.

"No sabe cuánto se lo agradezco", sacó un billete.

La peluquera declinó el ofrecimiento. "No se preocupe, ¿consiguió el puesto?"

"Me van a telefonear mañana. Me llamo Dolores", extendió la mano.

"Guadalupe, encantada".

Dolores consiguió el empleo y la chica del salón de belleza se convirtió en la niñera oficial porque Arizmendi aparecía por la casa cada vez con menos frecuencia. Cuando lo hacía, era sólo para quejarse de la mala leche que tenía el amante y de lo poco que le dolían los golpes porque ya se estaba acostumbrando. Andrés refunfuñaba que a su edad no necesitaba nana, que podía ir y venir a la escuela solo y que lo consideraran un hombre. Dolores le pedía que dejara de molestar, que Lupe era una bendición de Dios.

Fue así como todos los días Andrés tenía que enfrentarse al camino dos veces, una cuando Lupe lo llevaba a la zapatería y otra de regreso para tomar el autobús. Lo raro era que cuando iba con Lupe aquella pared no parecía tan peligrosa, era como un gigante durmiendo y esperando. En varias ocasiones, Andrés le insinuó a Dolores que tomaran el otro lado de la manzana, pero ella siempre respondió que no, que no había por qué hacer rodeos. Andrés se tenía que aguantar.

Una de esas noches soñó con la pared. No sabía cómo había llegado allí pero ni Dolores ni Lupe lo acompañaban. Soñó que doblaba la esquina del peinador con una anticipación morbosa. Le dolía el pecho y no podía respirar. Las calles estaban desiertas y el día, porque era de día, tenía una luminosidad cegadora. Caminaba al pasito pero sin miedo, eso lo tenía muy claro, por algo raro que sucedía en su sueño, no tenía miedo. De pronto ya estaba frente a ella, mirando las rocas y el cemento, sin atreverse a levantar la cabeza. La pared tenía la superficie áspera y con varias hendiduras. Se acercó para tocarla. Le dolieron los dedos tratando de arrancar un pedazo y sin quererlo le surgió el impulso. Llevó la mirada hasta lo más alto del muro y el sueño se le antojó alcanzable. No sabía dónde había leído que al escalar no hay como ir descalzo, así que se quitó los zapatos.

Al principio le dolían los pies, pero poco a poco se fue acostumbrando. Lo importante era asirse con fuerza a las minúsculas grutas que había entre cada roca. Recordó los árboles de Tierra Negra y buscó la misma sensación que obtenía al abrazarlos. Iba a la mitad del ascenso cuando se le ocurrió voltear abajo. ¡Qué tontería! El estómago se le debilitó. El asco le subía y él lo retragaba para no ensuciarse. La pared inició una vibración apenas perceptible y los dedos le sudaron. Cayó y el vómito descolgó una estela pastosa desde su boca hasta el muro. Al día siguiente le rogó a Dolores que lo dejara quedarse en el peinador hasta que ella pasara por allí, que a la dueña no le importaba.

El jefe de Dolores comenzó a cortejarla formalmente y eso

trajo un poco de tranquilidad a la casa. Gracias a su costumbre de escuchar tras las puertas, Andrés se enteró de que Dolores había iniciado los trámites para apelar las resoluciones del divorcio, que su jefe le había prestado dinero para contratar a uno de los mejores abogados de Chihuahua.

Aunque le faltaba media pierna, en muy pocas ocasiones utilizaba la silla de ruedas, pero a Andrés, el pretendiente de Dolores de cualquier forma le repugnaba. Usaba la barba larga y puntiaguda y nunca se cambiaba la vestimenta, una especie de sotana corta con botones enfrente. "Huele a rancio y tiene aliento de licuado de plátano", dijo Andrés.

Para entonces, el niño se había acostumbrado a la vecindad, a la escuela pública y a los muchachos del barrio. Le gustaba practicar el fútbol en la calle, jugar a las escondidillas entre los coches estacionados y comprar elotes en el parque. Cuando llevaba dinero, compartía con los amigos las flautas de papa que vendían en un puestecito callejero. "Me las prepara sin sal, señor, ya ve que soy alérgico".

"Los tirilones", así llamaba Dolores a los amigos de su hijo, "te están echando a perder". No era verdad, era Andrés quien tenía las ideas más ocurrentes para las travesuras. Aquella de subirse a una camioneta rutera, cuando se acostumbró a los amontonamientos, con una botella atomizadora llena de jugo de jalapeño era la más repetida. Los pasajeros comenzaban a estornudar, a quejarse de ardor en los ojos y comezón en la piel. Andrés seguía presionando la pompa discretamente hasta que el chofer detenía la camioneta y revisaba el motor. Entonces Andrés y los tirilones se bajaban carcajeándose y tomaban el transporte de regreso en la acera opuesta.

Pasaron casi dos años, incontables juntas de avenencia y muchas discusiones legales, pero Dolores se salió con la suya y obtuvo una compensación monetaria. Para sorpresa de todos, Antón Villafierro acudió al último careo con una actitud tranquila, ajena a su comportamiento. Dolores le dijo que si quería ver a Andrés mandara a un chofer a recogerlo, que las visitas estaban estipuladas en el papeleo. Antón se acercó a su hijo y le pasó los dedos por el cabello. "Ven a casa cuando tú quieras", dijo.

Dolores siempre dijo que el divorcio era sólo un instante de llanto y después el empuje de toda una vida. El día que el viejo zapatero le propuso matrimonio, ella ya tenía el vestido colgado en el armario. "Todavía soy joven, Martín, creo que merezco un poco de felicidad".

"Nadie te dice que no, mi amor, mírame a mí, después de todo Federico me resultó buen hombre. Te admiro, realmente te admiro, chiquilla, ya ves, yo no he podido dejar el méndigo vicio. Ya hasta ando de contrabandista para sacar lana, cómo hemos caído".

Aída llegó un día antes de la boda. Ese día Lupe los acompañó a la central de autobuses para recogerla. Iban en el taxi cuando Andrés oyó que Dolores hacía el sacrificio por él. Lupe se le quedó mirando y luego le pasó la mano por la cabeza. Andrés sintió que un remordimiento enorme le aplastaba el corazón y quiso hacerse chiquito y desaparecer. Se fijó mucho en la cara seria de su madre y se atoró las lágrimas en los testículos. Pensó en la pared.

Esa noche, después de conocer al novio, Aída le pidió a su hija que no se vendiera por segunda vez, que se fuera con ella. En el pueblo las cosas no marchaban mal y la casona era demasiado grande para dos viejos aburridos. Dolores se negó, dijo que siempre había salido adelante sola y que esta vez no sería la excepción.

"¿A qué le llamas salir adelante por ti misma?"

"No empiece, mamá".

Como regalo de bodas Dolores recibió un Cadillac que tenía infinidad de botoncillos eléctricos, un estéreo de ocho tracks y una cajuela que se cerraba sola. Ahora administraba cinco zapaterías y tenía otra casa, casi tan grande como la mansión de Tierra Negra. El anciano la había dejado al frente de los negocios.

Aída no volvió a visitarlos. Comentó que le molestaba la forma en que el hombre trataba a Andrés. Se ofreció para hacerse cargo del niño, pero Dolores se negó. "Me lo tiene muy asustado, pobre niño, siempre con los ojos de par en par, atentos. Pero tú sabrás, al fin de cuentas es tu hijo".

Tres meses después de la boda, Martín Arizmendi se presentó en la casa Lowemberg. Llevaba una chaqueta de cuadros verdes y anaranjados, unos pantalones de mezclilla acampanados y se había estirado el afro. "Vámonos al discotec, mi chula. Es hora de empezar a divertirnos".

9

Andrés estaba a punto de terminar el sexto curso cuando lo internaron en el hospital. Dolores dijo que estaría fuera al día siguiente y que no se preocupara, que la circuncisión no era gran cosa pero que había que hacerlo porque quería complacer a su nuevo esposo, que el hombre había hecho un gran sacrificio al casarse con ella. Aunque hacía mucho tiempo que Andrés ya no recorría la acera del muro, esa noche se desplazó hasta el cuarto. Estaba acostado y poco a poco las paredes empezaron a trasmutarse, lo que era suavidad y luz se convirtió en aspereza y oscuridad, la llanura esterilizada del piso y el cielo se tornaron roca y hendidura donde miles de bichos iban y venían. Se sintió atacado, pero al mismo tiempo poseído de una valentía que no acababa de dominar. El cuarto crujió y comenzó a cercarlo. El temblor hacía que las rocas se desprendieran de la pared y cayeran cada vez más cercanas, sin embargo, Andrés no oía el ruido del choque contra el suelo, era como si la cama estuviera flotando en un precipicio enclaustrado en paredes sin fondo ni principio. La sensación de caída de aquel sueño que había tenido se repitió. La cama se desplomó y él junto con ella. La velocidad del descenso lo descompuso y se asió a la cabecera para permanecer sobre el colchón. Las rocas alcanzaron a golpearlo, una le dio en la cara. Se despertó. La enfermera lo acababa de abofetear. Las sábanas estaban embarradas de excremento.

Estuvo tres días en cama. Dolores había dicho que no iba a doler y estaba en lo cierto, pero el ardor, ¿cómo se lo quitaba? Era una tortura atreverse a ir al baño y ni siquiera pudo usar calzones por una semana. Lo único positivo del mentado despelleje fue que Lupe fue a visitarlo. Le regaló una Biblia y le dijo que la mantuviera escondida, que la leyera y nunca se olvidara de quién era él y quién era el verdadero Salvador. El niño no la comprendió, pero le aseguró que haría lo posible por leerla, aunque era muy gruesa. Lupe se fue y Andrés metió el libro entre las cobijas.

El primer día de clases, en el nuevo colegio, no se atrevió a ponerse la kipah que Dolores le había entregado, no se veía bien. Nada le asentaba ya, ni siquiera el nombre, Andrés Lowemberg, habrase visto. En cuanto Dolores abandonó la escuela, Andrés se quitó la gorra y la escondió en la mochila. En el salón de clases se dio cuenta de que era el único que no la llevaba puesta, pero no le importó. El maestro no preguntó por ella, pero cuando Andrés llegó a casa ya lo esperaban en la biblioteca. Dolores lo miró unos instantes y después salió meneando la cabeza. La puerta se cerró tras ella y el viejo se levantó de la silla para acercarse al hijastro, se desabrochó el cinturón. Antón nunca le había pegado.

Andrés jamás oyó que Dolores protestara por los malos tratos de su padrastro, a veces, hasta parecía que era ella misma quien los fomentaba. Se había convertido en una mujer tan ocupada que ya no tenía tiempo para él, nunca lo había tenido. Andrés se acostumbró a todo, menos a su ausencia, había sido tan corto el tiempo que la supo suya. Hasta llegó a desear que la época de la pared volviera, con las vergüenzas y todo. Desde su ventana la veía bajar del Cadillac todos los días, con su portafolios bajo el brazo y a veces un regalo. Para lo que le importaban los juguetes. Andrés no era como los demás, sobre todo desde que se había enviciado en la lectura del libro que Lupe le regaló. A él no lo enloquecían los coches electrónicos ni el minitenis de televisión. Caminaba despacio para alcanzarla a la entrada. Tenía prohibido correr. Ella le daba un beso y le apretaba la nariz. Andrés se le introducía en los ojos en busca del brillo esporádico que habían tenido en la vecindad, pero nada, nunca le daba tiempo de encontrarlo. Estaba tan triste, era tan sacrificada y él sin poder hacer nada.

Con el paso del tiempo, Andrés se hizo de algunos amigos, en especial los compañeros del coro, tan obligados como él. Les enseñó dos o tres canciones de su repertorio y les confesó que Chabela Villa, la cantante, era su tía. Aparte, sus experiencias de barriada lo habían convertido en líder, la rebeldía de casi adolescente se le desparramaba en el único lugar donde no tenía tapadera. Había algunos chiquillos que se le acercaban por conveniencia, aunque casi siempre terminaban quedándose por afecto. Andrés se daba el lujo de escoger. Los fascinaba con las historias que podía fabricar y fueron muchos los recreos en que dejaron de jugar al baloncesto por sentarse a oír. La de la pared endemoniada era la que más le pedían.

Fue gracias a esa historia que le surgió la inspiración para matarlo. Estaba contándola cuando le llegó la idea y aunque era una trama de terror, de pronto comenzó a reírse como un loco. Los muchachos tuvieron que llamar al maestro, pues de tanta risa se le fue el aire. Se fue poniendo morado y después negro. El poco aire que alcanzaba a tragar se le convertía en carcajada antes de llegar a los pulmones. Poco a poco, todas esas caritas infantiles y asustadas empezaron a girar a su alrededor cada vez más rápido y finalmente perdió el conocimiento. Cuando despertó en la enfermería, tenía un dolor en la boca del estómago y le habían cambiado los pantaloncillos que llevaba por los de gimnasia. Dolores ya estaba en camino para recogerlo, dijo la enfermera y le entregó una bolsa plástica con la ropa orinada. Se había convertido en un perfecto exhibicionista.

Ese día fue diferente. Cuando se sentó en el coche notó que Dolores alargó el momento de arrancarlo. Apretó las llaves por algunos segundos y luego se volvió hacia él. "¿Qué te parece si los dos nos tomamos el día libre?" dijo.

Dentro de Andrés se activó un resorte que lo llevó hasta su mejilla y la besó. Dolores puso el automóvil en marcha y enfilaron hacia el centro de la ciudad. No les fue difícil convencer a Lupe para que fuera con ellos, sobre todo cuando Andrés le dijo que ya casi estaba terminando el Nuevo Testamento. Ella se le quedó mirando y luego le guiñó el ojo. Cuando dejaron atrás la sala de belleza, Andrés se enfocó en su cara para no voltear a la pared.

Lo llevaron al parque de diversiones que acababan de abrir. Dolores se veía contenta, charlaba animadamente con Lupe y fumaba un cigarrillo. Las dos mujeres no dejaban de comentar lo crecidito que estaba el niño. Andrés se sentía incómodo pues no estaba acostumbrado a tanta atención. No le gustó que dijeran que el día menos pensado llevaba novia a la casa. ¿De dónde la iba a sacar si el colegio era de niños y en casa se la pasaba encerrado? De cualquier forma disfrutó la tarde como nunca. Ahora sabía que su Dolores aún estaba allí, que la mujer de la casa sólo era una cubierta fabricada para dar gusto.

Al llegar a casa, el viejo Lowemberg ya los estaba esperando. Dolores había olvidado llevar el efectivo a una de las zapaterías y la encargada había llamado. Dolores acordó pasar temprano por allí. No hubo peleas. Besó a su esposo y le dijo que había decidido tomarse el día libre para pasarlo con su hijo.

"Deberías hacerlo con más frecuencia, se la pasa encerrado".

"No quiero que se olvide de que soy su madre", asintió ella.

"No se me olvida, mamá, sé que tienes que trabajar mucho". Andrés se sorprendió de la seguridad con la que habló. Durante el día le había nacido un sentimiento de confianza. Por fin aparecía en el mapa. Subió a su cuarto y se encerró, había necesidad de planear.

A la mañana siguiente se fingió enfermo. Arizmendi trató de preparalo para llevarlo al colegio, pero la actuación de Andrés era tan convincente que acabó desistiendo. "Si no estuvieras tan chico te daría un poquito de algo que te haría sentirte muy bien", se llevó la mano al bolsillo de la camisa y salió del cuarto.

A través del cristal de la ventana, Andrés vio que su madre se despedía y que Arizmendi corría para alcanzarla. Esperó un rato, se vistió y luego fue a buscar a su padrastro a la recámara. Ya no estaba allí. Empezó a sentir que la sangre le fluía más rápido. Las piernas le temblaban cuando bajó las escaleras. Abrazado contra el pecho llevaba el libro que Lupe le había regalado, el abrecartas entre los evangelios de San Juan.

La puerta de la biblioteca permanecía cerrada. Tocó. La voz del padrastro le indicó que pasara. Los dedos se le hicieron nudos y no pudo abrir. Se quedó allí, quieto, hasta que la silla de ruedas empujó hacia afuera. Andrés iba a hablar cuando el viejo reparó en la Biblia, los ojos se le entrecerraron y la frente se le arrugó. Le preguntó de donde había sacado el libro. Andrés retrocedió y el filo metálico asomó entre las hojas. El viejo le volvió a preguntar que de dónde había sacado eso y antes de contestar que Lupe se lo había dado, Andrés se abalanzó sobre él con la intención de clavarle el abrecartas.

El hombre detuvo el golpe y se puso de pie sin batallar. Las aletas de la nariz se le abrían y cerraban y tenía los ojos inyectados. Le gritó que qué babosada trataba de hacer. Andrés no respondió y como pudo le encajó el filo en el brazo. El anciano gritó y le cruzó el rostro con un golpe. Andrés se desplomó, quiso incorporarse y correr, pero las piernecillas no le obedecieron. El anciano arremetió, lo tomó por el cuello y Andrés no tuvo las fuerzas para defenderse. Era más fuerte de lo que parecía. Lo obligó a caminar hasta el coche mientras alardeaba que tomaba mucho más que un abrecartas para acabar con él. "¡Mentecato malagradecido! ¡Si una bomba no pudo acabar conmigo, qué crees tú que un cuchillito de mierda va a poder!"

Subieron al automóvil y el viejo enfiló hacia el centro de la ciudad sin dejar de maldecir. Andrés se acurrucó junto a la puerta. Había recobrado el abrecartas y en el momento menos pensado se lo clavaría en los ojos, en la pierna que le quedaba buena o en las orejas. Pensó en Dolores y en lo contenta que se pondría al ser libre otra vez. Pero el momento de contraataque no llegó, el anciano se percató de la actitud sospechosa de Andrés y en un semáforo le arrebató el arma. La maniobra lo obligó a descuidar el camino y estuvieron a punto de chocar. El viejo golpeó el volante del auto y maldijo al conductor.

Cuando llegaron a la zapatería, les informaron que Dolores había salido para el salón de belleza. Las empleadas repararon en el brazo del anciano y él les dijo que se había caído de la silla de ruedas. Una de ellas trató de auxiliarlo, pero él no le dio tiempo. Pretextó que ya iba en camino al hospital, que ya había perdido mucho tiempo buscando a Dolores.

Cuando salieron del negocio, el anciano dio la vuelta a la esquina y caminó hacia el otro lado de la cuadra. Los ojos de Andrés se iluminaron. Dejó que el viejo se le adelantara un poco. El miedo le palpitó en el pecho, abrió la boca para tomar una enorme bocanada de aire y cuando lo vio alcanzar la pared gritó... Gritó con todas sus fuerzas, extendiendo cada partícula de grito, expulsando todo su odio al exterior.

La pared le desbarató el cráneo. Una masa blanca gelatinosa quedó sobre la banqueta. Las ambulancias, la gente amotinada... "Yo siempre supe que acabaría por derrumbarse, tan buen hombre el judío". Y Andrés paralizado, a sus pies el charco de orina comenzaba a humedecer la Biblia.

Cuando avisaron a Dolores del suceso, pidió que la dejaran sola, que se llevaran a Andrés a la casa y que buscaran a Arizmendi. "Debe estar en la zapatería de la Juárez, díganle que lo necesito aquí inmediatamente". Andrés se quedó esperando el beso que se había ganado. Cuando Lupe lo tomó del brazo para salir del salón, se le encaró y le dijo que no se iba de allí, que su mamá lo necesitaba. Dolores oyó el berrinche de su hijo y se le acercó.

"He dicho que te vayas, necesito estar sola, deja que Lupe se encargue".

"Vamos, Andrés, tienes que cambiarte de ropa". Andrés se dejó llevar. A la vuelta de la esquina alcanzó a ver el último grupo de curiosos que todavía se reunía donde había caído la pared.

"Dios lo tenga en su santa gloria", dijo Lupe y se persignó.

10

Andrés no asistió al funeral porque Dolores consideró que el trauma de ver el accidente de su esposo era suficiente para su débil personalidad. Se quedó en casa viendo las caricaturas de los Superamigos mientras los demás asistían a la ceremonia. Creía que dentro de él se había instalado una fuerza misteriosa que lo ponía al nivel de los personajes animados de la televisión. Si había logrado que una pared se derrumbara con un grito, ¿de qué no sería capaz? Ideó planes para acabar con todas las cosas y las personas que le molestaban; sin embargo, cuando los puso en acción nada sucedió. Por más que gritara cuando Arizmendi pasaba debajo de un árbol, o cuando el maestro de educación física se colocaba bajo los postes que sostenían las canastas del gimnasio, nada se derrumbaba.

Dolores consideró que los impulsos que llevaban a su hijo a gritar en todos lados obedecían a algún desorden mental producido por el aplastamiento de su esposo; decidió llevar a Andrés a un especialista para que le curara los males. El médico no encontró nada anormal en el cerebro de Andrés y por más exámenes sicológicos que le hizo, no llegó a ninguna conclusión certera. Andrés siguió con los intentos por derrumbar cosas y al cabo de unos meses, con la decepción, le entró un impulso suicida. Entonces le dio por gritar en los cines, en los restaurantes o en los centros comerciales. Dolores y Arizmendi se ponían rojos de vergüenza y abandonaban los lugares públicos con el niño en brazos o tirándole de la ropa. Andrés no cesaba de gritar en espera del milagro.

Cuando se cercioró de que los alaridos habían perdido su efecto destructor, se sumergió en una depresión terrible. No salía de casa, le fue mal en los exámenes finales, no contestaba las llamadas telefónicas de sus amigos, la sal le produjo más alergia que nunca. Se quedaba encerrado en la habitación y sólo de vez en cuando se asomaba a la ventana. Fue entonces cuando Arizmendi sugirió llevarlo a Tierra Negra. La sola idea de volver a ver a Antón después de tanto tiempo, acabó de enmudecerlo.

Dolores aceptó la ocurrencia de su amigo y como estaba más ocupada que nunca, se puso en contacto con su exmarido. Ordenó a

Andrés que empaquetara y le dijo que tal vez en Tierra Negra sanaría de las perturbaciones. Andrés se sintió apabullado. La miró sin atreverse a protestar, Dolores tenía la mirada escurridiza y amarillenta que Andrés no había visto en mucho tiempo. Subió al cuarto y recogió las pocas cosas que significaban algo para él, entre ellas la llavecita del librero de Isabel y el prendedor en forma de lagarto que le había dado su abuela.

El reencuentro con Antón fue frío. Lo recibió en su oficina y sin levantar la mirada le dijo que se instalara en cualquiera de los cuartos del ala que él no habitaba, que en la noche hablarían porque estaba ocupado en esos momentos; organizaba un festejo para los inversionistas americanos que auspiciaban la urbanización de lo poco que quedaba de Tierra Negra. Andrés agarró la maleta y se dio la vuelta después de inclinar la cabeza. Iba de salida cuando oyó a Antón diciéndole que había crecido mucho, que se veía bien. Andrés iba a agregar que le daba gusto verlo, que en el fondo estaba contento de estar allí y que hiciera lo posible por devolverle su apellido, pero todas las palabras se le embotellaron en la garganta.

Esa noche cenaron en silencio, Andrés apenas probó alimento porque las cocineras eran nuevas y no sabían de sus alergias. Movía los pedazos de comida de un lado a otro del plato y constantemente le pedía agua al mayordomo. De vez en cuando levantaba los ojos hacia su padre. Antón Villafierro no conocía el paso del tiempo; sus manos eran gruesas y seguras, apretaban los cubiertos con tal fuerza que Andrés imaginó que si hubiera querido podría fundirlos con su tacto, como ese mentalista que doblaba cucharillas por televisión.

Durante el café, Antón le informó que sólo pasaría allí el verano porque había arreglado su admisión en una academia militar americana, que era una escuela de mucho prestigio y que se esforzara por salir adelante, que tenía planes interesantes para su futuro.

Andrés se sintió decepcionado, hubiera querido compartir más tiempo con él, establecer el mismo vínculo amoroso que había observado entre sus amigos judíos y sus padres. Le respondió que estaba bien, que lo que él decidiera estaría bien.

Esa noche el sopor de la selva llegó a la habitación de Andrés con más intensidad que nunca. Andrés intuyó que los árboles lo llamaban y salió de la cama para visitarlos. Iba descalzo, podía sentir el musgo humedecido. Era una piel aterciopelada y oscura que le besaba las plantas en cada pisada. Olía a madreselvas y a barro, un aroma que conocía pero que dormitaba en sus recuerdos. Se sintió en casa. Al llegar a los árboles, se abrazó al más alto con la misma intensidad de cuando era niño. Trepó por el tronco hasta alcanzar la cúpula y por primera vez fue correspondido. La frotación del ascenso le había producido una erección. Un sentimiento tibio y extraordinario lo obligó a palparla y a iniciar las caricias. Cerró los ojos para adentrarse en la emoción que vislumbró como un placer luminoso. Qué momento más dulce conoció esa noche. Llegó al éxtasis sin culpa. Arrancó una hoja y limpió su sexo descapuchado y los tres pelos que crecían alrededor. Los tres pelos del diablo, recordó de los cuentos de Isabel.

De ahí en adelante probó con los demás árboles, los marcó, intentó romper sus propios records de distancia, pero los árboles eran terriblemente fríos, duros y ásperos; pronto se cansó de ellos. Leyó los manuales pornógraficos que descubrió en el rincón más alto de la biblioteca. Los dibujos y las fotografías lo incitaron a aventurarse a los cuartos de la servidumbre. Una tarde espió por el agujero de una cerradura y deseó colgarse de los pechos caídos y enormes de la cocinera. La segunda vez, ella misma dejó la puerta abierta y simuló no verlo. El juguete de la mujer se parecía mucho al que había visto en una de las revistas. La cocinera lo introdujo despacio, alargando la penetración. Después de varias entradas y salidas, la velocidad con la que ensartaba, retorcía y devoraba el pene de baterías se acrecentó de tal modo que el objeto parecía derretirse dentro de ella. Cuando la cocinera retiró el juguete, se retorció sobre la colcha hasta quedar boca abajo. Gemía y parecía llorar. Andrés se limpió los dedos en el marco de la puerta y corrió a su alcoba. No obstante, tras una corta obsesión con las masturbaciones, los privilegios carnales pasaron a segundo plano.

Aunque no le gustaba levantarse temprano, en Tierra Negra la naturaleza lo llamaba a hacerlo. Todavía legañoso se sumergía en el estanque del patio y nadaba varios minutos, después jugueteaba con los cisnes hasta que los cansaba y uno de ellos, el negro, lo arremetía a picotazos. De día, su hermosa cocinera era una mujer gorda y oscura que le traía el desayuno hasta las mesas del patio, sonreía con su boca casi púrpura de labios gruesísimos, le guiñaba y se iba. La corpulencia bamboleante de la mujer lo invitaba a visualizarla desnuda, con las piernas abiertas y el juguetillo vibrante.

Después de comer, Andrés se tiraba al sol. Quería ser moreno como Isabel y como Antón; se inventaba lociones bronceadoras con cualquier ingrediente de cocina. Un día, para deleite de las moscas, se untó Pepsi-Cola en todo el cuerpo porque había leído que la piel puede absorber el colorante carameloso del refresco. No era cierto. Acabó picoteado por los mosquitos y con una urticaria de cuerpo completo.

Al mediodía regresaba a la habitación para ducharse y dormir la siesta, casi siempre abrazado a algún tomo del *Nuevo tesoro de la juventud*. Fueron dos meses en los que leyó como nunca, emocionándose hasta las lágrimas con algunas lecturas. El final de *El Quijote* lo sumió en una depresión absurda que lo obligó a volver con lo de las masturbaciones y los gozos. Sólo así podía aliviar por algunos minutos el dolor que le produjo la muerte de tal personaje. Después vinieron *Las fábulas de Esopo*, el Cid Campeador y *Veinte mil leguas de viaje submarino.* A veces, cuando se cansaba de leer, ponía en práctica las brujerías de los libros en los que todavía sentía a Isabel.

También le dio por ver mucha televisión, Cepillín o Niko Liko, las aventuras del Chavo del Ocho, el Chapulín Colorado, el programa y la película de Capulina todos los sábados; el mágico mundo del color de Walt Disney los miércoles; los especiales de Silvia Pinal cada martes. También se vició con las telenovelas de entonces. Los besos apasionados de Lupita Ferrer y José Bardina en aquellas historias blanco y negro que pasaban todas las tardes quedaron fijos en su memoria. Algún día él se enamoraría también y tendría a una mujer igual de hermosa en sus brazos, aunque estuviera ciega como Esmeralda, él la querría sobre todas las cosas. Entonces el recuerdo de la ingratitud de Dolores lo asaltaba y el sexo cavernoso de la cocinera se llenaba de gusanos.

Como todo, el verano se cumplió con una rapidez indiferente y Andrés se olvidó de las griterías, de la televisión y de los placeres sexuales. Antón, por iniciativa propia, se encargó de restituirle el nombre y aunque no se lo dijo, Andrés se sentió orgulloso. Que nadie dudara de eso, el verano lo había hecho hombre y más que nada, un Villafierro. Cuando Antón lo dejó en la central de autobuses de El Paso, Andrés advirtió en el silencio de su despedida una paternidad que aunque no fuera sanguínea lo complacía tanto como a él. "Adiós papá, recuérdame". Su voz le sonó a la del Gansito Marinela, tan melosa y cursi que le dio vergüenza.

11

A primera vista, la nitidez del edificio era deslumbrante. En la oficina de admisiones, los pisos irradiaban una luminosidad esterilizada que invitaba a tenderse sobre ellos. Por más que Andrés intentó encontrar una falla de pulcritud no la había. Todo denotaba una limpieza y un orden casi religioso. Pasó los dedos por los respaldos de madera de la banca larga que tenía enfrente, tentó bajó el asiento, pero no encontró rastros de polvo ni de goma de mascar. Aunque la austeridad era algo a lo que no estaba acostumbrado, de pronto no le pareció tan desagradable el giro que había tomado su vida. Un hombre que parecía militar informaba a los recién llegados que el primer semestre sería de entrenamiento y no habría contacto con el exterior, todos se sumergirían en aquel espacio arrebatado a la maquinaria del mundo regular. Les ordenó ponerse de pie, los formó en hilera y los dividió en grupos. El teniente que presidía el batallón de Andrés era bilingüe, pero le advirtió a gritos, casi escupiéndolo, que no le gustaba hablar español, que le daba flojera.

El hombre los inspeccionó uno a uno. "You must realize this is not home, BOYS, I'm not your momma, I'm not your daddy, as a matter of fact, I'm here to piss all over you, I get paid to do it, I enjoy doing it, BOYS, here you're gonna be men, I hate cry babies. Detesto los mariquitas", dijo cuando se puso frente a Andrés y descubrió la cadenita en su cuello. Una marca rojiza quedó dibujada cuando se la arrancó. Los demás se apresuraron a obedecer la orden que se había perdido entre otras mil, ningún tipo de joyería es permitido durante el período de entrenamiento. Viejo cabrón, a ver si no me vuelven los poderes en este momento y grito y te exploto la cabeza, pensó Andrés.

Esa noche, cuando apagaron las luces después de varias horas de instrucciones a gritos y regaños altisonantes, varios de los compañeros de Andrés no pudieron evitar los sollozos. El teniente se despidió con un, see you in the morning little girls, you've got three hours. Sleep! Andrés cerró los ojos y se quedó dormido. Soñó que en algún lugar de México, Isabel abarrotaba algún teatro; a Tierra Negra habían llegado los rumores de que había comenzado un período español y le daba por cantar sevillanas vestida de andaluza.

El teniente Cox tenía el poder de hacerlos temblar con el timbre de su voz. Era cruel y se vanagloriaba. Ostentaba una seguridad inflexible, digna de envidia. A veces Andrés imaginaba que llegaría a ser como él. Quería tener su arrogancia, su despotismo. Ninguna de las personas que conocía tenían el poder del teniente, ni siquiera Antón.

"Tengo sed, Teniente Cox, déjeme tomar un poco de agua. Mire como sudamos, ya basta de tanto marchar". *Mama, mama can't you see, what this school has done to me, took away my tennis shoes, now I'm wearing Army boots.*

Los primeros días no habló con nadie. La mayoría de los cadetes era estadounidense y Andrés todavía no se sentía a gusto con su inglés de radio y televisión; de todos modos estaban tan ocupados que no había tiempo para pensar en soledades. Entre las marchas constantes y las clases de Primeros Auxilios, Código de Honor e Historia Americana, las horas transcurrían imperceptibles.

"Nos racionan todo, hijos de puta. Le ponen droga al agua para que aguantemos, por eso nos obligan a tomar tres vasos antes de las comidas. Qué les va a importar el calor, nos quieren deshidratar, mandar a la enfermería para que nuestros padres paguen más". Andrés oía los comentarios, apuraba el agua sin importarle que estuviera envenenada y se limitaba a comer en silencio. No podía levantar los ojos del plato, ni dejar la mesa hasta que sus compañeros hubieran terminado, entonces, el primero en sentarse sería el primero en levantarse, llevar la charola a la cocina y salir del edificio para reunirse con el resto del grupo en el patio. Los demás irían tras él en fila india, golpeando el cemento con las botas como soldaditos de infantería francesa. Después venían más clases y por la noche las tareas de la limpieza.

Al final de la primera semana Andrés sintió la necesidad de comunicarse. La lengua le bullía en la boca porque era el único músculo que no había ejercitado desde su llegada. La víctima fue un chico de apariencia latina que hablaba inglés con acento.

"¿Eres mexicano?... Yo también".

"Pareces gringo, andas todo quemado".

"Soy de Ciudad Desierto, de Chihuahua".

"Deberías estar acostumbrado, hace sol allí, ¿no?"

"No creas, en Tierra Negra nunca hace este sol".

"¿Tierra Negra?"

Luis Burciati era dos años mayor. Su padre era de origen

italiano; había trabajado como embajador de México en varios países. Tenía la piel bronceada que Andrés tanto anhelaba y los ojos verdipardos. Era extrovertido y lo habían nombrado jefe de dormitorio. En las juntas al final del día, él se encargaba de asignar labores y controlar que todo estuviera listo para la última revisión de Cox. Recorría el cuarto de arriba abajo, pasaba los dedos por las cabeceras metálicas de las literas, abría los armarios y echaba reprimendas a quienes no acataban las órdenes al pie de la letra. "Las esquinas de la sábana no están bien dobladas, tienes las camisetas arrugadas, limpia la mancha de pasta de dientes que dejaste en el cepillo, dónde está la lista con los números de serie de tu efectivo, cuelga el uniforme con la botonadura a la derecha. ¡Nos va a joder Cox! ¡Oye tú, Williams, you are in charge of Cox's office tonight!"

El teniente Cox requería que limpiaran su oficina todos los días. Cuando le tocó el turno a Andrés, se esmeró tanto en el asunto que acabó limpiando muchas de sus pertenencias particulares. Le pareció natural lavarle la taza del café y lustrarle las botas. Nadie le había explicado que eso no era su responsabilidad. Cuando Luis hizo la inspección, llamó a varios para que vieran lo que había hecho. Lo elogió delante de todos y le dio una palmadita en la espalda. Andrés se estremeció, lo miró a los ojos y sonrió. Los demás cuchichearon mientras regresaban a sus tareas. Lo que más le dolió fue oír que tenía complejo de esclavo y que los mexicanos estaban acostumbrados a servir.

Por la mañana, el teniente lo llamó al despacho y le dijo que de ese momento en adelante él era la única persona que podía entrar allí, que era una asignación difícil, pero que confiaba en su responsabilidad. Desde entonces las cosas fueron más fáciles. Cuando el teniente estaba contento, suavizaba su carácter duro y eso todos lo agradecían. En las semanas que siguieron fueron pocas las veces que Andrés volvió a pensar en Tierra Negra y para su sorpresa hasta Antón Villafierro pasó a un segundo plano.

La amistad con Luis Burciati creció después de la primera conversación que tuvieron la noche en que a Andrés le tocó hacer guardia. Era absurdo resguardar un dormitorio al que resguardaba un edificio resguardado, al que resguardaba un cerco resguardado, al que resguardaba un fuerte militar resguardado por una zona militar con el mejor ejército del mundo. Pero así eran las cosas, los procedimientos, la disciplina. Tenían que pasar la noche en vela, iluminados por una linterna de mano y circular de norte a sur por el cuarto vigilando el sueño del resto del batallón juvenil.

Esa noche, Luis se levantó para ir al baño. De reojo, Andrés lo vio cruzar de un lado a otro del pasillo. Cerró el libro que estudiaba y caminó a esperarlo.

"¿No tienes sueño?"

"No es eso, tuve una pesadilla".

"Yo también las tengo, pero me gusta".

"¿Te gusta tener pesadillas? Debes estar loco".

"Un poquito loco, dicen".

"¿Quién?"

"Todos los que me conocen: Dolo..., mamá, papá, Arizmendi".

"¿Quién es Arizmendi?"

"Un amigo de la casa; la única que piensa que estoy sano es la tía Isabel, ella es muy buena, es cantante, Chabela Villa".

"¿La de la radio?"

"Sí, pero también sale en televisión".

"En casa no tenemos televisiones".

"¿Eres pobre?"

"No hombre, qué tonto, soy riquísimo, mi madre me dejó una gran fortuna".

"Lo siento, no sabía que eras huérfano".

"No te preocupes; me tengo que acostar, si a Cox le da por aparecerse aquí, nos friega a los dos".

"No es tan malo como parece".

"¿Para que arriesgarse?" Si quieres seguir hablando vente para mi cama, así podrás aparentar que andas en la ronda.

"Órale".

Los domingos por la mañana iban a la iglesia. Andrés no era devoto de ninguna, tenía la mente confundida con las enseñanzas de la sinagoga, las pláticas católicas de Lupe y sus propias lecturas isabélicas. Luis aprovechó para llevarlo a la suya, la Iglesia de Jesucristo de los Santos del Día Postrero Inmaculado y Glorioso. Cox se burlaba del nombre y de lo largo de los servicios religiosos. Tenía razón, esa iglesia era la única que mantenía a los cadetes en la capilla por casi cuatro horas. Andrés y Luis, más que por religiosidad, iban porque eso implicaba estar fuera de la academia todo el domingo. Dos misioneros de camisa blanca y corbata los recogían en la puerta de la institución y los llevaban a la Escuela Dominical. A los misioneros les gustaba visitar la casa del obispo después del culto y los cadetes no protestaban, eso garantizaba una buena cena.

Estaban a punto de terminar el entrenamiento cuando Andrés decidió bautizarse y hacer oficial su adhesión religiosa.

Aunque en ese entonces estaba seguro de que se acogía a la doctrina por fe, la realidad fue que la iglesia era el único lugar donde podría seguir viendo a Luis. En cuanto terminaran, la diferencia de edad los colocaría en diferentes rangos, horarios y edificios. Andrés comprendía que eso era un obstáculo para cualquier amistad incipiente, le caía bien el muchacho y no quería perderlo.

Ni Dolores, ni Antón Villafierro acudieron a la ceremonia de terminación del entrenamiento básico. Pretextaron emergencias ineludibles, el canal que rodeaba Tierra Negra se había desbordado y las zapaterías de Dolores pasaban por un mal momento.

"Suerte hijo, cuídate mucho y hazte un hombre de bien, ya ves que yo no he sabido ser madre".

¿Estás bien mamá?"

"Sí, un poco resfriada, pero Arizmendi ya fue a buscarme las medicinas, te mandaré un enorme regalo de Navidad, ¿qué prefieres?"

"Cómprame unos suéteres, hace mucho frío aquí".

"Pobrecito mi bodoque, te extraño tanto".

"Adiós mamá, te llamaré para Año Nuevo".

"No, no me telefonees, voy a un viaje largo, si quieres pasar unos días acá, avísame para dejar a Lupe encargada, pídele permiso a tu padre".

"Hasta luego, mamá". Para Andrés, las mentiras de sus progenitores eran preferibles a la decepción que se llevó Luis cuando su padre asistió al evento del brazo de la criada, una mujer joven que no hacía nada por ocultar su plenitud femenina. El peinado de caireles y el escote le hicieron recordar a Andrés a la cocinera de Tierra Negra. La tipa le inspiró repugnancia. No obstante, Don Guillermo le pareció simpático, había tenido el buen gusto de invitarlo a cenar después de la ceremonia de entrega de certificados. El entrenamiento había terminado y de ahí en adelante Luis y él sólo se verían los fines de semana.

12

Al principio, Andrés extrañó a Luis, pero poco a poco descubrió que la situación no era del todo incómoda; sobre todo porque los dormitorios que le habían asignado, quedaban bajo la jurisdicción del mismo teniente Cox.

Como maestro era diferente. Andrés asistía a su clase de Estatutos Militares que por razones obvias era su favorita. Varias veces hasta lo vio sonreír. Aunque seguía siendo estricto, en el salón de clases jamás decía improperios. Impartía la lección con un balance perfecto de seriedad y broma. Andrés se sentaba al frente y aunque eran pocas las veces que participaba, cuando lo hacía siempre tenía la respuesta. Poco a poco y tras las muchas conversaciones después de clase, Andrés se fue ganando la confianza del teniente.

Por esos tiempos, Andrés empezó a tener un sueño que lo hacía despertar sudado y con la garganta seca. Una mujer desnuda se columpiaba sobre el cuerpo tendido de Cox. Él también estaba desnudo y tenía el miembro erecto. Andrés los observaba escondido detrás de una puerta. Lo extraño es que ellos no parecían estar en ningún cuarto. De pronto, la mujer descendía del columpio y se colocaba laboriosamente sobre Cox. El cuerpo de él se tensaba y se perdía entre las piernas de la mujer. Gemían como bestias y Andrés sentía la necesidad de estar allí, más cerca de los dos. Cuando lograba vencer el temor de ser rechazado, abría la puerta y caminaba despacio hasta ellos. El teniente se volvía y le sonreía de una forma distinta a la del salón de clases. Andrés se despertaba abruptamente. Varias veces tuvo que abandonar la cama para ir a lavarse. Odiaba el olor de la cremosidad con la que terminaba el sueño.

A finales del semestre el teniente invitó a Andrés a pasar unos días en las montañas. La invitación fue sorpresiva y una punzada en el estómago le avisaba que no debía aceptar. La mayoría de los cadetes se aprestaba para las vacaciones y después de la frustrada Navidad en Tierra Negra, Andrés había decidido no regresar por un buen tiempo, se iría con algún compañero a alguna parte de Texas, Arizona o Nuevo México. Nunca pensó en la posibilidad de ser convidado por Cox. Aceptó. No mencionó la invitación a nadie e inventó una mentira para que Luis no lo esperara en la iglesia ese domingo. Empacó el saco de dormir, la chamarra, un rifle de municiones que consiguió prestado y el traje de baño.

Al teniente le gustaba conversar mientras caminaba. Contó que había estado en Vietnam y que había dejado el ejército tras una disputa con un superior; que era demasiado orgulloso para pedir disculpas y que tenía veintisiete años. Andrés habló de sus padres y otras insignificancias. Le dijo que su abuelo materno era americano, que no estaba seguro, que también había sido militar, que a la abuela casi no la trataban porque su madre se avergonzaba de tener sangre india.

"Mi bisabuela era una viejita muy divertida, medio loca, tocaba el violín y danzaba. Se llamaba Eyerame, era tarahumara. Apenas la recuerdo. Hace frío".

"La fogata se queda encendida casi toda la noche. No te sientes cerca de ella porque las chispas te pueden quemar la cobija, la dejan llena de hoyos. Traje hamburguesas para la cena, mañana vamos de cacería, luego de pesca. Tienes los ojos muy tristes, hubiera querido tener un hijo como tú. ¿Tu madre es hermosa?"

"No tan hermosa como Isabel".

"¿Quién es Isabel?"

"Mi tía".

"En la luna se puede ver un hombre. Mira las estrellas. El diablo fue una estrella, la más hermosa... ¿lo sabías?" Durante dos noches durmieron en la misma tienda sin que ocurriera nada más que un hasta mañana. Luego vino el sueño. La mujer subía y bajaba sobre el cuerpo, copulaban bestialmente sin intenciones de aminorar el ritmo aunque él estuviera allí. Cox le apretaba los pezones y bebía el líquido lechoso que manaba de ellos. La llamaba Isabel.

"Aquí estoy, inmóvil, esperándolos. No gimas, Isabel. Voy a apretar la llave, no te llevarás los libros y no te llevarás a Cox". Isabel se transformó en un pajarraco enorme que se elevó furioso, dejando al teniente sin terminar y cubriendo con las manos su deseo insatisfecho. Andrés avanzó triunfal y el sueño continuó.

Cox se levantó temprano, recogió los utensilios, desmontó la tienda de campaña y acomodó todo en la camioneta. En el camino no habló ni Andrés trató de romper el silencio. Se sentía a gusto con la actitud taciturna que ambos guardaban, sin embargo, no podía quitarle los ojos de encima. Pensaba que en cualquier momento el teniente estiraría el brazo hasta él y lo acurrucaría en su regazo, pero no sucedió, no hubo ningún intento de aproximación, ni siquiera un reclamo, un golpe como los de su padrastro, al menos eso. Nada, seis horas después lo depositó en la entrada de los dormitorios y jamás lo volvió a ver. Era domingo por la tarde y llovía.

Los rumores de la desaparición de Cox persiguieron a Andrés por mucho tiempo. Indagó en las oficinas administrativas, preguntó a los otros maestros, a sus compañeros de High School, pero nadie tenía información. Se sintió culpable, lleno de pesadumbre, con una mezcla de angustia y resentimiento que nunca había experimentado. Cuando la escuela de verano se inició, el teniente Cox no existía, jamás había dado clase en la academia y nadie lo recordaba.

Luis hizo muchas preguntas, hasta que un día comprendió que Andrés no quería abordar el tema. Decidió dejar el asunto por la paz, había adoptado una actitud protectora, casi de hermano mayor. Andrés acudía a Luis cada vez que necesitaba revivir las sensaciones alcanzadas con Cox, aunque sólo fuese con el roce de sus dedos al saludarse o con una leve palmadita de aprobación en la espalda.

13

Nadie en Ciudad Desierto podía creer que Antón Villafierro no se volviera a casar. Tenía todo lo necesario para agenciarse a cualquier mujer y le sobraban los ofrecimientos. Era invitado con insistencia a las reuniones sociales del Club Campestre y varias madres hacían cola para presentarle a sus hijas. Antón Villafierro derrochaba elogios, seducía a alguna para pasar la noche y se olvidaba de ella por la mañana. Las jovencitas abandonaban Tierra Negra con la desilusión a cuestas y un ardor entre las piernas.

"Nos volveremos a ver, no hay duda. Dile a tu padre que las aplanadoras ya tienen listo el terreno, que me urgen los materiales para iniciar la construcción".

"¿Me llamarás esta noche?"

"Sí, cariño, no olvides mi recado".

Las relaciones que entablaba duraban lo que el negocio. Una vez usadas, Antón se deshacía de las muñequitas ataviadas en hotpants, las devolvía a sus casas pretextando la diferencia de edad y quedaba ante los padres como el caballero honorable que presumía ser. Nunca hubo ningún reclamo.

De vez en cuando Antón se topaba con Dolores en alguna función, la saludaba con un beso, le decía que le sentaba bien la viudez y la cuestionaba acerca de Andrés.

"Tú deberías saber mejor que yo".

"Sólo preguntaba si lo has visitado".

"¿Estás loco? Con las zapaterías y la competencia de El Paso tengo suficiente; ya hasta he pensado en venderlas".

"¿Dolores en crisis? Eso sí que es nuevo".

"No bromees".

"Si te interesa, tu hijo está en Monterrey, con un amigo, no quiere volver por acá".

"Déjalo, que sea feliz donde pueda, ya es todo un hombre".

"A los dieciséis años todavía no se es hombre, Dolores".

"Él está muy maduro para su edad. Y tú, ¿qué cuentas de Isabel? A estas alturas los imaginaba juntos". Antón Villafierro se quedaba con el rostro tieso. Caminaba hacia la puerta y se despedía con una inclinación.

Isabel había vuelto por algunos días, hacía varios meses. Había actuado en el palenque de la Feria del Algodón en Ciudad Desierto. En esa ocasión, Antón la hospedó en Tierra Negra y le hizo el amor varias veces, pero aunque en las entregas resurgió la pasión indómita, Isabel no había producido la leche suculenta de los viejos orgasmos. Sus senos enormes permanecieron secos.

"Tengo el amor petrificado, lo endurecí para aguantar el destierro. Estoy casi vacía", le dijo antes de irse de viaje con una caravana de artistas donde ella era la principal. Su último disco con canciones de Juan Gabriel se vendía como pan caliente; lentamente emergía como la nueva voz femenina de México para el mundo. La compañía disquera la había convencido de grabar otros géneros porque predecían que la música vernácula desaparecería del mercado. Grabó música tropical, hizo covers de éxitos en inglés, pasó por un período español ataviada con un disfraz de sevillana y finalmente optó por las baladas románticas. Esto último le acarreó la permanencia en el gusto general y ahí se quedó, idolatrada por las masas. Sus canciones de despecho y desamor, ahora con ritmos modernos y cadenciosos, se convertían en himnos de liberación femenina. *No siento tu cuerpo cuando me acuesto contigo* le había conseguido dos discos de platino y la firma de un contrato de exclusividad, el mayor error de su carrera, auguraron muchos.

Aunque por mucho tiempo se negó a regresar a Ciudad Desierto, cuando le ofrecieron lo de la feria, Isabel evaluó el vacío que llevaba dentro, recordó los enajenamientos pasionales con Antón Villafierro y lo telefoneó. *En esta primavera será tu regalo un ramo de rosas, te llevaré a la playa, te besaré en el mar y muchas otras cosas...* Antón reconoció la voz, padeció la erección bajo la mesa de juntas y la invitó a pasar unos días en la mansión.

Isabel no guardaba rencores. Las amistades en la Ciudad de México la habían introducido a las corrientes orientales de la Nueva Fe. Ella misma había sincretizado lo poco que recordaba de sus creencias tarahumaras, lo mucho que había leído sobre las disciplinas del espíritu y lo atractivo de las religiones de moda.

"Hay que sanar el pasado y no alimentar rencores", le dijo Antón.

"¿Me prometes un reencuentro a mi altura?"

"Te prometo la luna y los cántaros de miel".

El chofer la llevó a Tierra Negra después de la odisea en el aeropuerto. La prensa desértica la asediaba, los fanáticos se atropellaban para llegar a ella y la televisión pasaba enormes trabajos para realizar una transmisión en vivo y en directo. "Chabela, ¿es verdad que no te llevas con la Beltrán? ¿Qué hay de tu romance con Enrique Guzmán? ¿Cuántos abortos llevas? ¿Grabarás música Disco?" Isabel se limitó a sonreír. La silla de ruedas avanzaba impulsada por su ayudante personal. Así se movía en público.

Antón la esperó al pie de las escaleras de mármol en la estancia. Cuando la vio entrar, se acercó a ella y la abrazó con el mismo furor de la primera vez. Se besaron violentamente, se desnudaron e iniciaron el sexo en pleno salón. Sumaban muchos amantes entre los dos y se descubrieron nuevos, lujuriosos y expertos.

"¿Me extrañaste? Te ves bien", dijo ella con la respiración entrecortada.

"¿Te gusta así?"

"¡Sí, sí, qué rico... como en los viejos tiempos!" Cambiaron posiciones, se enredaron uno en otro y se frotaron hasta la fatiga. Cuando tuvo tiempo de observar la casa, Isabel se rió al comprobar que la sobriedad había vuelto tras la expulsión y Antón no había cambiado nada desde el divorcio.

"No me digas que la esperas, oí que enviudó; lo ha de haber matado ella, la viuda negra".

"En un tiempo no se te caía de la boca, parece que ahora la detestas".

Isabel inmobilizó los ojos. "Creo que siempre la odié, sírveme un trago".

El éxito en el palenque le valió una presentación en el Coliseo de El Paso, justo frente al zoológico a donde habían trasladado los lagartos de la Plaza. Era el Cinco de Mayo y una compañía cervecera americana había tenido la idea de explotar el júbilo de los desérticos y de los inmigrantes que no sabían el porqué del día feriado. Desde el escenario el público se difuminaba bajo la niebla de los cigarrillos. Era una muchedumbre enardecida en un solo grito, ataviada con camisas poliéster y zapatos zancos. El auditorio olía a marihuana, a cerveza y a transpiración.

Una enorme esfera de espejos descendió lentamente sobre la concurrencia, las luces se apagaron y un rayo de luz cruzó la arena para multiplicarse en un millón de reflejos que llovió sobre el público. El alarido no se hizo esperar, la esfera comenzó a girar y todo pareció moverse con ella. Después vinieron los reflectores intermitentes y los mariachis aparecieron en el escenario como una visión de cámara lenta, ataviados con negro y plata. Se hizo el silencio y el grito de *¡Ayyy ... qué laureles tan verdes!* irrumpió con tal sonoridad que las paredes cimbrearon. Chabela Villa apareció vestida de china poblana, sentada en una media luna que se descolgó del techo, vestía sombrero charro y unas botas altas que disimulaban la asimetría de sus chamorros. ¡Ajúa! ¡Cántale mamacita que después de tanta cerveza se siente lo mexicano! ¡Chúpale pichoncita!

Antón Villafierro la observó desde el palco de honor, departía con los presidentes de ambas fronteras que habían sido invitados al evento y saludaba a la prensa. El esmoquin le sentaba mejor que nunca y su cabello ondulado se acomodaba perfectamente hacia atrás. Ejercía el carisma ineludible de los que se sabían líderes.

"Me enorgullece enormemente el éxito de mi excuñada, es una muchacha tan tierna, tan inocente. No nos fallarán a la recepción de esta noche, ¿verdad? Tierra Negra echará la casa por la ventana".

"Claro don Antón, por allá llegaremos".

Después del espectáculo, Isabel se escabulló hasta la limusina que la aguardaba. Hacía mucho tiempo que no sentía el calor seco de la frontera. Se acomodó en el asiento y esperó a Antón. Transpiraba. Tras la ventanilla oscurecida del coche alcanzó a ver la caricatura de un lagarto enorme que le sonreía. Come visit, leyó en el letrero que sostenía el animal de cartón. Pensó en Aída, en todos los años que llevaba sin verla y sintió curiosidad por saber qué había sido de la vieja cantina. Antón entró en el compartimento del coche, le guiñó el ojo y la besó.

La limusina salió a la calle oscura y se encaminó hacia el cruce internacional. Al llegar, el aduanero les pidió que bajaran las ventanas, les preguntó qué llevaban y ordenó al chofer que se detuviera para efectuar la revisión. Antón Villafierro le dijo que no tenía tiempo para babosadas, que no llevaba nada y que no se detendría.

"¿Qué, no sabes quién soy, güey?" El oficial abrió los ojos exageradamente, los enfocó en el rostro de Antón y perdió la compostura.

"Discúlpeme señor Villafierro, no lo reconocí".

"Hazte a un lado y agradece que tengo prisa". El muchacho lo obedeció.

El nuevo malecón había acortado el trayecto hasta Tierra Negra pero tuvieron tiempo de destapar una botella de champaña. Antón se quejó de la incompetencia de todos esos agentes traídos de la Ciudad de México y agregó que tenían los días contados. "¡Chilangos de mierda! No saben distinguir a la gente honesta de los pelajustanes".

Isabel lo escuchó con sorpresa, como si por primera vez se diera cuenta de quién era. Dio un trago a la copa de champaña, cerró los ojos y recargó la cabeza en el respaldo. Me estoy volviendo loca, ya no sé ni lo que pienso.

Antón se le aproximó, lamió el perfil de su cuello y vertió champaña en su escote. "Te he extrañado tanto, Isabel".

Las palabras de Antón tenían la facultad de embrutecerle los razonamientos. "Ahora no hay obstáculos, Antón. Dolores nos ha permitido el reencuentro, estamos tú y yo solos. Podríamos recomenzar..." Antón no contestó, su lengua indagaba en el declive de la cantante. Le bajó la cremallera y le hizo el amor por tercera vez en ese día.

La recepción fue grandiosa, como todos los eventos organizados para impresionar, para cuidar la imagen. El patio de los cisnes había sido decorado con candiles de vidrio soplado y esculturas de hielo. Una banqueta bordeaba el lado del estanque que daba a la casa y el opuesto estaba delimitado por una pared subacuática que mantenía a los peces dorados sin posibilidad de escapatoria. Todo lucía la pulcritud de un jardín japonés. Los invitados circulaban consumiendo toda clase de aperitivos. Las charolas con caviar ruso, jamones serranos y corazones de alcachofa se servían una tras otra. De cuando en cuando los comensales se referían a Antón como señor presidente. Él soltaba una carcajada y agradecía el cumplido.

"Yo, con lo de la constructora tengo bastante, he vendido terrenos para tres maquiladoras más, la mano de obra barata sigue atrayendo la inversión extranjera".

"¿Quién mejor que usted para dirigir los caminos de nuestra Ciudad Desierto, don Antón?"

"No sé, no sé".

Isabel oía las conversaciones y se daba cuenta de su papel en el juego. No le cabía duda de que Antón efectuaba movimientos premeditados. Estudió las frases hechas, los movimientos de ceja, los cuchicheos y las poses, todo el elenco de la representación orquestada. A media noche, en el momento más efusivo de la reunión, Antón le pidió que cantara, que los deleitara con una melodía muy alegre y muy mexicana. Isabel le dedicó el *Siete mares* y los invitados lo celebraron con un aplauso de dos dedos a contra palma. ¡Qué elegancia, cuánta refinación! pensó la cantante.

Después de la actuación, con un derroche de humildad nunca visto en él, Antón Villafierro se dirigió a los reunidos y anunció su candidatura a la presidencia local. Los disparos de las cámaras no se hicieron esperar, los aplausos se desenfrenaron y las sonrisas aparecieron a diestra y siniestra. Isabel no tuvo más remedio que contagiarse del entusiasmo general, le pasó el brazo por la cintura, recargó la cabeza en su hombro con el mismo ademán de siempre y en voz baja le brindó su apoyo.

"Harás un buen trabajo, lo sé, eres hombre de empresa". Antón le respondió con un apretón en la cadera. Más tarde, cuando se quedaron solos, la pasión estalló bruta, sudorosa y devastadora.

"Isabel, tú eres la única mujer que me hace sentir así, eres bruja".

"Tu hechicera del amor, Antón, para siempre".

"¿Qué quieres decir?"

"Que me lo pidas ahora".

"Estás confundida, te quiero, pero bien sabes tú que lo nuestro sería un escándalo".

"¡Espera, Isabel! No te vayas así".

La fotografía de los dos abrazados se convirtió en el primer artefacto publicitario de la campaña. Los periódicos hablaron de las fuentes de trabajo que la urbanización de Tierra Negra había traído a la ciudad, del derrame de capital auspiciado por las grandes transnacionales y de todos los beneficios públicos que Antón Villafierro prometía.

"Este si es hombre de palabra, la nueva frontera llegará con él". Los titulares se sucedieron, se leyeron y se memorizaron hasta que se infiltraron en el subconsciente colectivo. El día de las elecciones, los desérticos depositaron el amor que le tenían a Isabel y la enajenación que había producido la propaganda en las urnas de votación. Antón Villafierro volvió a invitar a Isabel para las ceremonias inaugurales y las pompas, pero ella se negó a acudir. Una gira por Centroamérica la mantendría ocupada por esas fechas.

"De cualquier modo, te deseo lo mejor, sé que harás mucho por mi gente, adiós".

"Isabel, no desconectes, espera..."

Isabel colgó el auricular, terminó de delinearse los ojos y se peinó el fleco. Por el balcón de su casa en el sur de la Ciudad de México se colaba el fresco de la tarde recién llovida. Se levantó para cerrar la puerta de cristal.

¿Para qué verte otra vez, Antón? Para henchirme por dentro de un amor que rechazas, soy una estúpida, he sido una estúpida y seguiré siendo una estúpida. Te quiero, no te quiero. Te quise, no te quise. Encendió un cigarro, echó el fósforo en el lavabo de la cocina y se apoyó contra el refrigerador.

"Yo debí haber sido la señora Villafierro, la única... ¡la coja!" Soltó una carcajada, fumó, exhaló, se sirvió coñac y arrojó el vaso contra las puertas de cristal que había cerrado minutos antes. Los vidrios se sembraron en los mosaicos del balcón y en las macetas que adornaban la barandilla. *If I can't have you, I don't want nobody baby, if I can't have you, uh, uh, uh.* Apagó la radio.

14

El tiempo había transcurrido y con él, el exilio de Andrés se hizo costumbre. Durante el año escolar podía vivir en la academia y cualquier lugar servía para pasar los veranos. Los compañeros de internado envidiaban su libertad y se sorprendían de la solvencia económica de la familia Villafierro, algunos instigaban rumores acerca de la corrupción de Antón, pero Andrés no les hacía caso. Aprendió a evadir sus preocupaciones porque pensar en ellas siempre lo llevaba a sentirse culpable. Para él sólo existía la voz de Martín Arizmendi quien, con tal de mantenerlo lejos de lo que acontecía, exageraba las mensualidades y el dinero para las vacaciones. Algunas veces la cantidad fue suficiente para invitar a Luis, pero como al amigo le disgustaba el derroche monetario del que despreocupadamente Andrés hacía alarde, no acudía a los viajes. "Con dinero no se compran los amigos, Andrés". Andrés le respondía que no se preocupara, que era mejor disfrutar el dinero antes de que Dolores o Arizmendi se lo acabaran en las drogas.

Cuando se quedaban solos en el cuarto, Luis permitía que Andrés descansara la cabeza en su pecho hasta que se quedaba dormido, él sabía que la actitud indiferente que Andrés mostraba ante la falta de cariño familiar era completamente falsa. "Pasamos la Navidad en tu casa de Santa Fe, ¿para qué quieres ir a esconderte al otro lado del mundo?" le dijo Luis una tarde.

La casa de Santa Fe tenía los pisos de madera y más de cien años. Era una construcción de adobe, sin jardín, dos escalones en la banqueta se elevaban a la puerta. El color arena de las paredes exteriores repetía los tonos del resto de los edificios. Estaba cerca del centro y las calles permanecían atestadas de turistas atraídos por la temporada de esquí. A Luis le llamó la atención la cantidad de galerías de arte, la plaza repleta de pintores y las tiendas de artesanía nuevomexicana que competían con el tianguis de los indios en las aceras. Se vendía todo tipo de baratijas, pinturas en lienzos de cuero, joyería, vestimentas al estilo Pueblo y coyotes tallados en madera. Aunque el paisaje era invernal, el frío era tolerable con una chaqueta de cuero, un par de botas con forro interior de lana y unos guantes.

Andrés y Luis se acercaron a una mujer que vendía sortijas extendidas sobre una manta azul turquesa. Mientras Luis curioseaba la mercancía, Andrés se quedó perdido en las arrugas del rostro indígena. La mujer tenía las facciones que recordaba en su bisabuela. Andrés le sonrió y ella, con un inglés forzado, le dijo que era guapo, pero que llevaba un animal malo por dentro. Andrés levantó las cejas, miró a Luis por un instante y enseguida volvió los ojos a la mujer. "¿Qué animal?"

"Un lagarto", respondió ella antes de ponerle en la mano una argolla de plata. Andrés se quedó serio. Luis sacó dinero de la cartera y se ofreció a pagar el anillo. Ella no lo aceptó. "Vayan con Dios", dijo mientras hacía señas con la mano para que continuaran su camino. El incidente perturbó a Andrés por unos minutos, pero pronto se olvidó de él. Habían decidido esquiar esa tarde.

Los reflectores marcaban los senderos trazados en el parque, pero el escenario era tan uniforme que varias veces equivocaron el camino y estuvieron a punto de chocar con una pared de pinos. Sin embargo, esa noche no cabían accidentes, ni tragedias, ni premoniciones. Hacía mucho tiempo que Andrés no se sentía tan libre, tan regenerado, no sabía si era debido al licor de canela que tomaban constantemente o al simple hecho de tener a Luis tan cerca, de estar lejos de la academia, de Tierra Negra, de Ciudad Desierto y de saber que él podría solucionar cualquier lío. Luis también se veía contento. Esquiaron hasta que cerraron las instalaciones y el hombre que dirigía el teleférico les dijo que ya había hecho el último ascenso, que no abrirían hasta las siete de la mañana.

El espíritu de aventura que invadía a Andrés le impidió permanecer en casa. No tenía ganas de sentir el calorcito agradable de la chimenea, ni de tomar un baño hirviendo, ni de descongelarse. Habían cenado dos hamburguesas de McDonald's, un café con piquete y un poco de pastel de chocolate. "Nos acabamos la botella y la seguimos, hace un frío muy rico allá afuera", dijo.

"¿Por qué no esperamos a mañana? La nevada arrecia".

"¿Para qué esperar? Vamos ahora".

El centro permanecía iluminado por las decoraciones navideñas y los miles de foquillos coloreaban los copos de nieve como arco iris. Recorrieron las aceras y criticaron los escaparates. Se deslizaron sobre cartones por las calles desiertas. Conocieron a unas chicas alemanas que los invitaron a pasar la noche en su hotel. Las dejaron desvestidas y alborotadas. Amanecía cuando la botella que habían robado del único supermercado que estaba abierto a esas horas se terminó. Cuando llegaron a casa, Luis se recostó sobre la cama y habló.

"Estaba enloquecido con la muerte de mamá. Mi padre había tomado mucho y dormitaba en la sala. Yo no cesaba de derribar objetos y dar patadas en las paredes. Francisca, la criada, entró en mi cuarto. Me abrazó tratando de calmarme. Me dijo que la tenía a ella, que no tuviera miedo y que si necesitaba descargar mi furia, lo hiciera sobre ella y no sobre los muebles de la casa. Yo no entendí, me quedé inmóvil tratando de comprender el significado de su proposición. Ella tomó mis manos y las puso sobre su cara. Me pidió que la golpeara, que sacara todo mi coraje. Por unos instantes me cegó la ira. Recordé las palabras que mi padre le gritaba a mamá en el momento en que ella se llevó la mano al corazón. Oí que la llamaba perra, perdida y otras cosas que se me incrustraron aquí en el cerebro. La hubieras visto. Mamá fue cayéndose despacio, no podía respirar. Él tenía las pastillas en la mano y no se las dio, se quedó quieto, viéndola morir. Yo hice lo mismo, no acudí a ayudarla, estaba petrificado. El infarto fue fatal. Por eso golpeé a Francisca con todas mis fuerzas, porque golpeándola me golpeaba a mí mismo y lo golpeaba a él. Ella me pedía más golpes y se frotaba contra mí. Me bajó los pantalones. Yo la desvestí, le arranqué la ropa. Días después la descubrí haciendo lo mismo con mi padre".

Fue la primera vez que los roles se invirtieron, la primera vez que Luis se refugió en Andrés. Él lo abrazó, le acarició el cabello y le cerró los ojos. Se amaron toda la noche, con un amor juvenil que supo más a descubrimiento que a cualquier otra cosa.

15

Durante su estancia en Estados Unidos Andrés vio dos veces a Dolores; la primera fue un mes antes de su segunda boda con Antón. Dolores le contó a su hijo que estaba cansada de las zapaterías y que las había vendido, que una vez que Antón Villafierro se había convertido en presidente municipal vislumbraba la posibilidad de volver con él; explicó que sus aspiraciones eran de servicio, de labor comunitaria y de benignidad. Había iniciado la reconquista y necesitaba su ayuda.

Andrés le confesó que aunque no creía en sus propósitos altruistas, sería muy bueno verlos juntos, que quizás esa vez sí funcionarían las cosas. "Te ves muy bien. Sigues igual de bella que siempre, si no fuera por esas cicatrices en los brazos serías una musa".

"Estás loco, qué cosas dices".

"No te burles a veces soy medio poeta, de los malos, me gusta mucho leer, lo heredé de la tía Isabel. ¿Te molesta que hable de ella? No te preocupes, ella también me hizo a un lado. No sabe que tengo todos sus discos, el de Juan Gabriel le quedó excelente. ¿Te sirvo más jugo de naranja?"

"Estás tan alto, ¿cumpliste dieciséis?"

"Diecisiete, mamá. ¿Cómo es posible que te fallen las matemáticas? Lo que pasa es que te haces bolas porque te quitas los años. ¿Qué piensas de Luis? Es mi mejor amigo, el único".

"¿Tienes novia?"

"No, todavía no, quizás cuando termine con el internado, luego te doy la sorpresa. Llamaré a papá para decirle que pasaré el fin de semana en Tierra Negra. Tú te apareces por allí con el pretexto de verme. No te prometo que vaya, lo intentaré".

Las cosas habían resultado fáciles. Dolores apareció un sábado por la mañana en la mansión. Estaba más delgada que antes pero sabía acentuar sus atributos con la ropa. Antón fue presa fácil del escote de su blusa y tras unos tragos esperando la visita de Andrés, el pasado quedó atrás. Concluyeron que habían sido felices y que todavía estaban jóvenes para empezar de nuevo. No hubo promesas románticas ni cursilerías. Tuvieron sexo en la biblioteca y reiniciaron un trato tibio que les duraría poco tiempo; después permanecieron juntos por conveniencia. Antón Villafierro necesitaba más que nunca el adorno social que Dolores representaba. Arizmendi se quedó a vivir en la casa Lowemberg; a cambio de sus labores administrativas, Dolores siguió solventándole la vida química.

Andrés preparaba los exámenes finales cuando dos de sus compañeros entraron corriendo en el cuarto. En el televisor habían anunciado una entrevista con Antón Villafierro, presidente de Ciudad Desierto. Dejó lo que estaba haciendo y descendió las escaleras con el mismo apuro con el que los otros habían subido. Varios reporteros de la televisión americana investigaban las opiniones de los residentes de la frontera respecto a la inmigración ilegal de mexicanos. La respuesta de Antón Villafierro había causado controversia y se había convertido en noticia de primera plana a lo largo y ancho del país: “Sería bueno infestar el río con cocodrilos y lagartos, ¿a ver quién se atreve a cruzar entonces? Hay que aprender a respetar lo ajeno”.

Los que estaban en el plató estallaron en carcajadas, algunos lanzaron palomitas de maíz como confeti y otros imitaron con los brazos las fauces abiertas de un lagarto. Andrés notó que un sentimiento de vergüenza le incendiaba la cara y salió apresurado del cuarto.

Me has dado una bofetada, padre. El tiempo se nos ha ido y te has convertido en otro, alguien que yo no conozco ¿Te conocí alguna vez? Aquí me dispongo a franquear el último obstáculo, ya no me interesa la academia, pero he cumplido. La escuela de oficiales me espera, no me interesa el ejército. Luis también lo dejó, lleva dos años en la Universidad de Nuevo México. Tal vez me vaya con él. Sigo pasando las navidades en Santa Fe. ¿Existe Tierra Negra o ya lo has vendido todo? ¿Cómo te llevas con mi madre? ¿Cómo se siente ahora que es Primera Dama? Es inútil que te pregunte, nunca has contestado a mis cartas y el teléfono siempre está ocupado, qué idiotez, eres tan importante. No te sientas mal, la verdad es que nunca llamo, ni siquiera en tu cumpleaños, yo no tengo nada de buena persona. He comprado la última cinta de la tía Isabel. De noche me gusta tirarme en la cama con los audífonos y escucharla hasta que me quedo dormido. Su voz me arrulla aunque sus canciones han vuelto a ser tristes. Me graduaré en el cuadro de honor, ¿qué más podría esperarse de un tipo como yo? No he dejado la natación y he ganado un poco de músculo. ¿Te enteraste que representé a la academia en la competencia estatal? Me clasifiqué para los nacionales, pero hasta allí llegué. ¿Quién sabe?... quizás para la olimpiada de Los Ángeles esté en mejores condiciones. La piscina es mi único divertimento, el agua me enajena, se me pasan las horas incontables. El cuerpo se me queda arrugado. No vendrás para la graduación, ella tampoco.

Andrés se equivocó. Dolores llegó a la explanada del patio de ceremonias vestida con un atuendo Chanel color verde. Martín Arizmendi la llevaba del brazo. Llegó en el momento en que las trompetas iniciaban los acordes del Himno Nacional Americano y se tuvo que detener frente a las gradas. Andrés descubrió a su madre desde la plataforma donde saludaba la bandera de franjas azules y rojas; discretamente le sonrió.

Cuando la entrega de diplomas hubo terminado, Andrés corrió hasta su madre y la abrazó. "¡Viniste! ¿Te gusto en uniforme?" Dolores no respondió, había distinguido a Luis por encima del hombro de su hijo. Se soltó del abrazo y apuntó con la barbilla. Andrés tomó la mano de Dolores y la apretó. "Mamá, Luis ha venido desde Albuquerque".

Luis avanzó hacia ellos con las manos dentro de los bolsillos del pantalón. Llevaba un traje negro de hombreras y el cabello envaselinado lucía más oscuro de lo que era.

"¡Qué guapísimo es, Andrés! ¿Tiene novia?... ¿Novio?"

"Qué pregunta tan estúpida, Arizmendi, estás muy acabado para él", regañó Dolores.

Andrés contempló a Luis con admiración y cuando lo tuvo cerca, lo abrazó, le dijo dos palabras al oído y lo palmeó en la espalda. "Te ves bien, hermano".

"Luis, apenas lo reconocí, está usted muy formal", saludó Dolores.

Luis no tuvo tiempo de contestar, Arizmendi extendió la mano y se autopresentó como el tío Martín. Las risas no se hicieron esperar ante la reverencia premeditada del acompañante de Dolores. El hombre tenía los ojos engolosinados y mostraba exageradamente su dentadura perfecta. "No podíamos faltar a la graduación de Andrés, él es lo único bueno que tenemos en nuestras vidas aburridas", dijo enfatizando cada palabra con un movimiento exagerado de muñeca y dedos. Luis asintió. Dolores intuyó lo que esa noche confirmaría.

El hotel Belmont era el único sitio interesante del pueblo.

Se decía que allí se había fraguado una conspiración militar para esconder el único accidente de naves extraterrestres del que se tenía noticia. Había sucedido mucho tiempo atrás, pero el lugar seguía siendo visitado por agentes de investigación y científicos internacionales. El restaurante de comidas interplanetarias servía unos espaguetis venusinos extraordinarios, unas enchiladas marcianas en salsa verde y una paella bombardeada por asteroides repleta de mariscos viejos. Andrés sabía el menú de memoria y lo recitó sin ningún problema. Recomendó un vino saturnino para la sobremesa. "Ya me conocen, ceno aquí al menos dos veces por semana, saben de los problemas de mi paladar". Todos se rieron.

Te vas a Albuquerque con Luis, hijo. ¿Te molesta que te llame así? No debes de estar acostumbrado. Me has roto las ilusiones. ¿Tenía yo ilusiones? Quiero llorar y decirte que en un amigo eso es tolerable, pero no en un hijo. ¡Qué egoísta soy! Se te ve tan feliz y se nota que él te quiere. ¿Entonces por qué estos sentimientos innobles, esta necesidad de gritarle que es un pervertido, que es dos años mayor que tú y te sedujo? No puedo decir nada, yo misma he festejado tu valor para seguir tus convicciones. Hoy, cuando te vi con tu uniforme de soldado americano, me recordaste tanto a David. ¡Ay Andrés, en la penitencia Dios me dio el castigo! Sí, no ceso de repetir que la comida es deliciosa, que nos traigan otro vino galáctico y que me apedreen con meteoritos como a tu bisabuela. Quería decirte que ahora sí estoy sobria, que llevo varios meses sin tocar la droga y que me siento mejor que nunca. Mentiría, toda mi dicha se cifra en mis estados espirituales. Soy una bribona al borde del quebranto, necesito ir al baño, empolvarme la nariz. No soporto ver las miraditas de gallina medio muerta que hay entre ustedes dos. Yo venía por ti, para llevarte a Tierra Negra a que me iluminaras la vida. Todos dicen que eres un sol, tus maestros, los oficiales, la gente con la que Arizmendi habla de ti. Has pedido el postre y discretamente le has dado a probar a él de tu cuchara, sólo yo me he dado cuenta, sólo yo que no puedo dejar de observar tus movimientos. ¡Me recuerdas tanto a David, hijo! Me ha vuelto el espanto, fue un error haber venido, pero no quería que sufrieras como yo aquella vez que mamá me llevó al sepelio de Doña Aurora y no pude asistir a mi ceremonia de graduación. Iba a llevar mis zapatitos de charol y me iban a dar el premio a la mejor alumna. Hay cosas que no se borran, no importa cuántos desangres, cuántos viajes, cuántas terapias se hagan. Debes comprender mi angustia y mi cobardía, hijo. Podría enamorarme de ti como una loca.

16

Con pasos que empezaban a ser afectados por el reuma, Aída salió a dar una vuelta alrededor de la casa porque no podía dormir. Desde la barranquilla que la última tormenta de arena había descubierto podía perder la mirada en la penumbra del desierto. Le gustaba ver ese cielo púrpura de estrellas tiritantes que sólo allí había disfrutado. Ya no se acordaba de lo que era bañarse bajo una cascada, cortarse la piel con las agujas de un pino, pisar descalza una roca puntiaguda, escuchar algún aullido de lobo o cuidarse de los osos que violaban a las mujeres; ya ni siquiera podía hablar con los paisanos que seguían bajando de la sierra; la concha nácar le había blanqueado la cara. ¿Dónde habían quedado reré-betéame, Onorúame y el tesgüino? Todo se lo había llevado el viento que se llevó a Eyerame y trajo a Anselmo, de eso estaba segura, Anselmo había llegado allí empujado por el viento, era igual de flaco que un papalote. Ella era una desértica, lo había sido desde que sus pies tocaron la arena.

La luna menguante descubrió los cuerpos entrelazados de dos serpientes reproduciéndose. Aída se llevó una mano al sexo, se levantó la faldilla de la bata y se tocó. Lo sintió flojo, decadente. Pensó en la antigua juventud, la niña vendedora de piel morena y firme, las borracherras y los dólares, las fichas y las pistas de baile rodeadas de rostros humeantes exigiéndola desnuda, los contoneos de sus nalgas duras. Tom, su Tom. Después Ciudad Desierto y la nada, el vacío que ni dos hijas ni un amante ni el dinero ni el nieto habían llenado. Ya no quedaba nada de eso. Quiso recordar el momento en que dejó de sentir, no estaba segura, tal vez había sido mucho antes de conocer a Anselmo Pérez. Se soltó las trenzas y se colocó la mata de cabello gris sobre la flaccidez del pecho. Regresó hasta su habitación y encendió el ventilador portátil. Se miró largamente en el espejo, al menos el rostro no se le había arrugado, era lo único que no le había envejecido. Sonrió al recordar los consejos de Doña Aurora. Se recostó sobre la cama y se quedó dormida soñando con caras de militares gringos y esposos impotentes.

17

Hacía poco más de dieciocho años que David Price había vuelto a nacer, Dolores siempre supo, desde que lo sintió patalear dentro de ella, que el sargento no sería fácil de olvidar, que por más que lo intentara, la semilla germinada acabaría ascendiendo por sus entrañas para darle un fruto amargo, lleno de espinas. Ella seguiría la escuela de Aída y viviría empeñada en desinfectar la nostalgia; ese sentimiento que desde que había vuelto a ser la señora Villafierro la visitaba todas las noches. El David de mármol le hacía el amor y la dormía en sus brazos; nadie, ni Antón, ni el judío, la habían mimado como él.

Tierra Negra había vuelto a ser suya; Antón la trataba con respeto, con una cortesía que en momentos sabía un poco a amor y un poco a lástima. Habían acabado el término de administración municipal con grandes elogios. La señora Villafierro, presidenta de los programas de la senectud, asistente a todos los desayunos infantiles, devota de la Virgen de Guadalupe y promotora de la diplomacia fronteriza, la personificación de la nueva mujer mexicana, era una mezcla de fortaleza y fragilidad, defensora de los pobres y consumidora de la alta costura, exhortadora de las tradiciones regionales y empeñada en europeizar la cultura en Ciudad Desierto.

Antón Villafierro, por su parte, había logrado disminuir el índice de desempleo, había pavimentado mil calles, había llevado el alumbrado público a las colonias de la periferia, había inaugurado decenas de escuelas primarias y secundarias, había hecho limpias en la policía y había negociado un acuerdo de intercambio de presos desérticos con El Paso. Igual que antes, aparecía en todas las funciones políticas vestido de negro, con un pañuelo coloreado en la solapa y sonriendo siempre. Nadie había vuelto a mencionar lo de los lagartos, aquella sugerencia había sido sólo una táctica maquiavélica para ganar el favor norteamericano en esos momentos de crisis nacional; un antifaz que Antón Villafierro se había puesto ante los gringos para hacerlos felices y conseguir más inversionistas que crearan más fuentes de trabajo, así habían explicado la propuesta las autoridades de su gabinete. El reinado había sido perfecto, había pasado a los anales de la historia de Ciudad Desierto como uno de los períodos de mayor tranquilidad ciudadana, de grandes altruismos y por primera vez, libre de corrupción y de malos manejos.

El comercio internacional iba y venía por los puentes, se entregaban cada vez más casas del Infonavit, se prometía la descentralización y los dólares eran la moneda preferida en las transacciones económicas. Dolores vivía una etapa de relajación sensorial, se dedicó a cultivar gardenias, a importar más plantas tropicales para la casa, construyó dos invernaderos, clorificó los estanques y mandó instalar sistemas de filtración, compró más cisnes, plantó naranjos erendianos y espulgó las últimas hectáreas de selva para exterminar tarántulas, víboras y cualquier tipo de bicho inmundo que le diera asco. Contrató a un arquitecto para que derribara dos paredes de la mansión y construyera un gimnasio Nautilus, con baños vapor y sauna. La casa respiraba salud y vegetarianismo.

Mientras tanto, en Albuquerque, Andrés y Luis habían conseguido un apartamento barato cerca de la universidad. Amueblaron el piso con el dinero que Antón había mandado como regalo de graduación y parecía que no les faltaba nada. Se habían acostumbrado a estar juntos, no frecuentaban los lugares para gente homosexual, ni participaban en desfiles, ni se tomaban de la mano en público. Algunas veces Andrés trataba de arrebatarle a su amigo un roce en el cine o en el supermercado; Luis lo miraba enérgico y las cosas quedaban así, sin pasar a mayores.

"No me avergüenzo, sólo quiero ser yo. Jamás me colgaré un arete o me maquillaré los labios, esas ridiculeces no me van, ni tú ni yo somos unos mariconetes, ya ves, ni siquiera dormimos juntos, tenemos nuestras navidades en Santa Fe, eso nunca va a cambiar".

"Yo también te quiero mucho", respondía Andrés. Habían quedado atrás los tiempos de la religiosidad, eran demasiado intelectuales para seguir pensando que existía Dios, que venían del mundo de los espíritus, que tenían que llegar castos al matrimonio y que el consumo de Pepsi-Cola o una cerveza fría los privaría de la gloria celestial, que a fin de cuentas era una invención irrisoria.

Habían planeado mudarse a Santa Fe cuando Luis acabara la universidad. A Andrés no le importaba tener o no un título, las cosas que le interesaban se aprendían a solas, en una buena biblioteca y leyendo mucho. Luis había establecido contactos con una constructora de Albuquerque que le había prometido considerar una propuesta de asociación. Él abriría una sucursal en Santa Fe y la firma se encargaría de la mercadotecnia a lo largo del país.

18

Andrés conoció a Cristina Oliverio en la piscina de la universidad, el día que había quedado a dos centésimas de segundo de calificar para la Olimpiada de Los Ángeles. Cristina era una estudiante de sicología y pretextó que escribía una tesis sobre los efectos de la derrota en los deportistas, que le gustaría entrevistarlo. Andrés accedió.

Cristina tenía una inteligencia innata. Por lo regular, llevaba el cabello negro atado con cintas y unos anteojos redondos. Su figura no era esbelta, pero resultaba atractiva. Nunca calzaba otra cosa que no fueran zapatillas blancas de tenis. Con Luis, Cristina mantenía un contacto respetuoso. "Tu amigo es muy arrogante, lo que tiene de guapo lo tiene de creído, nada más hay que oírlo hablar, sí, ya sé, no lo defiendas, Luis es in-te-li-gen-tí-si-mo, tiene todo el derecho de sentirse superior al resto del mundo. Está amargado".

Luis podía dar la apariencia que Cristina le atribuía. Estaba tan ocupado con su propio proyecto de tesis que no tenía tiempo para socializar, sobre todo con alguien como Cristina, una bohemia de café universitario preocupada por el planeta. Luis no tenía tiempo para resolver el mundo con charlas filosóficas.

A Andrés se le hacía fácil invitar a Cristina al cine, al restaurante o a ir de tiendas. Disfrutaba de su conversación porque tenían muchas cosas en común, sobre todo la pasión que Cristina decía sentir por el período negro de Goya y los esperpentos de Valle-Inclán. Se enfrascaban en discusiones larguísimas y pasaban horas discutiendo las implicaciones entre la obra de arte y el artista, los efectos sociológicos de la literatura y la exagerada acogida mundial de *Los ricos también lloran*. Andrés le aseguraba que había que juzgar el arte por el arte, que la literatura de ficción jamás había influido en la sociedad y que los ojos de Verónica Castro eran los culpables del éxito. Cristina lo dejaba hablar, sonreía y luego le llenaba la cabeza de teorías que refutaban sus posturas.

De vez en cuando, Luis parecía estar celoso de la relación e intentaba separalos con chantajes sentimentales que no sabía llevar a cabo; entonces estallaba en un arranque de furia que lo llevaba a encerrarse en la habitación por horas. Pretextaba que tenía mucho que estudiar y que no lo molestaran. A Andrés le gustaba verlo así, con ese esfuerzo supremo que hacía para no gritarle que lo quería nada más para él, que Cristina era una intrusa. Pero Luis jamás pronunciaría esas palabras aunque le chirriaran en los dientes.

Luis se fue de la casa la noche que se graduó de arquitecto, justo después de la primera pelea con Andrés. No tuviste más remedio que invitarla. No podías ser descortés con una amiga a quien querías tanto. ¿Qué culpa tenía ella del carácter obsesivo de Luis? No pretendas que no sabías que las cosas acabarían mal. Luis quería celebrar contigo, recoger su diploma en la ceremonia, pasar por la recepción media hora y escaparse a Santa Fe, solos. Te avisó de sus planes con dos semanas de anticipación. ¿Qué hiciste tú? Organizar esa reunión sorpresa con los de su facultad que acabó por colmar el plato. Sí, una celebración a lo Villafierro, de gastar dinero a raudales e impresionar a los impresionables, con servicio de catering y meseritos guapos. Y luego Cristina, tan despampanante, con ese vestido Norma Kamali que tú mismo le regalaste. Cristina colgada de tu brazo enfrente de todos, porque ¿cómo ibas a imaginar tú que Luis, el homosexual homofóbico, se hubiera sincerado con sus colegas; que cada vez que besabas a Cristina en la mejilla o le acariciabas la espalda lo ponías en ridículo? ¿Cómo ibas a pensar que le doliera tanto verte con ella, tanto que se emborracharía y perdería el control y te gritaría ante todos que eras un puto y un hijo de la chingada, que mejor se largaba para no joderte a golpes? Y recuerdas que lo seguiste hasta el garaje y le dijiste que tú no eras Francisca, la criada, que si te ponía la mano encima se iba a arrepentir de haber nacido, que hacía dos meses que te acostabas con Cristina porque ya no aguantabas estar solo, que tú no eras segundo plato de nadie y que necesitabas compañía. Y no era cierto, Andrés, tú lo querías más que nunca, aún cuando el primer puñetazo te hizo perder el equilibrio y escupir sangre. Y Cristina allí, con sus gritos histéricos y metiéndose entre los dos. "¡Deja que nos rompamos la madre!" Lo viste marcharse, subirse al Jeep y tomar la carretera a Santa Fe. Cómo quisiste ir tras él, decirle que estaba bien, que te perdonara, que él era lo único que habías querido en tu vida.

Luis se quedó sentado en el Jeep varios minutos antes de acercarse. Don Guillermo y Francisca estaban hospedados allí. Habían venido para la graduación. Recordó la casa de Monterrey, a su madre y la pasividad que él había guardado durante su entierro.

Poca gente había acudido al cementerio pero era de esperarse, sólo a su madre se le había antojado morirse en plena Noche Buena. Alzó los ojos hacia el retrovisor y se tocó la cara. Los golpes que Andrés le había propinado comenzaban a amoratarse.

Hasta el último minuto, entre los golpes, había pensado pedirle perdón, pero después de la ira, el maldito orgullo. Andrés era igual. Jamás esperaría un intento de reconciliación por parte de quien se consideraba tan perfecto. Tantos años desperdiciados en una borracherra. Sacudió la cabeza para escapar a sus propias reflexiones. Sabía que encontraría a don Guillermo tan borracho como siempre, lo había visto dejar el centro de convenciones en Albuquerque casi tambaleante. Abrió la portezuela del Jeep y caminó cuidadoso hacia la casa. Tuvo el impulso de utilizar su propia llave pero se detuvo. Decidió tocar.

Francisca le franqueó el paso sorprendida mientras él se adelantaba hasta la sala sin hacerle caso. Preguntó por su padre. Los botes de cerveza vacíos le dieron la respuesta. Desvencijado sobre el sofá, el hombre no mostró ninguna emoción al verlo.

"Mira, el arquitecto finalmente se digna a hablarnos". Intentó levantarse pero perdió el equilibrio. "¡Para que jodidos nos hiciste venir, para reírte de nosotros delante del mequetrefe ése!" El manotazo que dio sobre la mesa hizo que la montaña de latas de aluminio fuera a dar contra el televisor. Le dijo que hacía tiempo había dejado de considerarlo hijo y que sólo estaba allí porque Francisca había insistido en la reconciliación. Luis le reclamó que no estaba en su casa, que nunca imaginó verlo borracho en la ceremonia y que no tenía que recordarle que todo lo que había llegado a ser se lo debía a su madre. No era necesario repetir las palabras que le habían ocasionado la muerte. Quería el dinero que le pertenecía y advirtió que se regresaba a Monterrey, que por primera vez sería capaz de anunciarle al mundo que el señor exembajador no era más que un borracho asesino. Don Guillermo apretó los puños y dijo que no le importaba, que él no estaba allí para resolver pleititos de putos.

Francisca se acercó a Luis, trató de calmarlo y le pidió que se retirara a descansar, le prepararía una habitación y ella intercedería ante don Guillermo. Luis retrocedió sin dejar de observar a su padre y salió dejándolo sumido en un ambiente de ira y de olor a cerveza desparramada. Francisca caminó hasta el viejo y le pasó la mano por la calva. Le dijó que no se preocupara, que Luis no cumpliría sus amenazas. "Vamos a acostarnos, mañana será otro día".

Aunque compartían la cama, apenas tenían relaciones sexuales. Por lo regular el hombre caía sobre el colchón como un bulto de carne medio curtida y de aliento irrespirable. Francisca había dormido su asco y cuando él la abrazaba y le exhalaba aquellos ronquidos secos al oído, ella ya no estaba allí, su mente escapaba desnuda por el espacio oscuro de la rendija bajo la puerta y no regresaba hasta la hora del amanecer.

Esa noche fue diferente, apenas cerró los ojos, el alma hambrienta de sexo se trasladó al cuarto del pasillo opuesto. Luis dormía abrazando una botella a medio terminar, ni siquiera había tenido tiempo de desvestirse. Sentada en el borde de la cama lo observó por varios minutos. Le hubiera gustado tocarlo pero se conformó con verlo. Se recostó a su lado y pretendió besarlo. Recordó que cuando Luis confesó lo que sentía por Andrés, el escándalo había acabado con la intervención de la policía. Hacía ya dos años de eso. Don Guillermo había volteado la mesa del restaurante sobre los dos muchachos y no los había bajado de jotos, maricones, desvergonzados. Maldijo por no llevar pistola para acabar con los dos allí mismo, los llamó putos de mierda y le dijo a Luis qué era una vergüenza saberlo hijo. Ella misma se había asustado y se abrazó a Luis suplicándole que no hiciera el escándalo mayor. Cuando despertó, era a don Guillermo a quien abrazaba, se dio la vuelta y trató de volver a dormirse.

Luis se había encerrado en la habitación como cuando era niño y oía los gritos de su madre. Escuchaba las quejas que se le habían incrustado en el cerebro y que ahora emergían ávidas de ser oídas. Resultaba irónico que ahora se repitiera la historia entre Andrés y él. Sacó la fotografía de la cartera y la observó largos minutos. No concebía que Andrés, su Andrés de todos los días, de masajes en la espalda, de besos en el oído, de desayunos energéticos y comidas dietéticas sin sal, estuviera con Cristina, acostado con Cristina, revolcándose con Cristina, metiéndose y saliéndose de Cristina. Empinó lo que quedaba de la botella y la dejó sobre la cama. Vaya regalo de graduación, pensó antes de cerrar los ojos.

19

Santa Fe en pleno invierno se vestía con las luces navideñas que tiritaban igual que él. Recordó otro invierno como ése, otra navidad. Había ido a visitar el terreno de Andrés, ya no habría casa enclavada entre pinos, habría que incinerar los planos, disfrutar del olor a incendio. Habría sido tan fácil dejar que la carretera tomara control de los zigzagueos y desbarrancarse, volcarse en la nieve y morir aplastado por el Jeep, o desnucarse, no seguir en esa marcha sin rumbo que sin darse cuenta lo había llevado hasta Albuquerque, hasta el apartamento de Andrés, no de él, ni de los dos, quizás de Andrés y Cristina. No se dio cuenta de que el BMW acababa de aparcarse detrás.

"¿Qué haces aquí afuera?" Andrés le tocó en la ventanilla.

Luis titubeó por un instante, se arregló la ropa y lo siguió. Había pasado solamente un día, pero un abismo enorme se había abierto entre los dos. La gran espalda de Andrés, la cortesía con que cedió el paso al abrir la puerta, el labio hinchado, tantas cosas dolieron esa noche que Luis se sintió ridículamente vulnerable; por primera vez, no disimuló. Con los ojos clavados en el piso avisó que había ido a recoger lo que le faltaba. Tú le preguntaste si era necesario, que qué caso tenía. Él sólo te pidió no empezar otra vez. Te servías un jugo de naranja cuando le confesaste que habías pensado que volvía para quedarse. Él meneó la cabeza y salió del cuarto con un vaso de whisky en la mano. Le gritaste que iba a acabar igual que su padre, pero las palabras te sonaron ajenas, en realidad querías gritarle que no se fuera, que las cosas podían arreglarse, pero el amor propio no te dejó hablar. "Autoestímate, Andrés, tienes que amarte a ti mismo antes de amar a los otros". Las palabras de Cristina y su terapia de tienda de libros. ¿Qué le costaba a Luis pedirte perdón? Nunca lo había hecho, ya era hora.

Luis abrió las puertas del armario lentamente. Tomó la bolsa de viaje; ojalá se hubiera llevado los recuerdos en ella, sólo le cupieron las corbatas de seda y las camisas italianas. ¿Cuántas veces le habías anudado las mismas corbatas? Los recuerdos eran demasiado grandes para ser empaquetados. Se detuvo en las miniaturas indígenas que había traído de Centroamérica, esos muñequitos a quienes le contabas las penas para que se las llevaran. Le pediste que te los dejara, te dijo que eran un recuerdo de su madre. ¿Quién te resolverá los problemas de ahora en adelante Andrés? Tan supersticioso, tan vidente, ¿cómo no adivinaste que esto iba a pasar? Lo seguiste hasta la sala y te recostaste en el sillón; empezaste a dormitar un sueño donde la pesadez te arrastraba despacio. Su voz te llegó distante y corriste para abrazarlo entre los lóbregos pasillos que soñabas para decirle que no se fuera, que todo seguía igual... Sólo acertaste a murmurar que le fuera bien.

Había sido definitivo. Nunca volvería. A su lado iba la botella de Crown para calmarlo. El alcohol lo hacía sentir tan bien que casi terminó el contenido de un sólo trago. Todo aparecía tan claro. ¿Cuántas veces los había encontrado trabajando juntos, sentados en el mismo sofá, muy cerca uno del otro? Recordó la vez que los halló con los cabellos húmedos, venían de la piscina, los había creído. ¿Cómo podría competir con Cristina? Si hubiera sido otro hombre le partiría la cara, lo aniquilaría con un puñetazo. Pero a Cristina no podía maltratarla, no existía manera de enfrentarse con ella. Enfiló el coche hacia la carretera y condujo a toda velocidad. Cuando se cansó de esquivar las burdas imágenes que le distorsionaban el camino ya se encontraba en Santa Fe estacionando el Jeep.

Entró en la casa y preguntó por don Guillermo. Francisca le contestó que había preparado las maletas y se había acostado, que había comenzado con la bebida muy temprano. Luis aventó las llaves sobre la mesa de la sala. Francisca se le acercó y aspiró el aroma de ebriedad al que estaba acostumbrada. "No te has quedado atrás", le susurró al oído. Él la hizo a un lado y la pasó de largo; la mujer trató de asirlo por el hombro; le dijo que se bebiera un trago con ella, que establecieran las paces, que a pesar de todo nadie mejor que ella sabía que él era todo un hombre. Luis trató de continuar su camino hacia la recámara pero simplemente cogió el vaso y se dejó caer en el sillón. Francisca se aproximó bajándose los tirantes que le sostenían la blusa; brindó por el futuro y le ofreció los senos desnudos. Luis cerró los ojos.

Luis desapareció de Santa Fe, de Albuquerque y de Monterrey. Cuando Andrés fue a buscarlo, la propiedad había sido clausurada; una cinta amarilla que decía Keep Out impedía la entrada. Alguien le informó que cuando la policía llegó esa noche, don Guillermo todavía tenía la pistola en un una mano y el teléfono en la otra. Los dos cuerpos desnudos habían quedado sobre el sillón.

Durante ese tiempo Cristina se mantuvo a tu lado, te insistió en que regresaras a Tierra Negra, que te haría bien estar entre familia. Vendió los muebles del apartamento, liquidó el contrato y almacenó en una bodega tus pertenencias. "Vete, regresa con los tuyos. ¿Qué quieres de Santa Fe? Necesitas cambiar de aire. Te estás atiborrando de antidepresivos. A veces me siento culpable de lo que pasó. Me duele verte aquí, en este hospital de paredes pulcras, de sábanas esterilizadas y barrotes en las ventanas como si alguien fuera a saltar de un tercer piso. Ya hablé con tu madre. Me ha pedido que vaya contigo. Tu padre está dispuesto a olvidar el tipo de relación que tenías con Luis. No lo juzgues, Andrés. No me ignores, mírame a los ojos, la vida sigue".

20

Andrés Villafierro no regresó a Tierra Negra al salir del hospital siquiátrico. Fue a un centro comercial en Albuquerque, se compró ropa nueva e hizo una reservación para el siguiente vuelo a la Ciudad de México. En algún lugar, en una postal o en una portada de disco encontraría el domicilio de la tía Isabel, de Chabela Villa, la palenquera. Se despidió de Cristina en el aeropuerto y le aseguró que no estaba listo para enfrentarse a su familia en esos momentos. En una parte muy recóndita de su cerebro todavía palpitaba la estúpida idea de llegar a la mansión con el portón de aldabas de cuervos, al lado de Luis. No había nada de que avergonzarse, se repitió sin hacer caso de las palabras de Cristina que le pedían que dejara a Luis descansando en paz. "¿Quién te ha dicho que los muertos descansan?" le contestó. "Los cementerios son lugares orgiásticos, de diversión continua, ahora lo sé. Observa a toda esta gente. ¿Cuántos quisieran gozar como gozan los muertos? Sin preocupaciones, sin desamor. Mira a la chica de gafas anaranjadas. ¿Qué lee? Stephen King, literatura de aeropuerto, sueña con ser artista de cine. Allá, a tu izquierda, el muchacho de audífonos y jeans rotos la está viendo desnuda y ha descubierto que no es una rubia natural. Imbéciles. Y aquella señora de botas vaqueras que ayer fue violada en su casa y ahora se dispone a empezar otra vida. Lo sé todo, Cristina, puedo escuchar lo que piensan".

Cristina le acomodó el cuello de la camisa y le dijo que se subiera al avión, que ya habían hecho la última llamada. "Todavía estás trastornado por la muerte de Luis". Andrés se alejó rápidamente, sin mirar atrás. Aunque Cristina no le creyera, él escuchaba las voces claramente, con puntos y comas. No tenía que convencer a nadie.

Cristina se acercó a la pared de cristal que la separaba del exterior. La nave permanecía allí; detrás de alguna de las ventanillas se sentaría Andrés, con toda la pesadumbre que le colgaba del espíritu. Había llegado a la conclusión de que Andrés era igual a las mujeres que había en su vida; aun sin conocerlas las sabía débiles, de carácter conflictivo, dependientes. Ella era una mujer de los ochenta, liberada y persistente, sabía lo que quería de la vida y en ese momento se llamaba Andrés. En el coche la esperaba su equipaje y el verano en Tierra Negra. Allí aguardaría, confabulada con Dolores para curarlo, para hacerle ver que la homosexualidad es una condición mutable. ¿Quién mejor que ella podría enmendar las torceduras? Ella, que tenía toda la paciencia del mundo.

Para Andrés, México resultó una ciudad horrible, llena de gente y suciedad en las banquetas. El aeropuerto apestaba, el taxista le había robado dinero, el hotelero no aceptó los dólares porque ya habían cerrado la casilla de cambio que funcionaba en el lobby; tuvo que pagar con tarjeta de crédito. El chorro de agua de la ducha era débil y desde la ventana de su cuarto no se veía el cielo. Un canal de televisión pasaba una telenovela llamada *Angélica,* se presagiaba un final de tragedia. ¿Dónde había dejado los antidepresivos? Después había salido para ver el monumento a la Independencia y la Diana Cazadora de tetas enormes, habría que visitar Teotihuacan, el Templo Mayor, Xochimilco. De pronto se repetían todas las sensaciones que había experimentado cuando era niño y se mudó a Ciudad Desierto. México, qué bonito se oía el nombre, era musical, tan musical como el violín de Eyerame o el canto de Isabel. Allí no había paredes que derrumbar, ni padrastros abusivos, ni madres drogadictas, ni padres expresidentes, ni amantes muertos. En México podía subirse al metro y reírse ante la proximidad de los cuerpos que le hacían cosquillas en las nalgas y le endurecían el pene. En México podía meterse en un cinillo de mala muerte a ver películas pornográficas de hombres fornicando, alguno se le acercaría y le tocaría la rodilla, luego le ascendería la mano hasta el sexo y le daría masajes eróticos hasta provocarle la eyaculación. “Ándele güerito, vámonos y déjeme mamarlo toda la noche, sin condón su mecha, está usted tan bonito que aunque tuviera el sida, diga que sí, no sea rajado”.

En México la contaminación bajaba del aire, recorría las calles, se metía por las paredes y lo emponzoñaba todo. En México le robaron la cartera y le metieron una golpiza por andar levantando putos en la Zona Rosa. En México había una Pirámide del Sol donde le hubiera gustado morir sacrificado. ¿Cómo no iba a querer sacarse el corazón y ofrecerlo a Huitzilopochtli si le magullaba el pecho? Pero quizás al dios azteca no le gustaban los corazones invertidos, porque por más que se tendió sobre la plancha de sacrificios, por más que se concentró para que su pecho explotara, nada pasó, ningún sacerdote azteca apareció para clavarle la oxidiana. Habría que buscar a Chabela Villa, a ver si ella se atrevía a inmolarlo.

La casa de Isabel descansaba en un barrio exclusivo del sur de la ciudad. Allí el aire olía a limpio, a huele de noche y a ladrillo mojado. La polución era elitista, no se atrevía a ensuciar los barrios ricos de calles pedregosas. Había álamos plateados, olmos y sauces llorones en los jardines, algunas fuentes de angelitos orinantes y casas modernas. Los cruceros del barrio tenían señales de tránsito que funcionaban, las banquetas estaban remendadas. El transporte público no contaminaba, no había tienditas de esquina, ni vendedores ambulantes. No existía el ruido. Por eso, la voz de Isabel se escuchó en el altavoz con precisión. "Tía, hace muchos años, Andrés, su sobrino".

La reja electrónica se abrió para dar paso a un jardín bien cuidado. Un sendero de cantera rojiza llevaba hasta la puerta de vitrales góticos. Isabel abrió. El tiempo había sido benevolente con ella. Vestía una túnica blanca y unas alpargatas del mismo color, el cabello negro partido al medio le llegaba a los hombros. No se había maquillado. Un perro de cola enroscada y ojos saltones llegó ladrando hasta Andrés. Isabel lo llamó mientras hacía señas para que su sobrino se aproximara. "Nunca pensé que te pondrías tan guapo. Dame un abrazo. ¿Tienes hambre?"

Charlaron toda la mañana, entre sorbos de café, canciones que habían quedado casi olvidadas, fotografías de conciertos, programas de recitales, recortes de periódico y olor a incienso. "Tía, soy un mujeruco, no sé qué monstruo llevo dentro, he perdido el control. Gracias por no juzgarme, yo sé que el amor que usted le tuvo a papá también la condenó a vivir sola. Mi madre tenía razón cada vez que me gritaba que iba a acabar en un manicomio, ahora les llaman centros de rehabilitación, clínicas de reajuste mental. ¿Le duele mi presencia? La veo un poco triste, usted no tuvo la culpa de dejarme solo, la echaron de Tierra Negra. Sí, se han vuelto a casar, creo que se llevan bien. He oído que lo van a lanzar como candidato a gobernador, dicen que es buen político. ¿Todavía lo quiere, tía? Lo leo en sus ojos, *solamente una vez, amé en la vida.* ¿Cómo ha podido ser tan fuerte?"

"Te hace falta familia, muchacho. Aquí no carecerás de nada, quédate toda la vida si quieres. Somos un par de desterrados, yo tampoco tengo nada que hacer en Ciudad Desierto, cuando me enteré de la segunda boda de tus padres decidí que ya no tenía nada que hacer por aquellos lugares. Aquí estoy bien, me he acostumbrado a la vida rápida de la capital, a levantarme a las cinco de la mañana para llegar a los estudios de grabación, a llevar pistola en el bolso o el gas lacrimógeno, no te rías, yo soy mujer guerrillera, ni la polio, ni el desamor me vencieron, aunque el despecho estuvo a punto de hacerlo. Llevamos la maldición en la sangre, tú y yo, locos como la bisabuela. Hubo un tiempo en que creí que podría arreglarme las piernas a través de la concentración mental, me hacía tonta; ya aquí en México anduve con brujos y satánicos, me tragué mil botellas de tónicos homeopáticos y mírame, sigo tan chueca como antes, tal vez más. Pero tengo mi voz, Andrés, allí está mi poder, en reconocer que abro la garganta y todos se callan, que puedo cegarlos con una melodía, con esta voz carraspera que me ha dado todo lo que tengo... Mañana me entrevistan en Televisa, vas a venir conmigo y te voy a presentar a todos, a Memo Ochoa y a Lourdes. A lo mejor se nos cruza un productor de telenovela y te enchufo, eres todo un galán, ya te veo de actor besando a la Lucía Méndez o a la Castro, aunque estén mayorcitas para ti, aquí los tipos con tu apariencia están en demanda. Todavía estamos subyugados por los criollos, por los mexicanos blanquitos, tú cabes allí, con los privilegiados. Te arreglé la habitación de la planta baja, a la izquierda del ascensor, mi secretaria llegará a las cuatro, ella te despertará".

Andrés Villafierro se acostó sobre las colchas y cerró los ojos. La tía Isabel era más efectiva que los tranquilizantes. Tomó uno de los bordes de la sobrecama y se tapó el cuerpo sin quitarse la ropa. Todavía no se había acostumbrado a la falta de Luis, quería oírlo lavarse los dientes, hacer gárgaras, desalojar el excusado tres veces aunque no lo hubiera usado. Cada tres noches le hacía el amor, entraba al dormitorio sin hacer ruido, le besaba los pies y poco a poco ascendía por las piernas. Después sentía el peso que lo oprimía fuerte, duro. Le abría la camisa del pijama mientras lo besaba y le pellizcaba un pezón. Ahora eran sus propios dedos los que jugaban con la tetilla y la presión no producía placer, sólo comezón.

El noticiero *Hoy mismo* llevaba muchos años en el aire y siempre se transmitía en vivo. Andrés había dormido sin necesidad de calmantes y los ojos se le habían despapujado; caminaba detrás de Isabel y su secretaria, una mujer madura de apariencia intelectual, con anteojos bifocales y pañuelo al cuello. Todavía no habían dado las siete, pero en el estudio, el ir y venir era constante. "Los micrófonos están proyectando sombra, arréglale el peinado a Lourdes, don Memo póngase los lentes que ya vamos a transmitir, cinco segundos para los créditos, todos a sus puestos, apúrenle, cinco, cuatro, tres..."

Después del primer corte comercial, dos supervisores de programación acudieron al camerino de Chabela Villa para avisarle del inicio de la entrevista. "Vamos de emergencia, comenzaremos con usted en el próximo segmento, se ha perdido un videotape, de cualquier modo la teleaudiencia es mayor, es la hora del último café antes de salir para el trabajo".

"¿Así, voy sin maquillaje?"

"¡Make up, Make up! .... Chabela Villa, maquillaje urgente".

Los muebles de escenografía, las prisas, los rótulos con las direcciones escénicas, hicieron reír a Andrés. Hasta los pensamientos lujuriosos de Memo Ochoa le produjeron risa, los había escuchado claramente cuando Isabel se acercó a darle el beso acostumbrado. "Tan guapa como siempre, qué deleite tenerla con nosotros esta mañana, por favor tome asiento. Chabela, cuéntenos de su último proyecto".

"No diga el último, Memo, sólo el más reciente, no me eche la mala suerte que soy supersticiosa".

Cuando Isabel terminó la primera ronda de preguntas, el estudio había recuperado la organización. El mariachi se instaló en el set de los musicales e Isabel accedió a la petición falsamente improvisada de cantar un corte de su último disco, el tercero que le producía Juan Gabriel. *Tú estás siempre en mi mente, pienso en ti amor cada instante, cómo quieres tú que te olvide si estás tú, siempre tú, tú, tú, siempre en mi mente...*

Andrés escuchó la letra con atención. Pero después de los primeros versos, Andrés ya no estaba en el estudio, su espíritu se había desprendido y recorría los parajes invernales de Santa Fe, las calles de Albuquerque, el apartamento de dos recámaras, la academia militar, la Iglesia de Jesucristo de los Santos del Día Postrero, los brazos protectores de Luis. Todo sucedió en un segundo y tuvo que gritar porque Isabel le había puesto el micrófono delante para que cantara con ella ante las cámaras. No pronunció ni una palabra, sólo aquel grito que ya había escuchado en otro lado, aquel alarido nervioso y criminal que derrumbaba paredes.

Las lámparas se columpiaron, las cámaras perdieron el foco, Memo y Lourdes interrumpieron la canción para decir que estaba temblando en la Ciudad de México y el resto del país se quedó con esas palabras antes de que la imagen del televisor se conviertiera en una pantalla de puntos.

El 19 de septiembre de 1985 Andrés Villafierro apareció por

unos segundos en televisión, el estudio se derrumbó y con él, el hotel donde Andrés se había hospedado hasta antes de la última noche, un hospital, varios edificios de vivienda pública, la colonia Roma y Tlatelolco. La mortandad cayó sobre México rápida y de golpe, aplastando gente dormida, niños recién nacidos, mujeres hermosas, reporteros de televisión, turistas, doctores, enfermeras, maestros, empresarios, prostitutas, millares de almas que no tenían ninguna culpa aparte de estar allí, en esa ciudad cosmopolita.

En Televisa las cámaras siguieron grabando entre el polvo, las tuberías reventadas, los gritos de ayuda, los primeros auxilios, los lamentos de hombres y mujeres. No había ambulancias porque nadie podía llegar hasta allí, los socorristas se aparcaban a distancia y corrían con las camillas al hombro, un agente de policía daba instrucciones descabezadas. "Allí hay una mano, aquello parece una pierna, muévanle muchachos, por aquí, vamos mejor para allá, no, no, esta señora necesita ayuda, con cuidado, ciérrenle los ojos con cuidado, ya se nos murió, chingado".

Cuando los que habían quedado ilesos llegaron hasta Isabel, un tabique de acero le había reventado las piernas. No se quejaba. "¡Mi sobrino, mi sobrino está bajo esos escombros! ¡Ayúdenlo a él!"

Dos hombres removieron los restos de pared y las vigas de madera que habían caído sobre él. "¡Estoy vivo!" Un minuto después el propio Andrés luchaba por retirar el peso que oprimía a Isabel. "¡Aguante un poquito más, tía! ¡Ya mero! ¡Órale muchachos, uno, dos, tres... arriba!"

Al levantar el acero, las piernas de Isabel escupieron un chisguete de sangre que coloreó el rostro de Andrés. Ella gritó por primera vez, el dolor le llegaba de súbito, como el terremoto. Sus piernas eran una masa irreconocible. "¡Ay Dios mío! ¡Tómame la mano, hijo!... Voy a desmayarme... Andrés, dile a tu madre que la perdono... que la quise mucho... era tan bonita... ¡Mamá Aída, mamá Eyé!... Mira Andrés, la abuela está bailando en el cielo... toca el violín..."

"¡Tía, no se me muera! ¡No se me muera!"

Las líneas telefónicas se congestionaron y Andrés no pudo comunicarse con Tierra Negra. Tampoco recordaba el número aunque la recepcionista del hospital trató de sacárselo con una cachetada. "¡Basta de tartamudeos... bastante tenemos con tanto herido! Llene usted el formulario, no hay tiempo para la neurosis, su tía ha entrado en coma, probablemente no despierte, era mi cantante favorita, maldito temblor, los terremotos no hacen distinciones".

No hubo necesidad de operaciones. El paramédico que había recibido a Isabel en el cuarto de emergencias salió del quirófano para informar que no había nada que hacer, que Chabela Villa había expirado. En ese momento entró una enfermera avisando que habían rescatado a cuatro niños de entre las ruinas de una sala de partos y había que ayudar. "¡Rápido, muévanse!"

Andrés se tragó el malestar, intentó invadirse de altruismo pero no pudo, eso estaba bien para los fuertes, no para él que tenía aversión por la sangre y los momentos de crisis.

21

Cuando Dolores recibió a Andrés en el aeropuerto, el muchacho reconoció que la había extrañado todos esos años. Sólo bastó una inspección dentro del abismo de sus ojos para percibir la tristeza ignorada hasta por ella misma. Su abrazo enyesado confirmó que seguía siendo la mujer programada de los tiempos de las zapaterías. Avisó que Cristina estaba en Tierra Negra pero que había regresado a Albuquerque para defender su tesis y que muy pronto estaría de vuelta. Agregó que ahora que lo tenía allí, sólo le faltaba Aída.

"La tía Isabel se acordó de ti en sus últimos momentos, mamá".

"¿Pidió perdón por haberme robado el marido?"

Andrés prefirió guardar silencio. Hacía mucho tiempo que no visitaba Ciudad Desierto, los multicinemas, las megaferreterías, los servicios de car-wash automático, los superettes de veinticuatro horas, el McDonald's en construcción, resultaron una copia malograda de lo que había visto en la Ciudad de México. Reinaba el descontrol y los coches no respetaban las señales de tránsito, las calles parecían haber sido bombardeadas y los charcos de agua disfrazaban los cráteres engañosos. Un camión de Petróleos Mexicanos les cerró el paso y Dolores estuvo a punto de perder el control del Mercedes Benz.

"Cada día llega más gente, olvídate, ahora con lo del temblor, la ciudad se va a infestar".

Andrés no habló, cerró los ojos y recargó la cabeza en el respaldo del asiento. "¿No te duele en absoluto que tu hermana haya muerto?" No hubo respuesta.

El olor a habano se escapaba por la rendija de la puerta de la biblioteca. Antón Villafierro acababa de llegar y el cuarto ya olía a cigarro. Fumaba con la vista fija en el ventanal que daba al patio. Dolores entró a avisarle que la cena estaba servida. Molesto, apagó el puro sobre la mano disecada de un gorila, tomó a Dolores del brazo y salieron de la biblioteca. "Andrés ha regresado, lo recogí en el aeropuerto esta tarde", informó.

Pocas cosas lo perturbaban y la presencia de Andrés en esos momentos era una de ellas; sin embargo, disimuló. Dijo que le daba gusto que Andrés hubiera comprendido que sólo sus padres podrían ayudarlo en momentos como ese. Salió sin ceder el paso, no quería que Dolores leyera el desagrado que se le había alojado en la cara.

Minutos más tarde, el silencio circulaba entre los sentados a la mesa. Se miraban alternativamente sin saber cómo iniciar conversación. Andrés cortó un pedazo de lechón y se lo llevó a la boca. "Veo que ya comes mejor", dijo Antón mientras cortaba su propio pedazo de carne.

Andrés simuló un brindis y agregó que únicamente cenaba así en ocasiones especiales. Apuró el vaso de vino y se tragó el bocado sin masticar. Era preferible ignorar el sarcasmo de Antón y concentrarse en Dolores que se veía radiante. Ella comentó que la vida estaba a punto de cambiar para todos. Ya debe andar cerca de los cincuenta, pensó Andrés.

El comedor se sumergió en un ambiente de cordialidad sobreactuada. Cuando acabó su comida Antón reiteró el gusto de verlo de nuevo y se marchó. Andrés no tenía hambre así que se disculpó y sin saber por qué caminó detrás de su padre sin que éste se diera cuenta. Antón iba rumbo a las caballerizas. Uno de los mozos lo divisó y le preparó un animal.

Andrés permaneció escondido. Después de tanto tiempo se descubría mirándolo con curiosidad. Apreció el esmero en los detalles de su vestimenta, cualquiera diría que era un aristócrata inglés ataviado para ir de caza, sólo faltaba la jauría. En la mansión no se había atrevido a analizarlo, pero allí, desde el escondite, volvió a verlo como lo había hecho el último verano que pasó en Tierra Negra.

Cuando estuvo seguro de que su padre se había ido, Andrés se acercó al caballerango y le preguntó si sabía hacia dónde se dirigía el patrón. El hombre le informó que iba a inspeccionar la construcción de la carretera oriente, que quizá lo encontraría allí. Andrés ensilló un caballo, esperó unos minutos y se puso en marcha.

El extremo sur de Tierra Negra había sido ignorado por los Villafierro hasta hacía dos meses. Eran los terrenos que colindaban con el desierto y el suelo no había respondido a las fertilizaciones de antaño. Ahora el arroyo entre el páramo y los nuevos algodonales corría limpio y clorificado. Los nuevos sistemas de riego se extendían como una red exacta y cuadricular a lo largo y ancho de las tierras. Isabel había llevado a Andrés allí en muchas ocasiones, le gustaba relatar las leyendas de la gente que vivía al otro lado, los desérticos. Andrés no sabía por qué disfrutaba tanto ese mar de arena amarilla que se extendía más allá del alcance de sus ojos. Aunque Isabel le había explicado mil veces que Aída había bajado de las montañas, para Andrés, la abuela venía de allí, tenía que ser así porque las manos ásperas que recordaba sólo podían estar hechas de arena. Sonrió, la tía Isabel ya no contaría más historias y a la abuela hacía muchos años que no la veía.

Andrés distinguió la silueta de Antón sobre el pedestal metálico de una grúa. Aunque el deseo de hablarle lo había llevado hasta allí, prefirió quedarse mudo sobre el caballo, leer sus pensamientos. Se conmovió al pensar que por primera vez ocupaba la mente de su padre. Si se llegara a hacer público... me lleva la chingada, en qué momento se le ha ocurrido regresar.

El espionaje mental de Andrés no duró mucho tiempo; Antón había percibido los chapoteos de un intruso que acababa de cruzar a nado la distancia entre las dos orillas. Oyó que Antón daba la voz de alarma, pero los trabajadores ya se habían ido. El hombre emergió de las aguas y casi imperceptible se esfumó entre los algodones. Antón oprimió un botón y la plataforma descendió. Abrió la reja que servía de puerta a la oxidada caja y caminó hasta hasta donde imaginó que se había colado el intruso. Las huellas todavía estaban frescas. Se hincó de rodillas, rascó la tierra con el índice y regresó a la cabalgadura.

"Se siguen cruzando por Tierra Negra", Andrés se acercó. Antón confirmó con un movimiento de cabeza.

"¿Desde cuándo estás allí?"

"Acabo de llegar".

Antón se le quedó viendo. Lo retó a una carrera hasta la casa y le dijo que si no estaba cansado irían por una cerveza. Ya era hora de que tuvieran una conversación.

Había oscurecido cuando llegaron a Ciudad Desierto. Antón estacionó la camioneta en el aparcamiento de un burdel de mala muerte e hizo sonar varias veces el claxon. Una mujer envuelta en una mantilla fue cojeando a su encuentro. Antón abrió la puerta, la tomó del talle y le presentó a Andrés.

"Es mi hijo, de seguro tendrás algo para él". Andrés no acertó a moverse.

"Depende de lo que le guste, tengo una jovencita que me acaban de traer de Zacatecas, a lo mejor..."

"No se preocupe..." interrumpió Andrés.

"Isabel", aclaró, "para tu padre soy Isabel". Sonrió en dirección de Antón.

"Tráesela, con tal de que tenga por dónde", se rio.

"Lo siento, papá. Creí que querías hablar". Andrés bajó de la camioneta y se alejó.

"¡Espera!" le gritó Antón.

"No te preocupes, tomaré un taxi".

"Me lleva..."

Isabel subió al vehículo por la puerta que Andrés había dejado abierta. "¿Lo de siempre?"

Antón la desnudó apurado. Se desabrochó los pantalones y se los bajó hasta los tobillos. Colocó a la mujer sobre él. Ella descansó las piernas en el respaldo del asiento, por encima de los hombros de Antón y recargó la espalda en el volante. Antón le aplastó los senos con las manos y la penetró. Le pidió que cantara al compás de la bocina que oprimía con cada arremetida. "Así te gusta, verdad, puta barata, canta, sigue cantando".

Cuando terminó, abrió la portezuela y la sacó de la camioneta. La mujer cayó sobre la hierba húmeda y Antón creyó ver que de sus pechos manaba un líquido. Tenía que echársele encima y lamer aquel brebaje. La luna los envolvió mientras rodaban por el pasto.

La misma luna entraba en ese momento en el cuarto de Dolores. La serpiente de luz avanzaba para acariciar el ventanal, las sillas, la cama, el cuerpo de la amante. Dolores dejó que la lengua fría la recorriera despacio, que se le metiera en las cavidades y se las lamiera. Había que corresponder estremeciéndose entre las colchas, acariciándose el sexo con la mano hasta que llegara el espasmo, el espasmo que la obligaba a aferrarse a los barrotes de la cabecera, que la hacía perder el equilibrio. Afuera, bajo el balcón, el David la esperaba, desnudo, con su cuerpo de mármol.

Dolores se levantó, se quitó el camisón empapado, cerró la ventana y caminó al baño. Tomó una toalla, se la pasó por la frente, abrió el grifo de la regadera y se introdujo en la ducha para apagarse las últimas pasiones. El agua se le deslizaba cuerpo abajo mientras ella se mecía a su ritmo. Minutos después se envolvió en una bata transparente y salió del baño. Se inclinó frente al tocador para arreglarse el cabello. Todo era silencio en ese extremo de la casa. Caminó a oscuras hasta la estancia que dividía la planta superior. Se detuvo frente a la escalera. Andrés había regresado y subía con un vaso de leche. La descubrió en toda su plenitud de mujer madura, bien cuidada. No hubo palabras. Ella se dio la vuelta y regresó a su habitación.

22

Aída dijo que el día que Anselmo perdió la consciencia definitivamente lo había visto levantarse temprano y abandonar la casa sin hacer ruido. Sin embargo, hacía varios días que lo notaba extraño, como si presintiera que el fin estaba cerca. Desde que Aída había regresado al desierto no recordaba que él hubiera estado tan ausente, con la misma actitud enajenada de cuando vivían juntos en la vecindad. Era como si Anselmo volviera a perder el rumbo que había encontrado lejos de la familia. En el pueblo, contrariamente a lo que pensaba Aída, los habitantes aseguraban que Anselmo había empezado a morir el día en que ella apareció.

"Así fue como la tranquilidad se me volvió a escapar. Ese maldito día, Anselmo llegó quejándose de un dolor en el pecho que no lo dejaba resollar. Cuando me acerqué a ayudarlo, me gritó que lo dejara, que le había llegado la hora y que quería morir tranquilo. Me empujó a un lado y se tiró en la hamaca haciendo aspavientos y sonidos extraños, como si de pronto se hubiera convertido en un burro terco. Yo no le hice caso y me senté al lado hasta que se quedó dormido".

Lo raro sucedió cuando cayó la noche. Aída lo había dejado dormir todo el día a la sombra del único álamo del patio, pero muy pronto caería el sereno y no era bueno que Anselmo se expusiera. Se acercó a la hamaca y lo vio acurrucado ridículamente con el pulgar entre los labios. Lo meció pero Anselmo continuó durmiendo. El hombre emitía unos balbuceos extraños y tenía el pecho agitado. Aída intentó despertarlo pero Anselmo no respondió. "¡Vas a acabar de joderte si te quedas afuera!" gritó mientras iba a buscarle unas cobijas. Cuando regresó, un olor le revolvió el estómago. Se acercó a la hamaca tapándose la nariz. Los pantalones de Anselmo escurrían un líquido viscoso que se acumulaba sobre el piso en pequeños charcos. A pesar de estar acostumbrada a casi todo, apenas pudo apaciguar las ganas de vomitar al echarle la manta encima.

Dolores apareció en el pueblo a la mañana siguiente. Se detuvo en un restaurante, pidió un café y le preguntó al dueño dónde estaba la casa de Doña Aurora.

"Siga por donde va, no hay pérdida".

"Lávese las manos antes de servirme, no sea sucio". El hombre no respondió, le trajo el café en un vaso de cartón y le pidió que se fuera.

Habían pasado varias semanas después del regreso de Andrés y Dolores se había propuesto traer a Aída a la mansión. Todavía era la mujer enérgica que se sacrificó casándose con un anciano para volver a ser rica, la que le robó el novio a su hermana coja, la que se desangraba por amor, la que nunca quiso ser india y creció en un internado de niñas ricas, la que mutilaba limones, la de la madre cantinera y la abuela tarahumara. Ahora tenía nuevos planes y Aída era necesaria. Tomó el café, dejó un dólar en la mesa y se fue.

La casa de Doña Aurora no era tan grande como la recordaba. Encendió un cigarrillo antes de presionar el timbre del portón. Observó que el índice le temblaba. Llamó de nuevo, se dio media vuelta y se apoyó en la pared. Oía los ronquidos constantes de alguien que dormía en el patio, pero nadie abría. Cuando por fin Aída hizo caso del llamado, Dolores se encontraba en el límite de su paciencia. Llevaba allí varios minutos y dos colillas de cigarro se habían acumulado a sus pies. La mueca de sorpresa de Aída hizo que Dolores olvidara su enojo. "Ya me iba", acertó a decir. No hubo abrazos, esos romanticismos no estaban hechos para ninguna de las dos.

Esa noche, antes de retirarse a la habitación que Aída le había acondicionado, Dolores abrió la cartera para tomar una de aquellas pastillas anaranjadas que le alivianaban las tensiones, la puso bajo la lengua y dejó que la espuma disolvente le adormeciera la conciencia. En unos cuantos minutos sería necesario contrarrestrar los efectos con la cocaína que disfrazaba en la polvera, sólo así podría relajarse y pensar en el curso que había decidido dar a su vida. Antón me ha pedido que venga por ti, eres el atractivo principal, una carta fuerte para la nueva campaña política; Andrés piensa que lo he hecho por él, el muy ingenuo. Cada día lo veo más débil, más mediocre, quiere reencontrarse contigo, con la abuela tarahumara. Sigues siendo la misma, pareces un roble ante las adversidades. Mira que yo pensé que sería más difícil convencerte. ¿Quién iba a decirme que Anselmo se pusiera así? ¿Quién iba a decirme que el patético Anselmo acabaría siendo mi aliado? Hay que llevarlo a Ciudad Desierto, mamá, esto no se ve bien, parece que está en coma. Déjelo dormir unas horas más, venga, prepáreme uno de los guisos de la abuela. Soy otra, nunca es tarde para reconocer que una ha estado equivocada. Cuénteme lo que quiso a papá, eso nunca lo he oído de su boca. No se asuste. Créame. Todos tenemos derecho a reivindicarnos. He aprendido a aceptar a Dios, mamá. Ya verá cuando sea primera dama de Chihuahua todas las cosas que voy a hacer por los nuestros, por nuestros indiecitos muriéndose de hambre allá en la sierra. Con Antón, no me extrañaría que llegara a la presidencia del país.

La mañana siguiente Aída titubeó al subir al auto. La voz computerizada de la máquina que le recordaba que se ajustara el cinturón de seguridad la hizo recelar. Echó un último vistazo a la casona, tragó saliva y se sentó con la vista fija en el desierto que le quedaba enfrente. Tenía el rostro apiedrado, sin muecas, como si pretendiera inmobilizarlo. En el retrovisor, una camioneta esperaba el arranque del automóvil; Dolores había utilizado el teléfono de bolsillo para pedirle a Antón que le mandara una, y dos empleados fuertes, de confianza. Aída torció la cabeza y de reojo observó el vehículo que transportaba a Anselmo. Se le figuró que su marido había muerto y que ahora lo llevaban al cementerio. ¡Qué lejos estaba esa procesión de parecerse a las nutékimas de Doña Aurora! Se santiguó resignada y se colocó el cinto. No quería volver a escuchar la voz metálica del coche que hablaba en inglés.

Apenas salieron del lugar, la polvorera del camino terroso desvaneció la imagen del retrovisor; una cascabel reventó al paso de los neumáticos. Aída cruzó las manos sobre el pecho, se subió el chal para que le tapara el cuello y puso atención en los bordes del camino. El aire acondicionado contrastaba con el ululante desierto que le quedaba al lado. Las arenas se fueron tornando amarillas, los cactos se fueron haciendo cada vez más y más frecuentes hasta convertir aquel mar de polvo en un bosque espinoso de arbustos secos rodando al empuje del viento. Aída siguió las volteretas de una de aquellas bolas crepitantes que se fue a estrellar contra la portezuela del auto, la observó deshacerse en un sinfín de partículas despedazadas y cerró los ojos.

Por muchos kilómetros la carretera se oscureció. El viento se quebraba en las acumulaciones rocosas produciendo un silbido constante. El deslizar del coche se tornó en un constante ajetreo que la obligó a aferrarse a la manija. El despertar de los muertos, pensó. Lentamente fueron emergiendo tonalidades verdes, plantitas escuetas que se alzaban aquí y allá. De pronto el camino se delineó recto sobre el tablero, el coche volvió a convertirse en una máquina de movimientos imperceptibles. Dolores apagó el clima artificial y bajó las ventanillas automáticas. Un olor húmedo entró al interior del auto. Atravesaron el río por el puente recién construído y al otro lado apareció la corta pradera que daba origen a los algodonales de Tierra Negra. Aída sintió que ese lodazal la tragaba entera, que aquellas plantas la cubrían para devorarla. Apretó los ojos y no los abrió hasta que el coche se hubo detenido y Dolores la tomó del brazo.

Aída recorrió con la mirada cada esquina de aquella fotografía archivada en la memoria. La casa de columnas blancas en medio del paisaje verde oscuro, las palmeras, los jardines y las aldabas en forma de cuervos. Dolores había detenido el auto frente a la puerta principal. Antón Villafierro salía casualmente y las saludó antes de desaparecer dentro del coche que lo esperaba. Tras ellas se estacionó la camioneta en que viajaba Anselmo.

Aída se resignó, descendió lenta, se acomodó la correa de sus sandalias y no permitió que nadie le cargara sus bolsas. Caminó por el empedrado del jardín frontal y reparó en la imagen desnuda de la escultura en el centro del patio. Dolores le explicó que era un David, que Antón se lo había regalado la primera vez que estuvieron casados. Aída lo miró detenidamente. Un viento repentino deshizo el peinado de Dolores, el pañuelo que le recogía el cabello se alzó sobre la casona mientras la comitiva que llevaba a Anselmo se introducía por la puerta principal. La gasa flotante onduló por el aire hasta perderse y fue a caer en el estanque del patio trasero. Andrés observó la llegada desde el balcón de su habitación.

Los sirvientes llevaron a Anselmo al último cuarto del pasillo superior izquierdo. Aída permaneció quieta al pie de la escalinata y clavó los ojos en el vitral de la pared al final de los peldaños. La luz anaranjada que se filtraba le lastimó los ojos de la misma manera que le lastimaba la protuberancia de dudas que hacía unas horas le empezaba a jorobar la espalda. Imaginó que unas manos le apretaban los tobillos haciéndole imposible la subida. Un escalofrío la recorrió al llegar a lo alto, se detuvo en el último escalón y se volvió tratando de recuperar algo que se le había escapado del espíritu, pero que no pudo recobrar porque no supo qué era. Dolores sólo distinguió la silueta a contraluz pero las palabras que oyó le taladraron por dentro, "aquí van a suceder desgracias". La puerta principal se abrió de súbito estrellándose contra el resorte protector que la devolvió con fuerza. El viento arremolinado que se volvería a sentir noches después penetró en la casa sin intenciones de salir. Dolores corrió hasta la puerta y aseguró el pasador. Sabía que no estaba sola pero sintió que la soledad se le encarnaba hambrienta. Se recargó contra los dibujos labrados de la puerta, se abrazó a sí misma. Trató de sonreír. Mañana hay reunión con las damas del Club Sertoma, luego con las Rotarias. Te llevaré, mamá. Nos tomarán muchas fotos y apareceremos en los periódicos, doña Dolores Villafierro y su madre tarahumara. El orgullo de nuestra tierra. Se secó la transpiración de la frente y caminó hasta la cocina.

Aída caminó por el corredor de la planta alta cargando una bolsa en cada mano. En todos esos años a distancia, jamás hubiera imaginado que acabaría allí. No pudo resistir la tentación de adentrar la mirada en todas las habitaciones que encontró abiertas. La suya era como las demás, una enorme cama llena de cojines, algunos muebles extraños y alguno que otro adorno. Dejó sus pertenencias sobre el baúl metálico que descansaba a los pies de la cama y se acostó.

Horas más tarde, Andrés salió a la terraza del segundo piso en busca de su abuela. La encontró con la vista clavada en el firmamento, con una postura que recordaba a Dolores. No le fue fácil acercarse ni entablar conversación. A decir verdad, le sorprendió verla con su atuendo de tarahumara, haciendo unos ademanes extraños en dirección a las nubes.

Abuela, qué alegría verla de nuevo. Quisiera acercarme a usted pero no puedo. Me gustaría acariciarle el pelo, abuela, pero fíjese cómo me quedo inmóvil, tragándome el abrazo. Yo también la recuerdo a usted, siempre la llevo en la memoria, todavía guardo el lagarto de oro que usted me regaló. Perdone que no me quedara en México para el entierro de la tía. No podía seguir en su casa, la veía a todas horas caminando por los pasillos, saliendo del ascensor, sentada en su silla de ruedas. Tenía las piernas deshechas, agusanadas. Reía. Su risa me causaba tanto espanto que tuve que salir de México, abandonar su casa y volver a Tierra Negra. No me diga que me quiere, no necesitamos las palabras obligadas, ¿cómo puede usted quererme si ni siquiera me conoce? Yo, a usted, quiero quererla. Tengo que hacerme un hueco en esta basca de corazón que me late dentro. Cuénteme su historia, abuela.

Cuando estabas chico te saqué al patio con un cuchillo para que cortaras la serpiente que nos iba a caer del cielo, tu manita de ángel nos salvó de la tromba... hasta en el periódico salió tu foto. Así debe de sonar su voz, su voz que no recuerdo aunque usted me esté hablando ahora, su voz que se me confunde con todas las que gritan en mi cerebro. Su historia, abuela, eso es lo que quiero escuchar. ¿Amó al padre de Dolores? ¿Ama a Anselmo?

23

Aída ocupó sus días en la rutina diaria de la mansión, supervisaba a la servidumbre con los bríos que Dolores no tenía y hasta llegó a ser juzgada de déspota. Hay que desquitar lo que les pagan, a mí nunca me ha gustado la gente floja; Conchita, ya sabe que a Andrés tiene que prepararle los alimentos sin sal; Rosario, necesito que mañana acuda al mercado de abastos y me consiga una concha nácar; don Abundio, acuérdese de surtir la receta de los sueros de Anselmo, no se le vaya a olvidar; Prudencia, avísele a Dolores que los chilacayotes no llegaron a tiempo, que no podré preparar la cena tarahumara para el convivio del señor; Matilde, agarre la escoba, el jabón y los mecates, hay que lavar la tumba de mi madre, la tienen muy descuidada.

No fueron las ocupaciones que Aída se había impuesto lo que la mantuvo alejada de Andrés, sino los conflictos que surgieron cuando Cristina regresó a Tierra Negra. Aída no pudo justificar la aversión que la muchacha le produjo. La prepotencia intelectual que la chica hacía patente en sus conversaciones la sacaba de quicio. Además durante una comida de domingo Cristina había sugerido que Aída estaba demasiado vieja para haberse echado encima la responsabilidad de los manejos de la mansión. Dijo que la abuela necesitaba descanso y que no era conveniente para las terapias que estaba a punto de iniciar con Dolores que ella hubiera delegado su autoridad. Aída se defendió diciendo que ella no era una anciana inútil, que se iba a morir de pie, trabajando. Agregó, después de una pausa, que la forma de vestir de Cristina le recordaba los tiempos en que ella había sido fichera. El comentario dejó a todos sin habla. Ante el desconcierto, la cara enrojecida y las venas tensas del cuello de Cristina, Andrés no tuvo más remedio que intervenir. "Es la moda, abuela, no critique lo que no conoce". Aída se puso de pie y abandonó la mesa.

Había sido la tarahumara quien recibió a Cristina al llegar; la joven comprendió desde el primer momento que mientras se mantuviera cerca de la mujer de los chongos de escarmiento y los ojos avispados, no tendría una estancia del todo placentera. La rivalidad entre las dos surgía provocativa, un reto espontáneo que no la atemorizaba. Ella estaba en Tierra Negra para conquistar, para desbordarse en encantos, para subyugar con atenciones a los que importaban; la india abuela de Andrés era un ser secundario.

Aunque Cristina no era rica, no había lugar en su persona que no denotara la buena crianza. Se jactaba de ser hija única y consentida, de haber tenido unos padres que le dieron todo y la encauzaron por el sendero de los propósitos nobles. Con el título de sicología en mano podía abrir su consultorio en Ciudad Desierto. Dolores se convirtiría en su primera paciente. "Ya no sé ni lo que quiero, Cristina. Cada vez me cuesta más trabajo organizar las reuniones de las damas del PRI, siempre estoy fatigada. A ti puedo confesarte la verdad. Ya ni la coca me da energías. Las hemorragias son cada vez más frecuentes. Tengo miedo. Anoche la nariz me sangró durante casi media hora. Han sido muchos años, pero si tú supieras lo bonito que se sentía tener ganas de bailar desnuda a media noche, de reconstruirme los besos y las caricias de David, de crispar el ser completo con su recuerdo, de hacerlo todo. ¿Quieres un poco? No te ofendas, jamás te obligaría. Tú eres una muchacha limpia. ¿Sabes que yo también fui universitaria? Sali de la nada, del barrio, de mesera pasé a ser dama. Todo en esta vida se puede lograr, Cristina. Las mujeres tenemos la posibilidad de ser tan fuertes como cualquier hombre, pero en nosotras, los sacrificios, sobre todo los de amor, se graban en la carne, la conciencia nunca duerme. Nunca te enamores, Cristina. Quiere mucho a Andrés, porque yo sé que lo quieres, pero no te enamores, Andrés está maldito, igual que yo, igual que mi madre, que mi abuela y aunque me duela admitirlo, igual que mi hermana Isabel; cinco dedos de la misma mano."

Al paso de las semanas, Andrés acabó por acostumbrarse a Cristina; congeniaban más que antes. Ya no eran ellos los culpables de la muerte de Luis, había sido la fatalidad, el destino injusto. "Empiezas a dejarlo atrás, eso es bueno. Ahora es cuestión de mirar hacia adelante, de forjarte un futuro nuevo, metas, Andrés, aspiraciones".

Andrés no tuvo más alternativa que asumir el papel de novio formal. Era tanta la voluntad de amarla que a veces soñaba que lo hacía y que aquella excitación que le bebía en la boca lo humanizaba, lo normalizaba. Pero la imagen que surgía en la nebulosa del sueño no era la de ella, se palpaba la erección y se daba vuelta sobre la cama hasta que conseguía dormirse. En las mañanas, cuando abandonaba su habitación, era Cristina quien estaba allí, dispuesta a montar, a tostarse la piel en el estanque, a ir de compras a El Paso o a pasar tres horas discutiendo los cien años de soledad de la familia Buendía, los *Heraldos negros*, o la vida trágica de Lorca.

Para Dolores, Cristina representaba el alivio a su frustración maternal. Aunque no lo confesara, a veces se sentía responsable por los caminos que Andrés había escogido para su vida. Pero esos pensamientos eran esporádicos, ella comprendía que nadie era culpable de los errores de otro, aunque el otro fuera su hijo; para ella la homosexualidad era una decisión, no una herencia biológica. Cristina la apoyaba y entre las dos trazaron un plan cuyo primer punto había sido prohibir la visita de Arizmendi a Tierra Negra. Lleno de frustración, el decorador había accedido al ruego de Dolores, no se aparecería por allí hasta que Andrés estuviera curado. "Eres una injusta, todos estos años Andrés sólo me ha tenido a mí, a mí que soy su madre, su padre, su cuenta de ahorros, ¿crees tú que no tengo ganas de verlo? Estás cada vez más loca, Dolores, porque ante todos podrás fingir cordura, pero no ante mí que te conozco como la palma de mi mano".

Poco a poco, gracias a las sicoterapias que realizaba con Dolores en el cuarto que daba al patio del estanque, Cristina se enteró de los detalles más íntimos de la familia. Dolores se convirtió en un archivero abierto donde los secretos más guardados se peleaban por salir y hacerse públicos. De esa manera Cristina supo de los amoríos con David, de las masturbaciones con la luna, de las tácticas de Antón para alcanzar el poder, del abuelo durmiente y de las verdaderas razones por las que Andrés había crecido lejos del hogar.

24

La hora que duraba la comida era la única parte del día en que convivían todos. Tres generaciones de lagartos sentadas a la mesa, Aída con su trenza enredada en la parte superior del cráneo; Dolores con su cabello rubio platino y su boca carmín; Andrés eternamente bronceado. Antón Villafierro presidía, con toda la seriedad que demandaba su figura. Dolores bebía vino tinto a su derecha y a su lado, discreta, Cristina se llevaba a la boca una cucharadita de suflé. Con un gesto repentino, Dolores estiró la mano sobre los platos para acariciar el brazo de la sicóloga. "¿Ves este anillo?" preguntó mirándola a los ojos. "Te lo regalo. Tómalo y no hagas preguntas". Antón Villafierro no dijo nada, alzó la copa de vino y brindó.

En su cuarto, Cristina abrió las puertas del balcón que asomaba al estanque. La lluviecita le ceñía la blusa delatando la voluptuosidad de sus formas. Esa tarde se había esmerado en el arreglo y sin muchos artificios había logrado seducir a todos, tenía la prueba allí, en su dedo anular. Andrés entró en el dormitorio sin que ella se diera cuenta. La observó de arriba abajo mientras trataba de calmar la sorpresiva agitación que le produjo el perfume que llegaba desde la ventana. Calló el sonido de sus pasos para no perder la imagen de mujer que de espaldas se meneaba para despojarse las medias. Cuando Cristina reparó en él, Andrés ya la había recorrido mil veces, la había tocado, la había mojado con besos. Cristina le observó la protuberancia que pugnaba por escapársele de los pantalones y se llevó la mano a la garganta. No habló. Abandonó lo que estaba haciendo y se mordió el labio inferior.

Andrés se le acercó. Le rozó los senos endurecidos y se colocó detrás de ella para deshacerle los enganches del sujetador. La sintió temblar cuando el sostén resbaló hasta sus pies. Le acarició los pezones con las yemas de los dedos. Sorbió la lluvia que le mojaba los hombros y mordió su nuca despacio, suave. Después sus manos indagaron sobre la seda que le cubría el sexo y encontró un vacío nuevo. La soltó para apagar la luz. Cristina se recostó sobre las colchas y él se desnudó.

Andrés dejó que sus manos trabajaran solas. Las observó

aprentando la carne de mujer a punto de derretirse. La lengua le despertó ante el antojo recién descubierto entre sus piernas. Siguió un camino marcado por una naturaleza que hasta ese entonces no conocía. No sabía cuál de los dos temblaba más, pero llegó un momento en que el trepidar de los cuerpos hizo que su espíritu se desprendiera. Entonces, comprendió lo que sucedía y se quedó a distancia, flotando en el cielo de la habitación y observando lo que ocurría abajo. Cristina, no lo dejes ir, abrázalo fuerte, pobre Andrés, necesita tanto que lo abracen.

Los dos seres se enfrentaban en un combate doloroso. La mujer gemía y clavaba la uñas en la espalda de su contrincante. El cuerpo de Andrés la penetraba tratando de encender un fuego que no prendía, que apenas chispeaba era extinguido por el sudor. Los dos sabían que esa sería la única vez que se compartirían de esa manera y persistieron incansables en el empeño hasta que Cristina dijo las palabras mágicas: "Piensa en Luis". Entonces vino el arqueamiento, la eyaculación y el desplome. En ese momento Andrés supo que debería regresar a su cuerpo cuanto antes, pues Andrés, el otro, el que acababa de hacer el amor, estaba a punto de salir corriendo.

Ya en su habitación se introdujo en el agua fría de la ducha. No supo cuánto tiempo estuvo bajo el chorro, el necesario para desinfectarse y pedirle perdón al recuerdo de Luis. Lo imaginaba burlándose y devolviéndole todas las palabras compartidas. Fue la primera vez que las alucinaciones que habían empezado en Albuquerque lo acosaron en Tierra Negra, vívidas y claras, como si nunca se hubieran ido. Salió de la regadera y se postró en el piso del baño para pedirle a Luis que se fuera, que lo dejara vivir en paz. Pero aunque cerró los ojos con fuerza no logró que las burlas y los reclamos se callaran. Entonces volvió a gritar, gritó como lo había hecho cuando niño para aplastar al padrastro, como lo había hecho en la Ciudad de México.

El espejo estalló en pedazos y los vidrios se le incrustaron en la espalda. El baño quedó sumergido en un vacío donde no se escuchaba más que el goteo de la sangre sobre los azulejos. Ningún beso, ninguna caricia, ningún olor sobrevivió a la flagelación. Encogió las piernas y quedó hecho un ovillo sobre el piso. Después de un rato, se incorporó lentamente y volvió a abrir la ducha para lavarse las heridas. Se llenó de miedo y al mismo tiempo de un placer indescifrable. Rio. Tú y yo, Luis, siempre juntos, uno dentro del otro.

Los cuervos del portón comenzaron a oxidarse y nadie se preocupó por arreglarlos. Dolores y Cristina pasaron muchas tardes en la terraza del patio principal esperando a que Andrés se detuviera a hablar. Pero Andrés estaba cansado de su voz, había reiniciado conversaciones telepáticas con los árboles y pasaba los días acostado bajo sus copas. No quería acercase a Cristina, las cosas se habían ensuciado entre los dos. Se lo había dicho a la mañana siguiente, pero ella no claudicó. "¿A qué te atienes a mi lado? Retírate, nunca me voy a curar. Déjame pudrirme solo. ¿No entiendes que vivo en el melodrama, que soy un infeliz a quien le gusta el sufrimiento? Hasta yo mismo me doy asco. Ni tú, ni mil terapias... Yo solo, Cristina, me tengo que curar yo solo".

Pero Andrés solo no podía hacer nada, porque no era Andrés quien disponía las prioridades de sus pensamientos, sino ese otro que había vuelto la noche de la entrega con Cristina. A ése sólo le interesaba vivir en los recuerdos. Empezó a retroceder en el tiempo, se escapaba de la realidad como hacía de niño con las historias de Isabel, jugaba a los soldados y a las guerras que arrebatan amantes. Pero esa no era su suerte y el juego resultaba aburrido. Era mejor correr desnudo por los sembradíos de algodón, sumergirse en el estanque de los cisnes y contener la respiración cada vez más, desbocarse en uno de los caballos favoritos de Antón, levantar cien kilos tres veces al día, releer todos los libros de la biblioteca, llorar sobre la tumba de Eyerame o emborracharse con el whisky que le gustaba a Luis.

25

A pesar del descontento popular, Antón Villafierro inició su campaña para gobernador con el lujo de una celebración masiva y ostentosa. El partido oficial manifestaba confianza en sus cualidades de líder, lo apoyaban incondicionalmente. Había que aprovecharse de la buena reputación que había quedado tras su administración municipal. A los desérticos les importaba poco quién era o quién había sido Antón Villafierro. El descontento era con el partido que lo había lanzado, ya eran muchos años, se necesitaba un cambio. Ciudad Desierto había caído en crisis, la frustración hervía en las cocinas de todas las casas, el enojo se escapaba de las ollas y perfumaba la ciudad con un olor muy parecido al de los frijoles. Aún así, el lanzamiento de Antón rebasaba cualquier otro festejo del que se tuviera memoria en Ciudad Desierto. Miles de personas congregadas en la plaza principal enarbolaban las banderas tricolores del partido y las agitaban en cada pausa del discurso. Los choferes de transportes públicos, satisfechos con el pago adelantado, habían acarreado a cuanto ciudadano había salido al paso. Antón Villafierro probaba que el dinero movía montañas.

Andrés, por primera vez en mucho tiempo fuera de Tierra Negra, observaba desde el techo de un camión recolector de basura el parapeto de guardaespaldas. Se le figuraba que en cualquier momento un ciudadano inconforme irrumpiría en la trinchera y se lanzaría a la liberación del pueblo. Pero en esta parte del mundo no existían los héroes, por el contrario, centenares de personas habían vendido su odio para continuar la falacia de la tradición política. Nadie mejor que Andrés sabía que la victoria que Antón reclamaría dos meses después no era más que un plagio repetido a través de varias décadas, lo había escuchado en Tierra Negra, de la propia voz de su padre, sin necesidad de urgar en su mente. Apretó en las manos un periódico americano que reconocía el triunfo de la democracia en México, las elecciones más ardientes de la historia, la participación ciudadana es general, el mundo observa a Chihuahua 86, leía. Un soldado obligó a Andrés a descender del vehículo. Curioso, indagó en sus ojos tratando de encontrar un rastro de inconformidad con lo que sucedía, pero únicamente descubrió el brillo del infantilismo propagado. Por primera vez reconoció hasta dónde llegaba el poder de los Villafierro, de las influencias y las relaciones que Antón había establecido a lo largo de los años. Caminó algunas manzanas hasta el BMW registrando en la memoria el gusto y las ovaciones de la gente bien pagada.

En otro lote baldío de Ciudad Desierto ocurría lo mismo. Los desérticos iban de anaranjado, blanco y azul, con banderas fabricadas en casa y las caras pintadas. Allí la fiesta era con mariachis y se vitoreaba, ¡Nosotros sí, Villafierro no! Andrés no pudo resistir el deseo de abandonar el coche y mezclarse con el pueblo. Allí su espíritu percibía gusto, alegría y confianza. La gente se tomaba de las manos y hacía cadenas, los cláxones de los coches repetían la misma tonada de los gritos, los niños cantaban que muriera el PRI sin saber lo que significaba. Andrés se contagió de júbilo y repentinamente sintió que Luis estaba con él, que le abrazaba la espalda y le pedía que no volviera a Tierra Negra, que de pronto y sin necesidad de encefalogramas, antidepresivos, sesiones terapéuticas, había recuperado la razón. Pero regresó, regresó porque cuando el mitin terminó y todos se fueron a sus casas, Andrés se quedó solo, en medio de la nada, entre pancartas abandonadas, vasos despanzurrados y latas de Coca-Cola. Regresó a la mansión y se sintió más sucio que nunca, por estar contra su padre y no poder apoyarlo, por no poder querer a Cristina, porque la abuela estaba allí, caminando por la casa y él no tenía tiempo para ella, porque Anselmo se descomponía en la última habitación del pasillo y nadie hacía nada por enterrarlo.

Cuando declararon a Antón gobernador electo, Tierra Negra vivió más movilidad que nunca. Todos los días se ofrecían desayunos, rondas de prensa y tardeadas bohemias. Dolores se esmeraba por sonreír, se movía de un lado a otro y dejaba conversaciones a medias. Aída seguía al manejo de la casa y aunque no le interesaba la política, varias veces comentó que las cosas se estaban poniendo color de hormiga. "Nada más hay que salir un poquito, caminar por la ciudad, para darse cuenta. La gente no está conforme".

Pero no sucedió nada, tras la toma de posesión, Antón ofreció una fiesta a la que acudieron las autoridades principales de Ciudad Desierto y El Paso; entre ellas el General jubilado Tom Wolfchien. Esta vez no era una alucinación. El Tom que tantos años había resplandecido en el recuerdo de Aída caminaba rápidamente hacia ella, abriéndose paso entre los invitados. Aída se quedó de piedra, ni siquiera pudo levantar los brazos para alcanzarlo. Se va a esfumar en cualquier momento, pensó. Tom llegó hasta la mesa del banquete y se detuvo frente a ella. Aída se dejó caer en sus brazos. Él la apretó fuerte y ella escuchó su corazón arrítmico. Tom repetía el nombre, Aída, Aída mil veces hasta el cansancio. Luego la besó y su beso abrió un pasadizo a un lugar interno que Aída había clausurado mucho tiempo atrás. Tom la llevaba de la mano. A su paso, Tierra Negra se convirtió en un paraíso, La casa de Tom se reconstruyó en el aire y los mariachis tocaron eufóricos, la cantina y la casona de Doña Aurora se inundaron de gardenias, la guerra nunca se lo había llevado, las décadas no habían transcurrido. Ella era la adolescente de vestidos de satén y labios rojos, de cabellos negros que la boca de Tom le comía en el cuello. Mientras la besaba Aída alcanzó el primer instante, pero al despegar los labios, el adiós envidioso también quiso recrearse. El dolor de no haberlo tenido todo ese tiempo le explotó dentro, se extendió rápido por sus venas y la hizo volver a la realidad. Tom estaba frente a ella, no la había abrazado, no había habido uno solo beso. Los dos inmóviles, sin decir palabra. Los descubrimientos se sucedieron uno tras otro. Tom no tenía veinte años ni se apellidaba Mangan, ¿quién le había dicho semejante disparate? Wolfchien, impronunciable, Aída lo repitió varias veces, como si quisiera convencerse de estar viviendo un mal sueño. Él tenía mucho que contar, hablar de su esposa, de su carrera y sus medallas, pero Aída no tenía tiempo. Caminó apurada, levántandose la túnica con las manos para facilitar el recorrido.

Los empleados iban y venían sirviendo los tragos; la orquesta amenizaba incansable. Aída se topó con Antón y lo dejó con la palabra en la boca. Entró en la mansión por la puerta de la biblioteca para esquivar a Dolores que salía por la principal. A medida que se alejaba de la fiesta le iba creciendo la lástima por ella misma, un sentimiento que la emponzoñaba más que cualquier veneno, una angustia que la dejaba impotente, llena de asco. Subió la escalera de mármol y vomitó en el último peldaño. Era un capricho seguir queriendo a Tom de esa manera. Se limpió la boca como si pudiera arrancarse la última caricia y avanzó lentamente hasta el cuarto de Anselmo.

Las máquinas continuaban alimentándolo. Allí no llegaban los ruidos de la reunión. Le pidió a la enfermera que la dejara sola. Clavó la mirada en lo que quedaba de Anselmo y le tomó una mano. Lo acarició y comenzó a llorar. Se hincó de rodillas y le pidió perdón.

De pronto se dio cuenta de que había sido ella quien lo había sumido en el letargo, que lo había aniquilado lentamente, que lo había matado, Anselmo el que nunca se había ido, el que la quiso sobre todas las cosas y se quedó esperando toda una vida. Aída se dejó llevar por el ritmo de los bips en el monitor y deseó tener un violín para tocarlo, para danzar por ella y por él, para sepultar a Tom de una vez por todas. Pero eso era imposible, Tom estaba vivo allá afuera. Aída se secó las lágrimas y se despidió de Anselmo. Era demasiado tarde.

Abrió la puerta de su alcoba y entró. Caminó hasta el baúl y sacó el cofre donde guardaba sus recuerdos. El candil de cristal que colgaba del techo tintineó movido por una corriente de aire, los muebles parecieron girar y la lentejuela de la túnica acabó por asfixiarla. Se desvistió y volvió a vestirse, esa vez al modo tarahumara. Se deshizo el chongo, se adornó la cabeza con la collera, se descalzó. Recordó la muerte de Eyerame y cómo el viento se la había llevado. Ojalá que a ella le sucediera igual. Abrió las ventanas de par en par, pero no ocurrió nada. Abajo, la fiesta continuaba.

Descendió la escalera con una expresión nueva en el rostro, sonriendo a los invitados que permanecían dentro de la mansión y que miraban asombrados su vestido de india. La brisa le refrescó el rostro al salir al patio de los cisnes. Había decidido que era la hora de pagar sus culpas. Se aproximó a su nieto y le dijo unas cuantas palabras al oído antes de dirigirse hacia el estanque. Andrés pensó que lo que hacía Aída era para protestar por la victoria del gobernador y trató de seguirla gritando a todos que era hora de lavar la ropa sucia. Entonces se dio cuenta de que Aída había desaparecido, que lo único que flotaba en el estanque era el adorno tarahumara que su abuela llevaba en la cabeza.

La concurrencia quedó inmóvil. Andrés forcejeó para que lo dejaran ir al rescate pero fue inútil, varios agentes de seguridad lo detuvieron y otros se lanzaron tras la abuela. El viento que Aída había invitado comenzó a soplar. Los manteles fueron arrancados de las mesas, la comida se desparramó por el suelo, las esculturas de hielo estallaron, las pelucas de las damas se elevaron por el aire, las puertas se abrían y se cerraban, los cisnes fueron arrastrados, la gente se abrazaba a los árboles. Andrés se quedó en la orilla del estanque.

Cuando el viento aminoró y el cuerpo salió a flote, el rostro de Aída parecía haber sido pacificado. Por unos minutos, la abuela quedó tendida sobre los juncos, con los ojos perdidos en la luna y las manos sumergidas en el fango. Era la imagen de un lagarto dormido, igual al prendedor que Andrés se había puesto en la solapa del esmoquin.

Dos días después, durante el funeral, la lluvia azotó Tierra Negra con un furor jamás sentido en este lugar. Las nubes descendieron de tal forma que el cielo parecía estar al alcance de los dedos. El agua escurría de las palmeras, de los sauces y de los trajes negros de los reunidos en el cementerio; formaba arroyuelos a donde los insectos y la hojarasca eran arrastrados. Los minúsculos ríos convergían en los cuatro costados de la fosa mientras el ataúd desaparecía sepultado por vertientes de tierra diluída. Los trabajadores paleaban con velocidad, tratando de vencer la lluvia en ese combate de sepultureros. Andrés tenía los ojos fijos en el crucifijo enlodado del sarcófago.

La concurrencia permanecía reunida alrededor de la familia, brindando su apoyo incondicional al gobernador. Nadie podía dudar de la pena que lo embargaba; el hombre, a quien todos conocían por su dureza y su sobriedad, había protagonizado un episodio de desasosiego emocional que llevó a las lágrimas a la mayoría de los asistentes. Antón llevaba lentes oscuros y se mordía el puño derecho para ahogar los lastimeros sollozos. Dolores se mantenía en estado de calma a la derecha de su marido. A pesar de que tenía el peinado deshecho por la lluvia, parecía no molestarse por la constante intromisión de los fotógrafos.

Finalmente, el crucifijo desapareció y la abuela quedó sepultada en un lodazal que no le pertenecía, sumergida en un fango tan acuoso como el estanque donde se había ahogado. Cristina se recargó en el hombro de Andrés y le dijo que todo iba a estar bien, que la abuela estaba en un lugar mejor. Sus palabras sonaron inútiles y repetidas, pero Andrés no tuvo tiempo de decírselo porque la prensa los avasalló.